LIEVE HEMEL
Hoe ik weer bij mijn ouders introk

Rhoda Janzen

LIEVE HEMEL

Hoe ik weer bij mijn ouders introk

SIJTHOFF

Enkele namen van karakters in dit boek zijn om redenen van privacy veranderd.

Foto's op pagina's 229/230 uit: Gerhard Lohrenz, *Heritage Remembered*, Canadian Mennonite University Press
Songtekst op pagina 31 van het album *Sing Alleluia!* van Connie Isaac
© 2009 Rhoda Janzen
All rights reserved
© 2011 Nederlandse vertaling
Uitgeverij Luitingh ~ Sijthoff B.V., Amsterdam
Alle rechten voorbehouden
Oorspronkelijke titel: *Mennonite in a Little Black Dress*
Vertaling: Saskia Peterzon-Kotte
Omslagontwerp: DPS/Davy van der Elsken
Auteursfoto: Shelley LaLonde/FacePhotography

ISBN 978 90 218 0468 2
ISBN e-book 978 90 218 0469 9
NUR 340

www.boekenwereld.com
www.uitgeverijsijthoff.nl
www.watleesjij.nu

Voor Mary Loewen Janzen

Inhoud

I

Een neef als bruidegom

Het jaar waarin ik drieënveertig werd, besefte ik dat ik mijn menno-nietengenen nooit als iets vanzelfsprekends had moeten beschouwen. Ik was er lange tijd van uitgegaan dat ik genetisch was voorbestemd tot een ijzeren gestel, net als mijn moeder, die zelfs nooit een koutje oploopt. Al mijn familieleden van haar kant – de Loewens – zijn kerngezond, borstkanker en polio daargelaten. Met de polio is nu wel zo'n beetje korte metten gemaakt, dankzij Jonas Salk en zijn talent voor het ontwikkelen van wereldwijd bruikbare vaccinaties. Maar toen mijn moeder nog een meisje was, in de tijd vóór Jonas Salk, raakte haar jongere broertje Abe kreupel door de polio, die er ook de oorzaak van was dat de arm van haar lievelingszus Gertrude verlamd raakte. Trude voedde haar twee kinderen dapper met slechts één arm op en noemde haar aangetaste arm Stinky.

> – *Ja, ik vind Stinky een leuke naam voor een verlamde arm!*
> – *Nee, ik zou mijn verlamde arm een iets waardigere naam geven, zoals Reynaldo.*

Hoewel borstkanker ook bij ons in de familie voorkomt, heeft het nooit een rol van belang gespeeld. We krijgen het laat in ons leven, raken er een of twee tieten aan kwijt, maar daarna bezwijkt het onder de hardnekkige weerstand van chemo en karnemelk. Nou ja, we zouden er tieten aan kwijtraken als we die gehad hadden. Wat niet het geval is.

In de puberteit waren mijn zus Hannah en ik benieuwd of we meer op onze moeder of op onze vader zouden gaan lijken. Daar hing een hoop van af. We hadden een gênant niet-coole kindertijd gehad en beseften dat we door onze genetische erfenis op een wankele richel balanceerden. Papa was knap, maar humeurig; mama was gewoontjes, maar opgewekt. Konden we ons staande houden in de normale samenleving of zouden we door ons mennonietenverleden voor eeuwig gedoemd zijn tot buitenbeentjes?

Mijn vader, ooit hoofd van de North American Mennonite Conference for Canada and the United States, is het mennonietenequivalent van de paus, maar dan in een Schots geruite korte broek met nette, hoog opgetrokken zwarte kniekousen. In het complexe morele universum van volwassen mennonieten kan een mennoniet er goed uitzien zonder ook maar een greintje smaak op kledinggebied te hebben. Het kan ook heel goed zijn dat mijn vader zich er niet van bewust is dat hij knap is. Hij is theoloog en gelooft in een liefdevolle God, een dienstbaar hart en seniorenkorting. Zou God blij zijn als we onnodig tweeëndertig cent bij McDonald's zouden uitgeven? Ik dacht het niet.

Met zijn één meter vijfentachtig en zijn klassiek knappe uitstraling is papa een imposante verschijning, waarachter een charismatische welbespraaktheid en een serieuze, bedachtzame, autoritaire houding schuilgaan. Ik heb rekening gehouden met de mogelijkheid dat hij door zijn wijsheid en ernst knapper lijkt dan hij eigenlijk is, maar om de een of andere reden is papa zo iemand naar wie iedereen luistert. Wie je ook bent, je gaat niet zitten suffen tijdens de preken van die man. Zelfs als je atheïst bent, zit je nog mee te knikken en denk je: Preek er maar op los, meneer!

Nou ja, niet echt te knikken. Misschien stel je je voor dat je zit te knikken. Maar in dit scenario zit je in een mennonietenkerk en dat betekent dat je heel stil zit en Jezus met heel je hart, je geest en je ziel vereert, alsof je net door een slang gebeten bent en je je in de laatste fase van verlamming bevindt.

Misschien ben ik wel de eerste die zwart-op-wit stelt dat mijn vader knap is. Een mooi uiterlijk wordt als overbodig beschouwd voor een mennonietenwereldleider; bij de mennonieten draait alles immers om dienstbaarheid. In theorie weten we niet eens hoe we eruitzien, want aandacht voor ons uiterlijk is ijdel. Onze antipathie tegen ijdelheid verklaart dat velen van ons ervoor kiezen van die truttige rokjes en van die frutselige hoofddeksels te dragen – een keuze waartoe we alleen maar gekomen kunnen zijn door collectief te besluiten geen acht te slaan op wat we 's ochtends aantrekken.

In tegenstelling tot mijn vader is mijn moeder geen klassieke schoonheid. Maar ze verkeert wel in goede gezondheid. Ze is zo vrolijk als een leeuwerik op een zomerochtend. Die vrouw is niet klein te krijgen. In onze jeugd was ze echt zo'n moeder die om zes uur 's morgens zingend onze kamer binnenkwam en ons welluidend aanspoorde op te staan op deze heerlijke dag en God glorie – glórie – te geven. En dat was dan op zaterdag – záterdag. Opgewekt is ze zeker. Een glamourgirl is ze zeker niet. Ooit heeft ze voor Hannah een zwart T-shirt gekocht waar in knalrode glitterletters NASTY! op stond. Ze had geen idee wat het betekende. Toen we het haar vertelden, zei ze met een zonnig gezicht: 'Och, dan draag je het toch gewoon als je in de tuin gaat werken!'

Naast het feit dat ze als mennoniete is geboren, wat meestal zo zijn eigen schoonheidsverrassingen met zich meebrengt, heeft mijn moeder geen nek. In onze kindertijd werd mijn moeders hoofd, dat als een vriendelijke krop sla rechtstreeks uit haar schouders kwam, zo'n beetje het doelwit van ons gezin. We grepen elke gelegenheid aan om haar hoeden en petten op te zetten, waar we allemaal onbedaarlijk om moesten lachen. Mama lachte goedmoedig mee, maar als we het te bont maakten, voorspelde ze dat onze Loewen-genen zich uiteindelijk zouden doen gelden.

En zo was het ook. Hoewel ik persoonlijk wel een nek heb en die zeer waardeer, was ik even na mijn veertigste het toonbeeld van blakende Loewen-gezondheid: blozende wangen, ongevoelig voor bacillen, een taai gestel. Ik was haast nooit ziek. En in het jaar voordat de belangrijkste verwikkeling van deze memoires plaatsvindt, had ik een lichamelijke inzinking doorgemaakt – ik zal het geen 'ziekte' noemen – die zo ernstig was dat ik dacht dat ik de daaropvolgende jaren statistisch gezien wel goed zat.

Ik was destijds pas tweeënveertig, maar de dokter raadde me een

radicale salpingo-oöforectomie aan. In premenopauze-termen betekent dat zoveel als 'je baarmoeder moet eruit'. Er hing een dood-
ernstige stilte in de lucht toen de dokter het onderwerp hysterectomie voor het eerst ter sprake bracht.

Ik zei: 'Mijn hele baarmoeder eruit gooien, bedoelt u? Met eilei-
ders en al?'

'Ja, ik ben bang van wel.'

Ik dacht er even over na. Ik wist dat ik iets van feministische ra-
zernij zou moeten voelen, maar daarvan was geen sprake. 'Oké.'

Dokter Mayler zei iets plechtigs over een steungroep. Uit zijn
toon kon ik opmaken dat ik ook een diep gevoel van verlies zou moeten ervaren en het enorm onrechtvaardig hoorde te vinden dat dit
me op mijn tweeënveertigste moest overkomen in plaats van op
mijn – wat... zesenvijftigste? Plichtmatig schreef ik de contactinfor-
matie over de steungroep op, met de gedachte dat ik vast weer in
de ontkenningsfase zat. Misschien zouden de ernst en het drama
van de salpingo-oöforectomie pas later tot me doordringen. Op
mijn tweeënveertigste was het me wel duidelijk dat ontkenning
mijn typische manier van doen was. Grote levenslessen kwamen altijd laat bij me binnen. Ik ben altijd een laatbloeier geweest, een
langzame leerling. De postbode moet bij mij tweemaal aanbellen,
als je begrijpt wat ik bedoel.

Mijn man, die een vasectomie had ondergaan toen we twee weken getrouwd waren, was helemaal voor de hysterectomie. 'Doen,'
spoorde hij me aan. 'Waar heb je dat ding voor nodig? Je gebruikt
het toch niet?'

Over het algemeen was Nicks beleid: als je iets een jaar niet hebt
gebruikt, gooi het dan weg. We woonden in ultramodern, schaars
ingerichte huizen. Hij haalde me ooit over een koetshuis in te rich-
ten met slechts een jarenvijftigbank en drie fantastische vloerkus-
sens. Ken je die rommelkastjes bij je telefoon? Op dat van ons lag
alleen een museumpen en een schrijfblok van handgeschept papier
op een Herman Miller-blad.

Dus Nick was voor de hysterectomie, maar alleen op basis van
een elegant gevoel voor understatement. Voor hem was de verwij-

dering van onnodige anatomische onderdelen net zoiets als overtollige spullen aan het goede doel doneren. Hebben de vorige eigenaars een biervlot in jullie garage achtergelaten als attent geschenk? Nee, dank je! Wij waren niet het soort mensen dat een biervlot in onze garage zou opslaan; niet omdat we nou zozeer tegen biervlotten waren, maar omdat we geen heerlijk lege ruimte wilden volstouwen. Nick nam het voortouw in het ordenen van onze bezittingen, maar ik ging er gewillig in mee. Had je stiekem al sinds 1989 dezelfde beha gedragen? Ga toch heen, oudje! Was je gehecht aan een sentimentele oude trouwjurk? Weg ermee! Nicks enthousiasme voor de hysterectomie maakte me wat nerveus. Ik bleef mijn innerlijke temperatuur maar opnemen, op zoek naar melancholie. In de medische naslagwerken die ik las, stond dat ik me echt heel neerslachtig moest voelen.

Maar in de weken voor de operatie liet mijn depressiemechanisme het nog steeds afweten. Ik bleef in een verdacht montere stemming, net als mijn moeder, die de beproevingen van een vroegtijdige overgang zelf ook had doorstaan. Ik belde haar op. 'Hé, mam,' zei ik. 'Hoe voelde jij je toen je zo oud was als ik en je baarmoeder eruit moest?'

'Geweldig,' antwoordde ze. 'Hoezo?'

'Werd je er treurig van?'

'Welnee, ik kreeg een dag vrij.'

'Maar rouwde je omdat je jeugd voorbij was?' drong ik aan.

Ze lachte. 'Nee, ik was veel te druk bezig met het vieren dat ik nooit meer ongesteld zou worden. Want soms moest ik mijn maandverband wel elk uur verwisselen! Het stroomde maar door...'

'Oké, duidelijk!' interrumpeerde ik. Mijn moeder zat in de verpleging en had een zwak voor bloedklonters, gebruikt maandverband, geel uitgeslagen zwachtels en gesprongen aderen. Als ik haar niet onderbrak, zou ze algauw overstappen op schimmelinfecties en dan was het hek van de dam.

Nadat ik mijn moeder had gesproken, bracht een vriendin voorzichtig ter sprake dat ik me moest voorbereiden op de schok die me te wachten stond als ik geen baarmoeder meer zou hebben. Mijn vierenvijftigjarige vriendin zei dat ze zich zorgen maakte om mijn luchthartige houding ten aanzien van deze enorme overgangsrite. Ik bedankte haar. Zie je nou, in mijn hart had ik wel geweten dat mijn moeders opgewekte levenshouding niet de norm was! Ik werd flink nerveus. Ik belde de huisarts. 'Heeft een salpingo-oöforectomie rare bijwerkingen?' vroeg ik. 'Huiduitslag of zo?'

'Geen huiduitslag,' zei de assistente. 'Maar het zal wel een paar weken zeer doen. Twee maanden geen seks.'

'Wordt mijn libido er minder door?'

'Nee.'

'Word ik er dik van?'

'Nee, tenzij je niet goed meer voor jezelf zorgt.'

'Waar heb ik dan een steungroep voor nodig?' vroeg ik.

'Veel vrouwen vinden het prettig om tijdens deze overgangsperiode gesteund te worden door een groep,' zei ze ernstig. 'Veel vrouwen hebben moeite te wennen aan een nieuwe fase, waarin ze geen kinderen meer kunnen krijgen.'

Ik koos voor een middenweg tussen de prettige nonchalance die ik werkelijk ervoer en de houding van gevoelig verlies die ik probeerde op te wekken met mijn dagboek en een aantal potten kalmerende vlierbesthee. Omdat ik nauwgezet in mijn dagboek schreef en oprecht probeerde mijn emoties onder ogen te zien en te ervaren, bedacht ik dat ik die steungroep wel mocht laten zitten. Ik was toch al nooit zo gehecht geweest aan mijn baarmoeder, aangezien ik had besloten geen kinderen te willen baren. Dus weg met die steungroep. Ik bedoel, moge God die steunende meiden rijkelijk bedelen met zusterlijke zegeningen!

Maar God wist dat het dagboek nep was en strafte me uiteindelijk voor mijn harteloze ongevoeligheid. (Heb ik al verteld dat de God van de mennonieten een man is? Twijfelde iemand daar nog aan?) Tijdens de operatie prikte dokter Mayler, die in de meeste gevallen uiterst bekwaam is, per ongeluk een gat in twee van mijn organen. Hij merkte er niets van. Oeps. Toen ik bijkwam, deed ik plasjes als een schrikachtig hondje.

Dus ik, die altijd het toonbeeld van blakende gezondheid was geweest, werd twee weken later bij mijn man afgeleverd in een rol-stoel, zo mager als een lat en met een urinezak die met een lange, doorzichtige slang vastzat aan mijn lijf. De eerste paar dagen was ik te ziek om me er druk om te maken, maar toen begon mijn moeders inborst de overhand te krijgen. De waarheid drong langzaam tot me door: urinezak. Slang. Ik bleef maar kijken naar de belletjes die door de slang dreven en dacht: *Ik ben aan het plassen. Nu. Precies op dit moment.* Of: *Ik eet en plas tegelijk.* Ik ben een vrouw, hoor me plassen! Dat wil zeggen, hoor me de urinezak legen in een plastic bak die te zwaar is om op te tillen!

Ik lag daar te niksen, tenzij je het plassen meetelt, want dat gíng maar door. Maar in plaats van te rouwen om mijn verloren baarmoeder, deed ik dutjes en las *The New York Times*, die ik normaal gesproken nooit uit krijg wegens tijdgebrek. Midden op de dag op mijn luie achterwerk de krant lezen was in de ogen van mijn Loewen-genen niets minder dan vakantie vieren: luxe! De nieuwe artsen hadden me verteld dat de kans bestond dat ik permanent incontinent zou blijven, een mogelijkheid die een serieuze aanslag zou plegen op mijn liefdesleven, om van mijn sportschema nog maar te zwijgen. Maar net als mijn moeder zei ik meteen tegen mezelf dat blijvende incontinentie niet het einde van de wereld betekende. Het was beter dan, ik noem maar wat, verlamd raken aan beide armen en benen. Ik had fantastische vrienden, een man en een kat. Grote luiers waren weliswaar een bedreiging voor het milieu en het duurde tientallen jaren voor ze werden afgebroken, maar ze waren wel goedkoop. Sterker nog, toevallig had ik de dag ervoor nog een kortingscoupon van Depend gezien.

Vanwege Nicks heftige jeugd vroegen we ons allebei bezorgd af hoe hij zou omgaan met een veel zwaardere herstelperiode dan we hadden ingecalculeerd. Nicks moeder, die kon bogen op een lange geschiedenis van psychische aandoeningen, had haar kinderen onderworpen aan wat negentiende-eeuwse artsen 'een tirannie van kwalijke dampen' noemden, wat inhield dat ze haar vele pijntjes en kwaaltjes gebruikte om mensen onder de duim te houden. Wat er ook in het leven van haar kinderen gebeurde, het draaide allemaal om Regina. Toen Nick volwassen was, distantieerde hij zich van haar, walgend van haar klaagzang als de Invalide Vrouw, en hij had me heel vaak gezegd dat hij niets met mij gehad zou hebben als ik zo'n afhankelijk, hysterisch type was geweest.

Tijdens onze schaarse bezoekjes aan Regina probeerde ik haar af te leiden door haar over haar extreme schoonheid te laten praten. Dat was geen flauwekul. Zelfs op haar eenentachtigste had Regina nog die Italiaanse – tadadaaa – wauwfactor. Ze was echt mooi om te zien – Nick moest het toch van íemand hebben – en leek vijfentwintig jaar jonger dan ze was. Meestal droeg ze een geweldige glamourpruik en een stretchbroek. Ik vond het geen punt haar dwingende vragen te stellen over hoeveel mannen haar ten huwelijk hadden gevraagd. Op één dag.

Ik heb een verhaal dat Regina's aard in een notendop weergeeft. Twaalf jaar geleden, toen Nick en ik arme studenten waren, kregen we een telefoontje dat zijn vader een ernstige beroerte had gehad en op sterven lag in een ziekenhuis in West-Virginia. We konden ons geen vliegtickets veroorloven, dus sprongen we in de auto en reden non-stop van Chicago naar Fairfax, zo'n twaalf uur rijden. We dronken liters koffie, reden zo hard als we durfden en hoopten maar dat Nicks vader nog zou leven als we aankwamen. Toen we eindelijk bij het ziekenhuis waren, renden we zonder ook maar een sanitaire stop te maken zo snel mogelijk de trap op en kwamen hijgend op de intensive care. Daar waren ze: Nicks vader op sterven na dood, maar nog altijd bij kennis, en Regina, op-en-top het mooie, bezorgde vrouwtje. Ze sprong op en strekte haar armen naar me uit. 'Lieverd!' riep ze indringend. 'Wat vind je van mijn haar?'

Met Regina als moeder zou iedereen stapelgek worden. Zou Nick het beeld van een zwak vrouwspersoon zo weerzinwekkend vinden dat hij niet voor me zou kunnen zorgen?

Het leeuwendeel van de walgelijke taken zou op zijn schouders terechtkomen: verband verschonen, katheters inbrengen, mijn urinezak in een bak legen en als een ouderwetse dienstmeid mijn plas weggooien. 'Ik zal mijn best doen,' zei hij kranig. 'Maar die urinezak is klote.'

Toen deed Nick ons allebei versteld staan. Hij bleek een natuurtalent in de ziekenboeg. Kordaat, kundig en haast joviaal zwierde hij mijn ziekenkamer in en zette de ramen open, schudde mijn kussens op en smeerde de slangetjes in. Hij kwam aanzetten met kopjes koffie en vreemdsoortige broodjes. Ik werd wakker en zag een schaaltje pinda's, een nieuw flesje kastanjebruine nagellak en een literair tijdschrift. 'Hier,' zei hij opgewekt, terwijl hij me in de loop van de ochtend een gin-tonic gaf. 'Tijd om je pillen in te nemen!'

Mijn beste vriendin Lola was uitgerekend die zomer in de Verenigde Staten en vloog over om bij me te zijn. Lola was net zoiets als een steungroep en haar timing was volmaakt. Ik wilde niet dat Nick me ook nog eens moest wassen en me op het toilet moest helpen; het was al erg genoeg dat hij mijn plas moest opruimen. We waren zo'n getrouwd stel dat het liefst niet alleen gescheiden badkamers heeft, maar badkamers die zo'n vijfhonderd vierkante meter van elkaar verwijderd zijn. Met Lola had ik in meer dan vijfendertig jaar regelmatig een badkamer gedeeld, dus tijdens haar verblijf hielp ze me de douche in en uit. Ik was zo verzwakt dat ik niet eens mijn eigen haar meer kon wassen. Maar Lola en ik brachten nauwelijks nog tijd met elkaar door nu ze met een Italiaan was getrouwd, dus urinezak of niet, we wilden de twee weken dat we samen waren tot het uiterste benutten. We konden niet wachten om te gaan shoppen.

De meeste Amerikaanse expats vinden winkelen in Italië een heel gedoe. Ten eerste is alles er veel en veel te duur. Ten tweede is er in Italië maar twee keer per jaar uitverkoop. Ten derde kent Italië geen kledingmaten voor vrouwen met royale operazangeressenkonten. Dus moet Lola wachten met shoppen tot ze naar de States komt, en die zomer konden we, ondanks mijn zwakke postoperatieve staat, niet wachten om naar Nordstrom Rack te gaan. We probeerden een manier te vinden om een middagje Nordstrom Rack werkelijkheid te maken. 'We stoppen je urinezak gewoon in een felgekleurde draagtas, dan kun je hem als handtas dragen,' zei Lola.

'Maar dan zie je het slangetje onder mijn rok uit komen,' wierp ik tegen. 'En wat dacht je van het feit dat ik niet kan lopen?'

'Dan leun je toch gewoon op een boodschappenwagentje,' zei Lola. 'Zo lijkt het net zo'n karretje met een tas erop. Trouwens, ik denk niet dat iemand dat slangetje ziet, want het is doorzichtig.'

'Ja, maar er lopen de hele tijd urinebelletjes doorheen,' zei ik bezorgd. 'Kijk, daar heb je er al een, precies op dit moment.' Toen het belletje voorbijdreef, probeerde mijn kat Roscoe het te pakken. 'Hé, sukkel,' zei ik tegen hem, 'dat is geen speeltje. Het is plás. Ik weet het niet hoor, Lola. Ben ik er wel klaar voor om in het openbaar te plassen?'

'Weet je wat?' zei Lola. 'Laat het gewoon hangen. Als een handicap die je hebt geaccepteerd. Hou je van mij, dan hou je ook van mijn urineslangetje. Mensen lopen ook gewoon rond met smerige psoriasis waar ze aan krabben en wrijven. Of wat dacht je van die vent in die eettent die kwam ontbijten met een open hoofdwond. Wafels, varkensworstjes en een enorme jaap met nauwelijks geronnen bloed. En denk eens aan jonge moeders die hun tepels ontbloten en in het openbaar borstvoeding geven terwijl iedereen het kan zien!'

'Dat is waar,' zei ik getroffen. 'Niemand die daar kwam ontbijten was blij met die hoofdwond, maar íedereen vindt het prima om in het openbaar borstvoeding te geven! Als vrouwen een grote melktepel kunnen ontbloten, kan ik misschien mijn urineslangetje ook wel laten zien.'

'Laat zien wat je in huis hebt!' spoorde Lola me aan.

Zo kwam het dat ik me in de openbaarheid begaf en met mijn urinezak in een turkooizen laktas enthousiast aan het shoppen sloeg. De excursie verliep buitengewoon succesvol, afgezien van het moment waarop ik per ongeluk op het ventiel van mijn urinezak ging staan en de passagierskant van mijn auto volgoot met mijn eigen plas. Lola hoosde de urine stoïcijns uit de vw en redeneerde dat zo'n plasklusje ruimschoots opwoog tegen al die uitstekende koopjes die we hadden gevonden. Nog geen week later bevorderden de dokters me tot zo'n urinezak die je met klittenband om je been bindt, onder je rok, als een onsmakelijk geheimpje. Zo stond ik een half semester voor de klas. Nou, ik kan je verdomme wel vertellen dat, als het buiten dertig graden is, niets je méér aan je eigen sterfelijkheid doet herinneren dan een dampende, warme zak plas die om je been hangt.

Tot mijn vreugde kan ik meedelen dat ik volledig genezen terugkeerde uit het schimmenrijk van slangetjes en ventielen. Zes maanden na de operatie stond ik weer in de sportschool op de loopband te ploeteren, met een ongekend gevoel van dankbaarheid vanwege mijn inwendige afvoersysteem. Voorheen vond ik mijn wonderbaarlijke vermogen om hard te lopen zonder mijn been onder te plassen doodgewoon, maar nu prees ik in stilte mijn blaas. 'Goed zo! Je houdt het prima vol, schat! Nog zes kilometer! Je kúnt het!' Als ik nieste, dacht ik: Geweldig! Je overtreft jezelf, lieve kleine sluitspier! Het duurde ongeveer een jaar voor ik ermee ophield elke keer dat ik naar de wc ging het gebed van Franciscus van Assisi te prevelen.

Waarmee ik alleen maar wil zeggen dat ik er, gezien de verrassende gebeurtenissen in het Jaar van de Urinezak, van uitging dat ik nu decennialang vrij zou zijn van gezondheidsproblemen en trauma's. Maar nee.

Nick en ik waren kort daarvoor verhuisd naar een kleine plattelandsgemeente, zo'n drie kwartier van mijn werk. Mijn reistijd nam behoorlijk toe door de verhuizing, maar Nick had een nieuwe baan als hoofd van de psychiatrische afdeling van het plaatselijke ziekenhuis en moest in de buurt wonen om in geval van nood op elk moment te kunnen opdraven. Daarom hadden we een mooi huis aan een meer gekocht, dat ik me in mijn eentje niet had kunnen veroorloven. Dit was de eerste keer in vijftien jaar huwelijk dat ik afhankelijk was van Nicks financiële bijdrage. Voor we aan het meer gingen wonen, hadden we in een jarenvijftigranch in de buurt van mijn universiteit gewoond. De ranch was een opknappertje geweest, maar ik had de hele hypotheek en al onze dagelijkse uitgaven kunnen betalen van mijn bescheiden academische salaris. Nick, kunstenaar uit vrije wil en uit roeping, had nooit lang werk gehad, en toen hij een baan had, gaf hij prioriteit aan zijn kunst. Schilderen met olieverf is kostbaar.

Twee maanden na onze verhuizing naar het dure huis aan het

meer verliet Nick me voor een vent die hij op gay.com had leren kennen.

Ik weet niet waarom het feit dat die man Bob heette het allemaal nog erger maakte, maar toch was het zo. Bob de Kerel. Van gay.com. Gek, als je man je verlaat voor een kerel die Bob heet, moet je steeds terugdenken aan de vorige zomer en zie je de rol van je echtgenoot tijdens de hoogte- en dieptepunten van je genezingsproces in een heel ander licht. Wat je ooit beschouwde als een blijk van tederheid van je echtgenoot, bekijk je nu als schuldgevoel vanwege het stappen met kerels met grote spierballen. Wat je eens interpreteerde als 'je de ruimte geven om lekker op stap te gaan met je vriendin uit Italië', wordt in je verbeelding ineens 'een triootje met Ryan en Daren van de sportschool'. De waarheid is pijnlijk, vooral wanneer het zo lang duurt voor je haar onder ogen ziet.

Daarbij: wil iemand me alsjeblieft vertellen waarom mannen hun vrouw nooit dumpen voordat die vrouw spataders ter grootte van een Romeins aquaduct heeft? Het lijkt wel of ze op die spataders wáchten. Als onze man ons dan per se wil verlaten voor een kerel als Bob, waarom kan hij dat dan niet in het tijdperk vóór de spataders doen, als we nog jong en adembenemend zijn? Waarom kan hij het niet in het tijdperk vóór de urinezak doen? Hoor eens, ik weet heus wel dat ik niet de ambassadeur ben van alle vrouwen die een urinezak met zich meedroegen terwijl hun man stiekem een relatie had met een kerel die Bob heette, dus zou ik het niet in mijn hoofd halen om namens ons allen te spreken. Maar ik weet wel dat ik veel liever gedumpt was in het tijdperk vóór de urinezak. Die hele zomer van de urinezak koesterde ik Nicks kordate, maar lieve postoperatieve zorg. Ik vond het geweldig hoe hij mijn kamer binnenkwam en begon te kletsen over een boek, een vriend, wat er allemaal gebeurde, wat dan ook, en hoe hij dan op één knie ging zitten om mijn urinezak in een bak te legen en het de hele tijd alleen maar had over dingen die niets met plas te maken hadden, alsof het totaal geen punt was om de urine van zijn vrouw in een bak te spuiten – te onbeduidend om over te praten!

Nou ja, hier moeten de Loewen-genen maar weer hun schouders

over ophalen. Het leven biedt ons niet de luxe van het invullen van onze eigen vragenlijst.

> – Ja, ik wil dat mijn man me verlaat in het tijdperk vóór de urinezak.
> – Nee, ik heb liever dat hij me ná de urinezak verlaat.

Oké. Nog in dezelfde week waarin mijn man me verliet, reed ik na een stafvergadering over een tweebaansweg naar het huis dat ik me niet langer kon veroorloven. De eerste sneeuw van het seizoen viel en het was een uur of negen 's avonds. Hoewel het pas hooguit twintig minuten sneeuwde, had bijna iedereen flink vaart geminderd om de eerste sneeuw van het seizoen welverdiend respect te tonen. Plotseling verloor een halfdronken puber de controle over zijn auto, gleed mijn weghelft op en knalde frontaal op mijn kleine vw Kever. Terwijl zijn koplampen op me afkwamen, kon ik nog net uitroepen: 'O god, ik ga dood!'

Ik hoorde de botsing en weet nog dat ik dacht dat het geluid ervan aanhoudender en meer als gesis klonk dan de enorme knal die je in films hoort. De hele aanrijding verliep langzamer dan zou moeten. Langzaam werd ik me ervan bewust dat de voorruit in mijn mond zat. Ik begon te spugen en zat daar, naar mijn idee een hele tijd, stukjes glas uit te sputteren.

Iemand zei: 'Niet bewegen, mevrouw. Niet bewegen.'

Het sneeuwde naar binnen. 'Mevrouw, u hebt een ongeluk gehad!'

Ik wilde bits: 'Duh!' zeggen, maar mompelde alleen zwakjes: 'Nick.'

'Wie is Nick?' Ze bonden me ergens op vast.

'Mijn man.' Er viel sneeuw in mijn ogen. Gesmolten sneeuw liep in stroompjes over mijn wangen.

'Mevrouw, we zorgen dat Nick naar u toe komt zodra we u naar het ziekenhuis gebracht hebben.'

Tja, dat was toch echt iets waar het verplegend personeel niet voor kon zorgen.

De negentienjarige jongen die me had aangereden werd vastge-
gespt en in een ambulance geschoven. De brave borst had aan de
verpleegkundigen opgebiecht dat het ongeluk zijn schuld was geweest. Hij keek me zelfs aan en zei: 'Sorry, mevrouw,' waarna hij het
bewustzijn verloor – hartverscheurend, het arme joch! Hij zat onder
het bloed en zijn shirt was uitgetrokken.

Na het ongeluk had ik een verzameling gebroken botten en grie-
zelige bloeduitstortingen zo groot als mijn hoofd. Twee dagen lang
had ik de onbedwingbare neiging om te spuwen. Toen de artsen me
ontsloegen, zag mijn lijf er precies zo uit als het aanvoelde: mijn
heupen, dijen en borsten hadden dezelfde staalblauwe tinten als het
meer. Ik had een scheur in mijn knieschijf, maar kon niet met kruk-
ken lopen omdat ik twee gebroken ribben en een sleutelbeenfrac-
tuur had, dus reed ik op mijn bureaustoel door het huis door me
met mijn linkerarm af te zetten.

De daaropvolgende dagen had ik tijd zat om me af te vragen of
ik op de een of andere manier zelf schuld had gehad aan mijn eigen
ongeluk. Curtis, de jongen die me had aangereden, lag nog steeds
op de intensive care; ik kon niet met hem praten over wat er gebeurd
was. Op mijn eigen geheugen kon ik niet vertrouwen, want ik had
een dijk van een hersenschudding. De artsen vertelden dat ik door
de schok bewusteloos was geraakt. Die informatie strookte niet met
het feit dat ik me vaag meende te herinneren dat ik alles bewust had
meegemaakt. Had ik tijd gehad om mijn stuur om te draaien, maar
had ik gefaald? Had mijn ellende ervoor gezorgd dat Curtis' Jeep
Cherokee op me in was gereden? Was ik een magneet van zelfmedelijden? Ik rolde peinzend op mijn bureaustoel door het huis en
rook de kaarsen, lotionnetjes en bloemen die mijn vriendinnen me
direct hadden gestuurd. 'Doe iets voor jezelf, liefie!' stond er op een
dringende Oprah-toon op de kaarten. En dat deed ik. Mijn hele leven was ik nog nooit zo gepedicuurd, gescrubd, geparfumeerd en
gedumpt geweest vanwege een kerel die Bob heette.

Nick was weg. Mijn huwelijk was voorbij. Wat stond een drieën-
veertigjarige meid onder deze omstandigheden te doen?

Dat zal ik je vertellen. Ik ging terug naar de mennonieten. O, ik was heus nog wel eens in Californië terug geweest voor de feestdagen, en vijf jaar eerder was ik overgevlogen voor mijn vaders gigantische pensioenfeest. Maar in vijfentwintig jaar had ik nooit echt tijd doorgebracht in de mennonietengemeenschap waar ik was opgegroeid. Toen Nick ervandoor ging met Bob kon ik me mijn geplande verlofperiode van een halfjaar niet meer veroorloven. Om zes maanden van huis te gaan om te studeren zou ik een appartement moeten huren, in mijn levensonderhoud moeten voorzien en daarnaast de hypotheek en vaste lasten thuis moeten betalen. Ik was blut en kapot. Knock-out gemept met een loden handschoen – ik was volledig uitgeschakeld. Ach, wat kon mij het schelen; erger dan dit kon het niet worden. Vooruit met de geit, dacht ik. Dus na twee maanden herstellen in Michigan, ging ik voor de feestdagen naar huis.

Geheel in de stijl van autocratische mennonieten maakt mijn vader graag gebruik van zijn recht om naar mijn moeder te brullen, die dan alles moet laten liggen wat ze aan het doen is om iets te komen bekijken in zijn werkkamer.

Mijn moeder stond tot haar ellebogen in het meel omdat ze in de keuken Zwiebach-broodjes aan het maken was. 'Mary!' klonk zijn strenge kreet. 'Kom eens kijken!' Mijn moeder kwam gehoorzaam aansnellen, haar gebogen armen als een chirurg voor zich houdend. Ik wist wat er nu zou komen en weigerde het manuscript dat ik aan het redigeren was neer te leggen tot het echt niet anders kon. Een paar minuten later klonk mijn vaders stem nogmaals, vol priesterlijke plechtstatigheid: 'Rhoda! Kom eens kijken!'

Mijn vader was op zijn vaderlijkst als ik probeerde te werken en me moest concentreren. Ik had geld nodig. Snel. Het huis aan het water stond nu in de verkoop en mijn makelaar had me doodkalm verzekerd dat het verkocht zou worden als de tijd rijp was, maar ik werd er nerveus van. Het was een mooi huis, maar het had zijn minpunten. Ik vroeg me af wat er zou gebeuren als iedereen oprechte advertenties voor onroerend goed zou opstellen.

Prachtig huis aan het water, slechts een klein stukje rijden over een spekgladde snelweg! Deze bijzondere woning is zo groot dat u alle ventilatieroosters dicht zult doen en zult hopen op een zachte winter! Niet te evenaren uitzicht voor gluurders! Ratten op het terras! Afgewerkt met vloerbedekking die u zelf nooit had uitgekozen! Sterker nog, die vloerbedekking is ronduit lelijk! Huidige bewoner is zo egoïstisch om zelf de vaatwasser en de koelkast mee te nemen. Twee aanranders wonen slechts een paar straten verderop! Maak vandaag nog een afspraak!

Vanwege het gedoe met het huis had ik toegezegd een wetenschappelijke monografie over laatvijftiende-eeuwse religieuze toneelliteratuur te redigeren. Ik was bezig met hoofdstuk twee, dat over Feo Belcari's mechanische vernieuwingen bij *sacre rappresentazioni*. Mocht je een van die mensen zijn die nog nooit van Feo Belcari gehoord hebben, dan kan ik dat meteen even voor je regelen. Ken je die opvoeringen van het kerstspel in de kerk, waarin je witblonde nichtje jaar in, jaar uit de engel Gabriël mag spelen omdat ze er met haar schrikbarend bleke gelaatskleur – en dat bedoel ik niet onaardig – een beetje uitziet als een albino? En herinner je je het moment waarop ze in een wit laken in het baptisterium verschijnt en met een ijle sopraanstem begint te zingen? Feo Belcari was de vent die aan het eind van de vijftiende eeuw een manier bedacht om je nichtje/Gabriël aan metalen kabels voor in de kerk naar beneden te laten komen. Meer is het eigenlijk niet, maar het hoofdstuk dat ik redigeerde, telde een bladzijde of vijftig.

Wat ik deed was ongebruikelijk – ik bedoel nog afgezien van het feit dat er misschien 16,2 mensen op de hele wereld zijn die meer zouden willen weten over laatvijftiende-eeuwse religieuze toneelliteratuur. (Oké, ik geef het toe: daar ben ik er een van.) Soms krijgen academici hun beste vrienden zover om hun manuscript te lezen en van kritische opmerkingen te voorzien. Het is niet zo vreemd dat hoogleraren Engels vaak met dit doel worden benaderd. Als je dan ook nog een taalkundige bent die elke Engelse zin eng schematisch kan weergeven, is de vraag naar je diensten helemaal groot. Ik ben zo'n mafkees die kan uitleggen waarom een gerundium gekoppeld moet worden aan een bijvoeglijk gebruikt bezittelijk voornaamwoord en niet aan een persoonlijk voornaamwoord als meewerkend voorwerp. Goed, je zou me niet op je feestje willen, maar als het overleven van het menselijk ras af zou hangen van het correct ontleden van de grondwet, zou je bij mij aankloppen, schat.

Dit keer deed ik echter meer dan het kloppend maken van de grammatica als gunst aan een collega. Ik werd ervoor betaald om de logica, de helderheid en de leesbaarheid van de tekst na te pluizen. Het was een pittige klus, en wel om drie redenen. Ten eerste was de auteur beter in onderzoeken dan in schrijven. Ten tweede zaten er vier eeuwen en een continent tussen het vijftiende-eeuwse Italië en mijn eigen academische specialisme. Ten derde was mijn Italiaans nogal roestig en werd ik een tikkeltje opgehouden door alle citaten en voetnoten.

Ik werkte niet voor de eer. Ik werkte voor het geld. Normaal gesproken gaan wetenschappers nogal losjes met deadlines om en beschouwen ze die eerder als een richtlijn dan als een vaste afspraak. Maar bij dit project kon dat niet. Ik had een keiharde deadline in mijn agenda staan. Gelukkig hadden mijn ouders me ervan verzekerd dat ze ervoor zouden zorgen dat ik, als ik een tijdje bij hen zou logeren, alle tijd en privacy van de wereld zou krijgen.

Dus ik was benieuwd wat voor vreemd internetnieuwtje mijn vaders dwingende verzoek kon rechtvaardigen, vooral omdat die man wist dat ik aan het werk was – sterker nog, vooral omdat mijn aanwezigheid in zijn huis expliciet berustte op de belofte van mijn ouders om me met rust te laten zodat ik kon werken. Toen ik mijn vaders werkkamer binnenliep, leunde hij achterover op zijn stoel, duidelijk ingenomen met zichzelf.

'Moet je dit zien!' zei hij.

Op zijn computerscherm stond een e-card, een kerstwens met als thema de twaalf dagen van kerst. Het liedje 'The Twelve Days of Christmas' werd ook afgespeeld. Twaalf trommelaars marcheerden langzaam over het scherm.

'Wat zeg je me daarvan?' vroeg mijn vader.

'Goh,' zei ik. 'Wauw.'

'Zie je dat?' vroeg hij. 'Daar heb je de tien springende ruiters.'

Even later kwamen de acht melkende meiden, vergezeld van dartele animatiekoeien.

'Lief, hè?' zei mijn moeder. 'Ze hebben uiers.'

'Nu komen de vier fluitende vogels. Let op!' waarschuwde mijn vader.

'Twee Franse hennen,' zong mijn moeder, en ze gebaarde dat ik in moest vallen. Ze hield haar armen nog steeds gebogen voor haar, en haar handen waren bedekt met meelwitte stukjes deeg. Omdat ze nu haar geliefde hoelabeweging niet kon maken, wiegde ze haar heupen in een vrolijke tweekwartsmaat heen en weer.

'Wat een goeie,' zei papa, duidelijk oertevreden, toen de patrijs en zijn makkers eindelijk van het scherm af gerold waren.

Deze vaderlijke oproepen klonken zo'n beetje om de twintig minuten. Telkens wanneer ik hem weer hoorde roepen, legde ik mijn pen opzij om plaatjes van regendruppels of een baby-eekhoorn in een nest puppy's te gaan bekijken. En laat ik vooral Diverse Vogels & Gezegden niet vergeten. Zou de westerse wereld niet veel meer werk kunnen verzetten als er af en toe even tijd werd genomen voor Diverse Vogels & Gezegden? Je hebt bijvoorbeeld een close-up van een rouwende duif. De duif doet niets bijzonders, hij zit alleen maar op een tak. De fotograaf heeft de duif weten te vangen in al zijn schitterende nietigheid. Hij heeft hem omlijst met een lettertype dat bedoeld is als aanzet tot zelfreflectie: JE LEVEN BEGINT OP DIT MOMENT. Pure magie!

De volgende ochtend was het toppunt, de *piqûre*, zo je wilt. Ik stond met mijn moeder, duidelijk mennoniet, bij Circuit City in de rij om een stel mobiele telefoons terug te brengen, die eigenlijk bedoeld waren om mijn ouders naar de eenentwintigste eeuw te lanceren. (Mijn ouders waren opgegroeid zonder culturele handigheidjes als elektriciteit, toiletten, koffie, kledingstoffen en zo kan ik nog wel even doorgaan, maar je snapt waar ik heen wil. Ik, verbijsterd:

'Bedoel je nou dat zelfs je ondergoed van meelzakken was gemaakt?'
Mama: 'O, maar sommige meelzakken hadden een prachtig bloem-
motief, hoor! Korenbloempjes en viooltjes! Ik vond ze mooi!')

Helaas had mijn vader de allergoedkoopste mobiele telefoons
uitgezocht, een keuze die had geresulteerd in onoverkomelijke pro-
grammeerproblemen. Ik had een poging gewaagd de telefoons zelf
in te stellen, maar ondanks een gummetje, een vergrootglas en de
aanwijzingen van Monique, een opgewekte medewerkster van het
telefoonbedrijf, moest ik mijn nederlaag erkennen. Voor mijn moeder leek het of de belofte aan interlokale gesprekken met haar kleinkinderen niet zou worden ingelost. Maar ze had zich erbij neerge-
legd.

'Het geeft niet,' zei ze. 'Trouwens, als ik Si op een mobiele telefoon
belde, zou hij toch niet opnemen.' Ze bracht het alsof dat niet meer
dan redelijk was.

'Zou hij een rinkelende telefoon in zijn broek gewoon negeren?'

'Nou ja, hij gelooft nu eenmaal niet zo in mobiele telefoons,' zei
ze verontschuldigend. Voor mijn vader was het geloof in mobiele
telefoons op de een of andere manier optioneel. Het was een zuiver
subjectieve kwestie, zoiets als reïncarnatie. Mobiele telefoons in je
hart toelaten, zoals Jezus, was iets waar hij blijkbaar niet toe bereid
was.

Dus daar stonden mijn moeder en ik dan in de rij, vier dagen voor
kerst. Om ons heen spuiden chagrijnige klanten hun ongenoegen,
maar mijn moeder was blijmoedig als altijd. Hoewel er nog geen
twintig centimeter naast ons allerlei vreemden stonden, zei ze
plompverloren: 'Als er bij jou in de buurt geen vrijgezelle mannen
wonen, weet ik nog wel iemand voor je.'

'Wie dan?'

'Je neef Waldemar. Waldemar is hoogleraar in Nova Scotia,' zei ze
ernstig. 'En hij heeft een huis aan het strand.'

Ik haalde diep adem. 'Wally is mijn directe neef,' zei ik. 'Dat is in-
cest, en illegaal.'

Daar dacht mijn moeder even over na. 'Ach,' zei ze, 'ik denk dat
het wel kan, aangezien jij toch geen kinderen kunt krijgen. Misschien kunnen jullie ze adopteren.'

De gedachte dat mijn neef Wally en ik, twee wetenschappers van middelbare leeftijd, hand in hand vol spanning in een adoptiekantoor zouden zitten wachten op goed nieuws, werd me iets te veel.

'Waldemar zou een geweldige vader zijn,' drong mijn moeder aan. 'Je zou hem eens met zijn neefjes en nichtjes moeten zien.'

Dat was allemaal te gek voor woorden, en ik had geen idee wat ik moest antwoorden. Zou ik maar zeggen dat ik er als veertigplusser na de menopauze allang uit was dat ik geen moeder wilde worden? Of moest ik benadrukken dat mijn moeder schattig ver af stond van de wetgeving van het land waarin volle neven en nichten niet met elkaar mogen trouwen? Of zou ik vragen waarom mijn moeder nou net was uitgekomen bij neef Wally, een professor, terwijl er zoveel neven zijn met wie ik wél iets gemeen heb? Of moest ik toch maar zeggen dat ik al met al toch echt liever mijn eigen vriendjes uitzocht, dank je wel?

Ik besloot het op het laatste te gooien. Dit was misschien wel het juiste moment om te vertellen dat mijn man me weliswaar tamelijk kortgeleden had gedumpt voor Bob, de kerel van gay.com, maar dat ik al een paar keer met een andere man was uitgegaan. Ik wist heus wel dat hij niet de liefde van mijn leven was, maar hij was wel lief.

Een vriendin van me, Carla, die zei dat ik haar echte naam mocht gebruiken in deze memoires, zolang ik haar maar zou beschrijven als slanke roodharige, bood aan mijn liefdesleven voor vijf dollar onder de loep te nemen.

'Wat zoek je in een man?' vroeg ze, terwijl ze een opschrijfboekje tevoorschijn haalde.

'Hmm,' zei ik nadenkend. 'Hij moet aardig zijn. En cultureel onderlegd. En behoorlijk zelfbewust... beschouwend, open. Geen cynicus of boze atheïst. Hij moet gevoel voor humor hebben. Dat is belangrijk. En hij moet lang zijn. En werk hebben dat hij leuk vindt. En...'

'Ho eens even, dame,' interrumpeerde Carla. 'Ik zal je gratis advies geven. Ben je er klaar voor? Wat zou je ervan zeggen als we de lat iets lager leggen? Laten we bijvoorbeeld eerst eens op zoek gaan naar een hetero.'

De man met wie ik een paar keer op stap was geweest, was misschien niet de man waar ik als een blok voor viel, maar hij viel in elk geval op vrouwen.

Mama was teleurgesteld toen ik vertelde dat ik een paar keer met iemand had afgesproken, maar ze stapte er stoïcijns overheen. 'Wat is het voor een man?'

Ik was zo lamgeslagen dat ik geen leugentjes om bestwil meer kon vertellen. 'Een beetje een luilak, eigenlijk. Een relaxte potroker. Hij gaat in zijn pyjama naar de supermarkt.'

'O,' zei mijn mennonietenmoeder. Toen knikte ze bemoedigend. 'Klinkt goed, een relaxte potroker.'

Tja, ergens klinkt het wel logisch dat een vrouw die voorstandster is van een endogaam huwelijk niet ondersteboven is van een potroker. Ik bedacht dat ik zou proberen wat meer informatie los te krijgen, nu ik toch bezig was.

'Misschien rookt mijn neef Wally wel eens hasj,' zei ik peinzend (hoewel ik mijn laatste beetje geld eronder durfde te verwedden dat het niet zo was).

'Neeeee,' zei mama. 'Je neef Waldemar zou nooit hasj roken! Hij rijdt op een tractor! In zijn vrije tijd!'

'Waarom zou je geen hasj kunnen roken als je op een tractor rijdt?'

Intussen stonden er in onze rij duidelijk een paar mensen mee te luisteren. De man voor ons deed zijn best niet te lachen.

'Als je in je vrije tijd op een tractor rijdt,' zei mijn moeder resoluut, 'ben je serieus in je werk, wat waarschijnlijk ook de reden is dat Waldemar zo ondernemend is geweest dat hij een huis aan het strand heeft kunnen kopen.'

'Hij rijdt toch niet met zijn tractor op het strand?'

'Nee! Hij rijdt er natuurlijk op bij Orrin en Maria! Hij laat zijn neefjes en nichtjes op de tractor rijden.'

'O! Ik dacht dat je bedoelde dat hij met die tractor werkte, niet dat hij hem voor de lol gebruikte.'

'Waldemar werkt heel hard,' zei mijn moeder trots. 'Je weet heel goed dat een tractor hard werken en lol tegelijk kan zijn. Net als het huwelijk.'

Een van de leukste dingen van mijn moeder is dat ze altijd met je meegaat, in een gesprek bedoel ik. Ze geeft antwoord op elke vraag, hoe gekker, hoe beter. Natuurlijk kan ik het dan niet laten haar dingen te vragen die geen enkel weldenkend mens zou pikken. 'Mam,' zei ik bloedserieus, 'zou je liever met een prettige potroker trouwen of met je volle neef op een tractor? Ze zijn allebei hoogleraar,' voegde ik er haastig aan toe.

'Trouw jij maar met je potroker, als je dat wilt,' zei ze goedig. 'Als je nog maar even wacht. Laten we zeggen een jaar of twee. Maar wat mij en mijn huis betreft: wij dienen de Heer.'

'Hé!' riep ik verontwaardigd. 'Hoe weet jij nou of die potroker de Heer niet dient? Toevallig dient deze potroker de Heer wél! Hij is geloviger dan ik!' (Dat kon ik rustig beweren, want ik had de potroker een keer zachtjes 'Amazing Grace' horen zingen.)

'Ik denk dat de Heer meer waardering heeft voor een man op een tractor dan voor een man die in zijn pyjama marihuana zit te roken,' zei mijn moeder ernstig. 'Ik in elk geval wel.'

'Oké, oké,' zei ik, toen we bijna bij de balie waren. 'Ik geef het op. Ik trouw wel met neef Wally. Zodra hij me vraagt. Jij bent onze eerste gast in ons strandhuis in Nova Scotia. Maar ik waarschuw je: dan ligt er wel een beetje wiet op je kussen. In plaats van een pepermuntje.'

Ze giechelde onaangedaan. 'Dat is prima. Ik hou niet van pepermunt.'

2

Voel eens aan mijn tand

Ik hoop dat het nu wel duidelijk is dat de mennonieten me niet zouden willen. De enige reden dat ze aardig tegen me doen is dat mijn vader beroemd is, mijn moeder geweldige taarten bakt en ik op hun kinderen paste toen ik twaalf was. Tijdens het oppassen heb ik Jamie Isaac, die tot zijn vijfde luiers droeg en nu computeranalist is en drie kinderen heeft, een keer kattenvoer uit blik laten eten.

Connie Isaac, de moeder van Jamie, was een mennonitische folkzangeres die een album had uitgebracht met de geweldige titel *Sing Alleluia!* De familie Isaac woonde vier huizen verderop – mennonieten wonen vaak op een kluitje – en we kenden de teksten van *Sing Alleluia!* van zeer nabij. We mochten van onze ouders natuurlijk niet naar de radio luisteren, of naar alles wat riekte naar wereldlijke zaken, maar Connie Isaacs *Sing Alleluia!* kon ermee door. Er was één lied dat we telkens weer zongen. Het ging over een mennonitisch boerenmeisje, de kleine Anna Barkman, die niet buiten mocht spelen omdat ze keurige mennonietenwerkzaamheden moest leren, zoals het tellen van de korrels van de *red turkey*-wintertarwe. Connie Isaac had haar dochter Christie, Jamies oudere zus, gevraagd de rol van de kleine Anna Barkman op het album te zingen. Met een stem zo hoog en zo helder als een alpenbelletje, zong de jonge Christie het refrein welluidend lispelend in.

Red color,
good shape,
heavyweight,
one by one!
Each grain,

my tiny friend!
When two jars are full
my work is done!

Rode kleur,
mooie vorm,
zwaargewichten,
een voor een!
Elke korrel,
Mijn kleine vriend!
Met twee potten vol
is mijn werk gereed!

Nou, ik kan je wel vertellen dat we in huize Janzen geen genoeg konden krijgen van Christie Isaac die over haar kleine vriendjes zong, vooral niet toen Connie Isaac me mijn eerste betaling voor het oppassen uitkeerde.

Connie Isaac betaalde me in verse, bruine aardappelen.

Ik denk dat we het er allemaal over eens zijn dat het leven van de meeste meisjes van twaalf aanzienlijk beter wordt dankzij de aanvoer van bruine aardappelen. Je kunt dan misschien die spannende lipgloss niet kopen waar je zo naar hunkert, maar je kunt wel heerlijke aardappelschotels maken voor het hele gezin. En koken is iets waar een mennonietenmeisje verstand van heeft.

Ik kook al vrolijk en vlijtig sinds mijn vijfde, toen ik mijn eerste ketel vol borsjtsj opdiende, bereid met gekookte sla in plaats van kool. (Je kunt zeggen wat je wilt, maar je haalt dat soort groenten snel door elkaar.) De vrouwen in onze familie zijn van die kokkinnen die je niet van hun stuk kunt brengen. Moet je over een uur een dinertje voor tien personen geven? Geen probleem. We flansen wel wat huisgemaakt brood, noedels, jus en worst in elkaar, of wat dan ook. Mennonietenvoedsel kent heerlijke momenten – waarover later meer – maar onze ware gave zit hem in het gemak waarmee we koken. Sommige koks worstelen met timing, planning van het menu of ontbrekende ingrediënten. Wij niet. Onze zeven bijgerechten zijn altijd precies tegelijk klaar, en als er iets op is, wat zelden het geval is, improviseren we wel met een verrukkelijk substituut. We zijn een stelletje idiots savants als het gaat om het bereiden van voedsel. Heb je wel eens gehoord van die geestelijk gehandicapten die schreeuwen op wat voor dag 16 mei 1804 viel? Zo zijn wij ook, alleen schreeuwen wij: 'Het eten is klaar!'

Dus verbaasde het me niets dat mijn moeder plompverloren om het hoekje van de logeerkamer keek. Omdat ik een bureau nodig had dat groot genoeg was om mijn benen onder kwijt te kunnen, had ik twee laden onder de poten van een smal bijzettafeltje gezet, waaraan ik werkte. 'Wil jij soep maken?' vroeg mijn moeder blijmoedig.

'Nu?'

'Als je kans ziet. We hebben besloten dat we kerstavond dit jaar vroeg vieren, omdat we op kerstochtend naar Hannah gaan. We gaan cadeautjes uitpakken bij Aaron en Deena. Caleb had bedacht dat we allemaal een verschillende soep mee moeten nemen, dan eten we soep met Zwiebachs.'

Ik knikte. Soep, oké. Het was eigenlijk wel een goed idee. Zwiebachs zijn lekker zachte, dubbele broodjes. Je krijgt even een onmiskenbaar gevoel van opwinding als je ze uit elkaar trekt, net als bij dubbele koekjes met een crèmelaagje ertussen. Maar Zwiebachs zijn niet gevuld. Je besmeert ze dik met ongezouten boter en zelfgemaakte rabarberjam voor Vaspa, de zondagse avondmaaltijd. Of je serveert ze bij de alledaagse mennonietensoep. Het allerfijnst van Zwiebach eten is dat er boven op het broodje een verleidelijke bobbel, ongeveer zo groot als een golfbal, zit. Die zegt: *o, je weet dat je me wilt!* Die is duidelijk aanwezig.

Ik heb mijn oma's recept van Zwiebachs. Ik bedoel, ik heb het originele, vijftig jaar oude stuk papier nog – het is geschreven op de achterkant van een *Kalendarblatt*, een blaadje van een kalender. Bij mijn weten is dit de enige keer dat mijn moeders moeder, die ik oma noem, een recept heeft opgeschreven. In 1960, toen mijn moeder net was getrouwd, schreef ze vanuit de kleine pastorie in North Dakota naar haar moeder in Canada om haar het recept te vragen. Oma stuurde het kalenderblaadje, dat beschreven was in nauwelijks lees-baar *Spitzbubben*, het ouderwetse Russisch-mennonitische Duitse schrift uit de negentiende eeuw. Niemand kan dit schrift meer le-zen, alleen geleerden. Zelfs ik kon niet zonder mijn moeders hulp. In het recept klinkt oma's stem door, die haar dochter nuchter en vaag adviseert dat ze alles moet gebruiken wat ze maar in de voor-raadkast heeft: boter, margarine of zelfs kippenvet. Mijn oma ging ervan uit dat de ingrediënten konden wisselen, al naar gelang het seizoen of het budget. Ze ging er ook van uit dat mijn moeder 's nachts op miraculeuze wijze achter de juiste hoeveelheden zou komen. 'Neem wat melk of wat water, warm het op en doe er wat bloem bij,' raadde ze behulpzaam aan. Op de kalenderkant voegde oma een kort, persoonlijk zinnetje toe: 'Ik denk niet dat Heinrich voor Kerstmis thuiskomt.'

'Ik ga een lekker kipgerecht maken voor Joel en Erlene Neufeld,' zei mijn moeder. 'Joel en Erlene hebben net drie broertjes en zusjes geadopteerd en de oudste is vijf. Arme zieltjes. Hun moeder heeft hen in een motel achtergelaten. De oudste wist zich door het raam te wurmen om buiten eten te zoeken. Joel en Erlene hebben hun handen echt vol. Maak jij de soep, dan maak ik de kipschotel voor Joel en Erlene.'

'Wil je menno-soep of wereldlijke soep?'

'O, maak maar iets wat we nog nooit geproefd hebben!'

Ik had het gevoel dat ik mijn moeder moest gehoorzamen, dus sloeg ik mijn document op een USB-stick op en liep in haar kielzog naar de keuken.

Samen stonden we bij de gootsteen onze handen te wassen. Ze ging met haar tong over een tand die de week ervoor was afgebro-ken. 'Ik was niet eens nootjes aan het eten,' zei ze. 'Hij brak gewoon af. Misschien komt het omdat ik knarsetand in mijn slaap. Hier, voel maar.'

Gehoorzaam stak ik mijn hand uit om mijn moeders afgebroken tand aan te raken.

Mijn moeder haalde een papieren zakdoekje uit haar zak en vouwde het open. Er lag een halve grijze snijtand in.

'Wil je me alsjeblieft vertellen waarom je dat ding in een zakdoek-je meesjouwt?' vroeg ik.

Ze keek me verrast aan. 'Het is een bot,' zei ze stralend. 'Dat kunnen ze er zo weer aan lijmen.'

'Een tand eraan lijmen is net zoiets als een gebroken nagel terugzetten. Laat toch gaan, mam.'

Zij was de verpleegkundige van de familie, de Salomo van alle medische disputen. 'Deze tand is anders nog heel bruikbaar. Heb ik je ooit verteld van Hildes tand?'

'Is die eruit gevallen?'

'Nee. In onze kindertijd had Hilde een grote spleet tussen haar voortanden. Ze vond het verschrikkelijk. Ze hield haar hand altijd voor haar mond als ze lachte, omdat ze zich zo schaamde voor dat gat tussen haar tanden.'

'Ik ben dol op dat soort glimlachen,' zei ik. 'Aaron heeft ook een spleetje tussen zijn tanden, en dat staat hem geweldig.'

'Het spleetje van Hilde was veel groter dan dat van Aaron. Toen ze een baan kreeg, zat ze een dag later bij de tandarts om een tand te laten maken, en die zette ze ertussen. Het was een grappig gezicht.'

'Bedoel je dat ze een brug nam om het spleetje te verhullen?'

'Nee, echt een heel nieuwe tand, die ze precies tussen de andere twee in zette. Alleen was dat tandje kleiner en smaller dan een gewone tand.'

Ik liet het idee op me inwerken van een compacte, kant-en-klare tovertand die knus tussen zijn vrienden ingeklemd stond, zoals een tand betaamt. In het Plautdietsch bestaat er een leuk woord voor het berijpte hart van een watermeloen: het *Abromtje*, de kleine Abraham. Ik was altijd dol op dat woord geweest. Het riep het beeld op van een mannetje dat in de meloen zat opgekruld, als een buitengewoon streng mini-papaatje. Het tandje van mijn tante deed me aan het Abromtje denken: het stond daar klein en compact als een haiku, niet groter dan strikt noodzakelijk, zijn kleine beetje macht te pakken. Wat een voldoening zou het zijn als we allemaal onze loze ruimtes konden opvullen met droomtandjes!

En wat een voldoening zou het zijn om in de spiegel te kijken zoals mijn tante Hilde zestig jaar geleden gedaan moet hebben, dolblij met die neptand ter grootte van een tictacje. Ze dacht vast en zeker: vanaf nu zien mensen die naar me kijken niet langer mijn gebrek, mijn verlies, mijn leemte. Ze zien niet het ding dat ik nooit gehad heb. Ze zien de opgevulde ruimte. Ze zien het verhaal van mijn tanden. Ze zien de afwezigheid als een aanwezigheid, het gat als een geheel.

Ik was lekker bezig met het snijden van mijn pompoen. Naast me stond mama de kip in stukken te hakken voor de mensen die de drie kinderen uit het motel hadden geadopteerd. Opeens zei ze, alsof ze hardop nadacht: 'Hier zijn de ulna en de radius.'

Het zal wel het meest voor de hand liggen om mijn moeders ongepaste openingszinnen toe te schrijven aan haar carrière in de verpleging. Het is een waarheid als een koe dat verpleegkundigen graag over pus praten en intussen aan hun kinderen vragen of die nog wat aardappelpuree willen. Tijdens de lunch trakteerde mijn moeder ons een keer op een verhaal over een ongezond dikke patiënt. Onder diens enorme berg buikvet had mijn moeder een half opgegeten boterham gevonden, die grotendeels in staat van ontbinding verkeerde. Precies op het moment dat ze dat vertelde, zat ik een roggebroodje met tonijn te eten. Maar eerlijk gezegd was mijn moeder al zo voor ze aan haar opleiding begon. Misschien is ze zelfs wel in de verpleging gegaan omdat ze er stiekem naar hunkerde om tegen verre neven uit Bielefeld over verrotting te praten terwijl ze *Rollkuchen* serveerde.

'Zeg dat nou niet,' zei ik automatisch.

'Waarom niet? Deze kip heeft een ulna.'

'Ja, maar het is vies om "ulna" en "radius" te zeggen tijdens het koken.'

Daar dacht ze even over na, om het vervolgens te weerspreken. 'Niet waar. Deze kip heeft een ulna!'

'Daarom hoef je er nog niet over te praten. Laten we afspreken dat je dat soort dingen niet vertelt als er niet om gevraagd wordt.'

'Alleen voor de ulna, of ook voor de radius?'

'Nee, voor de Latijnse namen van alle kippenbotten. Als je dan echt per se over kippenbotten wilt praten, zeg dan gewoon "kippenbotten".'

'Oké,' zei mijn moeder gewillig, 'maar in gedachten noem ik het toch de ulna.'

'Als jij dat wilt. Dat is je goed recht als mennoniet en matriarch.'

'Met het leren van bottennamen is het net als met fietsen,' zei ze. 'Als je de botten eenmaal kent, kun je ze niet meer níét kennen. Maar "ulna" zeggen is bij lange na niet zo erg als het eten van kippeningewanden als bijgerecht.'

Inmiddels wist ik dat ik zo'n soort semantische sprong van haar kon verwachten. Het onderwerp kip kon sowieso niet meer tot verrassingen leiden. Dit was de vrouw die ooit naar Hawaii was vertrokken met een bevroren braadkip in haar koffer, met de verklaring dat de kip ontdooid zou zijn tegen de tijd dat haar vlucht in Honolulu landde. Als je moeder bevroren rauwe kip in haar koffer stopt als ze naar Hawaii gaat, houdt het op. Dan neem je alles zoals het komt.

'Kippeningewanden als bijgerecht is in elk geval beter dan als voorgerecht,' zei ik vriendelijk, terwijl ik een ui onder handen nam.

'Toen mijn vriendin Chue Lee me uitnodigde voor het Hmongbanket van haar familie, serveerden ze een bijgerecht van kippeningewanden bij elke gang. Ik ging er iets eerder heen om te helpen slachten. Wist je dat de Hmong alles gebruiken? De poten, de kop, de snavel, de ingewanden – alles. Ze spoelen de darmen uit om de feces eruit te krijgen...'

Ik maakte een protesterend geluid.

'Sorry. Maar je zou toch ook geen kippendarmen willen eten waar nog poep in zat!'

'Dit gaat de verkeerde kant op,' zei ik, terwijl ik een Granny Smith schilde voor mijn soep.

'De Hmong verhullen de textuur en de smaak met een berg hete chilipepers.'

'Heeft papa ook van die kippeningewanden gegeten?'

Ze lachte schaterend. 'Nee. Hij? Nee! Ik heb zijn portie opgegeten.'

'Ga je me nu vertellen dat je die hete, afgespoelde darmen lekker vond?'

'Nee, maar ik wilde niet dat Chue Lee zou denken dat we ze niet lustten.'

'Wat zou je liever doen, de darmen uitspoelen of ze opeten?'

Ze dacht even na. 'Ze uitspoelen. Hoewel de geur tijdens het uitspoelen me deed denken aan ons oude kippenhok.'

Ze begon een vrolijk wijsje te zingen dat ze ons had geleerd toen we klein waren. De Duitse charme van het liedje schuilt hem in het rijmschema, waarin het even lijkt of er een schunnig woord zal volgen – schunnig volgens de maatstaven van de jaren dertig, althans. Het is de bedoeling dat je het begin van dat woord zo lang mogelijk rekt en pas op het laatste moment afmaakt.

> Tien pond bananen, bananen zijn gezond,
> Adam zag Eva in haar blote Ko...
> ... nstantinopel is een leuke stad,
> daar lopen de meiden in hun blote ga...
> ... je mee naar Frankrijk, je weet niet wat je ziet,
> de jongens knijpen de meiden zomaar in hun tie..
> ... n kaboutertjes met een lange sik
> zaten te spelen met hun kleine pi...
> ... kken doen de kippen, mensen stelen niet,
> Dit is nu het einde van mijn beschaafde lied!

Mijn moeder wist me altijd weer sprakeloos te maken.

Zonder enige overgang opperde ze dat ik, nu ik toch mijn schort aanhad, misschien nog wel even twee cranberry-notenbroden kon maken. Ik vroeg of het brood dat ik de vorige dag had gemaakt al op was. Ze knikte. 'Je vader vindt het lekker.'

De avond ervoor had mijn vader het cranberrybrood koppig geïnterpreteerd als pudding. Hij had er enorme hompen van in een schaaltje gedaan en ze met melk en room overgoten. Nu kwam hij de keuken in lopen. 'Maak je nog meer van die pudding? Lekker,' zei hij.

'Nou, pap, eigenlijk is het brood, geen pudding.'

Dat weersprak hij met zijn zware predikantenstem. 'Ik vind het meer op pudding lijken,' zei hij enigszins autoritair. 'Wat voor soep nemen we mee naar Aaron en Deena?'

'Pompoensoep met walnoot en kerrie. Caleb en Staci zeiden...'

'Staci is zo'n vijfendertig kilo afgevallen,' zei mijn vader goedkeurend. 'Een doorzetter, die meid. Ze heeft wat lessen genomen op het seminarie. Persoonlijke groei.'

'En haar haar zit zo elegant,' zei mijn moeder. De kip stond in de oven en nu zat ze aan de keukentafel de puzzel uit de krant te maken. 'Vorm een woord met de volgende letters: R-V-L-O-F-I-O.'

'Goed van Staci,' zei ik. 'Ze zal zich wel fantastisch voelen.'

'Het komt door die kleine Joon. Dat is een dondersteen.'

'Wil ze nog steeds zo graag op gym?'

'Ze springt al op één been. Een atletisch meisje, hoor,' zei hij. 'En nog slim ook. Ze wordt graag voorgelezen.'

Later die avond gingen we naar het huis van mijn broer, waar een tornado van twinkelende lichtjes en een kerststal op het gras duidelijk maakten dat hier de ware kerstsfeer heerste. Wie zou dat nu niet mooi vinden: een kindje Jezus wiens kribbe was omkranst met zelfgestrikte linten en zijden roosjes die, zo leek het, door de baby werden uitgeademd? Zelfs de os droeg een prachtige bloemenslinger. Als ik zelf een os zou uitbeelden, had ik misschien ook wel een keurige boutonnière gedragen om de Messias te eren.

Ik heb heus niets tegen kerststallen. Mijn moeder heeft een heel oude, prachtige papieren kerststal die ze van haar ouders heeft gekregen toen die in de woelige jaren voor de Russische Revolutie uit het Oude Land hadden weten te ontkomen. Ze hadden het heel zwaar gehad, zoals zoveel emigranten. Mijn grootouders waren bijna omgekomen van de honger, ze waren alles kwijt; hun eerste kinderen waren gestorven. Toen ze eindelijk toestemming kregen in Dolinsk in de trein te stappen, was het enige wat ze hadden twee baby's die onder de mazelen zaten, hun dierbare bijbel en een kleine, geërfde rozenbroche. In Engeland moesten ze een hele tijd wachten voor de baby's door de gezondheidsinspectie heen waren; de rachitis die door de honger was veroorzaakt was zo erg dat de kleine Netha haar eigen hoofd niet eens kon optillen tot ze vier was. Ze dachten dat ze Netha's lichaam overboord zouden moeten gooien, maar koppig als ze was, overleefde ze net als zij de reis, fragiel maar levenslustig. Mijn overgrootmoeder, Helena Boldt, die vijf jaar eerder naar Saskatoon was geëmigreerd, gaf de kerststal in 1925 aan mijn grootouders. Het was hun eerste geschenk in Canada.

Toen ik klein was, staarde ik elke kerst weer dromerig naar die kerststal. Ik ben nog steeds dol op het kantwerk, de schitterende kleuren en de Marokkaanse prinsen die neerknielden met hun vazen en met juwelen behangen kistjes. Boven op de kartonnen hooiberg staan twee mollige, krullerige engeltjes met een banier waarop in het oud-Duits staat: ERE AAN GOD IN DEN HOGE. In het diorama heeft de met een halo omgeven Maria een kleine, iconische volwassen Jezus op haar schoot. Hij steekt een profetische vinger omhoog, alsof hij iets wil zeggen. Ik stelde me voor hoe Oma naar die kerststal had zitten knikken in de overtuiging dat het kind, de koning, haar persoonlijk toesprak omdat ze alles op het spel had gezet voor een nieuw begin in een onbekend, bar land. 'Goed gedaan met die rozenbroche,' zei Jezus dan. 'Uitstekend idee om hem in uw onderbroek te spelden!'

Maar nu zijn we drie generaties verder. Voorbij is de tijd dat de kerststal een familieschat was die in de pastorie bij lamplicht werd gekoesterd. In een tijdsbestek van nog geen eeuw is wat ooit een intieme viering van het geloof was, verworden tot een openbare aangelegenheid. Wie ben ik om te zeggen dat dat een slechte zaak is? Goed, ik zou net zomin een altaar in mijn voortuin zetten als iemand proberen te bekeren, maar ach, het geloof kent vele vormen.

Deena's ouders waren min of meer gepensioneerde mennonitische bloemisten, dus was aan de inrichting van Aaron en Deena duidelijk te zien dat ze ongelimiteerd en enthousiast gebruikmaakten van de Nora Flora van de Thiessens. Deena wist met niets de geweldigste decors te maken, vooral van half doorzichtige stoffen met glanzende draadjes, strikken met ijzerdraad erin, zijden bloemen en glanzende ballen. Ze was ook erg vindingrijk met speelgoedtreintjes, koektrommels, behangstroken en vitrinekastjes. Ik heb mijn bloemen het liefst in het water, mijn treinen in Europa, en mijn behang in de vuilnisbak. Noem me ouderwets, maar als ik van die met ijzerdraad verstevigde strikken zie, krijg ik altijd een steek van nostalgisch verlangen naar de strikken uit de goede oude tijd, waarvan de uiteinden als spaniëloren omlaag hingen. Ik wantrouw onnatuurlijk rechtopstaande strikken.

Boven de grote kerstboom in de woonkamer was een verhoging met daarop vier kleinere bomen, die met slingers versierd waren en uitbundig schitterden. Maar wat pas echt de aandacht trok op die verhoging was een uit de kluiten gewassen mechanische pluchen beer. Hij bracht een eeuwig brandende nepkaars naar zijn lippen, alsof hij die wilde uitblazen. Wat die beer en zijn behoefte aan duisternis met de kerstsfeer te maken hadden, weet ik niet. Maar boven de stemmige achtergrondmuziek van Mannheim Steamroller uit hoorde ik de motor van de beer. Die klonk als het geblaat van een lammetje in doodsangst, zoiets als het gilletje van automatisch doortrekkende toiletten op de luchthaven.

'Wat een práchtig wintersprookjesland!' riep mijn moeder uit.

'Feestelijk!' Mijn vader deed ook een duit in het zakje.

Mijn andere schoonzus, Staci, stevende recht op me af.

Staci en ik wonen vijfduizend kilometer bij elkaar vandaan en hebben alleen met elkaar te maken als ik er toevallig tijdens de feestdagen ben. Staci is zo'n kordate, efficiënte, doortastende meid die haar kinderen opvoedt, tupperwareproducten verkoopt, in de ouderraad zit en geld inzamelt voor de slachtoffers van afgebrande huizen. Staci is recht voor zijn raap: ze zegt wat ze denkt. Een van de dingen die ik leuk aan haar vind, is dat ze niet net doet alsof we een hechte band hebben, terwijl dat duidelijk niet zo is. Ik ben er soms jaren achtereen niet, en in de tussentijd belt Staci niet, stuurt ze geen verjaardagskaarten met realistisch geschilderde jonge poesjes erop en vraagt ze me ook niet haar jaarlijkse kerstnieuwsbrief te redigeren. Buiten de feestdagen hebben we nooit contact met elkaar.

Maar als de omstandigheden ons bij elkaar brengen, stroopt ze haar mouwen op en gaat ervoor. Als er een estafette gelopen zou moeten worden tijdens een familiefeest, zou zij vooraan lopen om het stokje te pakken. Staci, die op een mennonietenuniversiteit heeft gezeten maar geen echte mennoniete is, heeft altijd een ongedwongen, vertrouwelijke houding aangenomen die in ons gezin als verrassend ervaren werd. Buiten mijn moeder praten mennonieten gewoonlijk niet over hun lichaam, vooral niet tijdens het eten. Ze delen geen geheimen, bespreken geen controversiële onderwerpen en brengen niemand op de hoogte van hun libido. Maar Staci kan zomaar een welsprekend betoog houden tegen het paasspel in haar kerk, waarin ze de gids van de ezel van Jezus speelt. Of ze verklapt ineens dat ze haar haar al sinds haar drieëntwintigste verft. Ze kan ook alle hoogte- en dieptepunten van de vijfendertig kilo die ze onlangs is afgevallen met je doornemen. Die ontspannen jovialiteit openbaarde zich al meteen de eerste avond dat mijn broer haar mee naar huis nam, een jaar of twintig geleden. Bij die gelegenheid vertrouwde Staci ons allemaal ergens tussen de *Pluma Moos* en de *Pereshki* toe dat ze een pijnlijke huiduitslag had, en of mijn moeder daar even naar wilde kijken. Dat wilde mijn moeder maar al te graag, en ze huppelde de gang door om de intieme jeukende delen van haar toekomstige schoondochter te inspecteren.

'Staci,' zei ik nu, terwijl ik haar omhelsde. 'Wat zie je er geweldig uit!'

'Mag ik je even vragen wat jij met brood doet?' vroeg Staci alsof we een gesprek voortzetten waar we een paar minuten geleden mee waren begonnen. We hadden elkaar vijf jaar niet gesproken. 'Want ik ben de afgelopen twee weken weer ruim twee kilo aangekomen. Brood is mijn ondergang.'

De vorige keer dat ik haar gezien had, hadden we een spelletje gedaan waarin ik Staci het woord 'Dracula' moest laten raden. Als een fanatieke deelnemer aan een tv-spelletje gaf ik haar een aanwijzing die volgens mij heel goed was: 'Bram Stokers...'

'Dieetproducten!' gilde ze.

Ik zag de flitsende krantenkop al voor me: VAMPIER TELT CALO-RIEËN! Bram Stokers dieetproducten, wat een geweldig marketing-idee. *Nieuwe smaaksensatie van Bram Stoker! Alleen proteïnen, geen vet!* Misschien konden we de lijn uitbreiden met een plaatselijke mummie.

Staci ging verder. 'En aardappelen ook. Ik kan niet tegen aardap-pelen. Die gaan meteen hier zitten.' Ze klopte veelbetekenend op haar dijen. 'Hoe doe jij dat? Kook je voor jezelf nu Nick bij je weg is? Is het moeilijk om voor één persoon te koken? Of eet je gewoon aan het aanrecht uit een blikje?'

In de eetkamer bejubelden we met zijn allen de fantasierijke aan-kleding van Deena, waar geen stukje oppervlak was ontsnapt aan de kerstversiering. Een van de hoogtepunten was een krans van bui-tensporig glimmende ballen en een overdaad aan losse ballen ter grootte van kerstomaatjes die Deena nonchalant tussen de borden en glazen had gelegd. Ze had ook een zilveren balletje aan alle wijn-glazen gebonden. Niet dat we wijn zouden drinken; mennonieten neigen naar strijdlustige soberheid. Maar op feestdagen was er wel altijd bruisend appelsap.

'Wijn?' vroeg Staci, die naar het dressoir achter haar reikte. Wat een engel, ze kwam een beetje in opstand tegen de mennonitische traditie. Helaas was het een zoete rosé, ijskoud geserveerd, als bier. Nou ja. Ik knikte en hield mijn wijnglas voor haar omhoog, terwijl ze zei: 'Volgens mij is er niets verkeerds aan om af en toe een glaasje wijn te drinken, zolang je maar niet dronken wordt. "En bedrinkt u niet aan wijn,"' zei ze, de Bijbel citerend, waarmee ze mijn vader uit-daagde. Hij zat aan het hoofd van de tafel en verblikte of verbloosde niet. Hij leek net een vredige boeddha. 'Als Christus wijn dronk, zegt mij dat genoeg!' voegde ze er opstandig aan toe.

'Mij ook,' zei ik.

'Een toost,' zei mijn broer Aaron. 'Op familiefeesten!'

Mijn broers en zussen en ik hieven ons roséglas; mijn ouders proostten met bruisende appelcider.

'Want,' vervolgde Staci onverstoorbaar, 'de ware wijsheid zit hem erin dat je niet-christenen laat zien dat je verantwoordelijk bent. Op niet-christenen maakt het meer indruk als ze zien dat we onze verantwoordelijkheid nemen dan wanneer ze alleen maar zien dat we alcohol domweg veroordelen. Volgens mij is er niets mis met een paar blikjes Heineken in de koelkast. Soms komt Caleb thuis na een lange dag werken, en dan drinkt hij twee biertjes.' Met haar blik tartte ze iedereen om er iets van te zeggen.

Caleb verontschuldigde zich. 'Dat maakt het ietsje makkelijker.'

'En waarom ook niet?' vroeg Staci fel. 'Waarom níét? Je doet er niemand kwaad mee. Het is niet zo dat je dronken achter het stuur gaat zitten!'

Helaas was mijn vader niet in de stemming om toe te happen. Hij was in de stemming om soep te eten. Dus hervatte Staci haar eerdere kruisverhoor. Als ze mijn vader er niet toe kon bewegen het mennonitische standpunt op het gebied van geheelonthouding te verdedigen, zou ze mij het hele kerstdiner lang indringende persoonlijke vragen stellen.

Ik wist dat het slechts een kwestie van tijd was voor Staci het onderwerp hiv-test ter sprake zou brengen, aangezien mijn echtgenoot me had verlaten voor een man die Bob heette. Op een gegeven moment zou ze het over aids willen hebben. Ik geloof dat ze het liefst ter plekke, in het bijzijn van mijn broers, naar mijn genitale gezondheid zou informeren. Gezien de graagte waarmee ze over genitaliën sprak, vermoed ik dat ze het onderwerp alleen maar niet tijdens het kerstdiner ter sprake bracht omdat mijn ouders erbij waren.

Daarom stapten Staci en ik over op een ander onvermijdelijk dineronderwerp: plan B, persoonlijke financiën en mislukt huwelijk. 'Zo, Rhoda. Mag ik vragen wat je voor je huis betaalt? Wat ga je in hemelsnaam met dat huis doen? Kun je het je wel veroorloven van je salaris?'

'Lekker, die bonensoep,' zei Caleb.

'Ik heb nog geen beslissing genomen,' zei ik tegen Staci.

'Weet iedereen aan de universiteit dat je echtgenoot je heeft verlaten voor een man? Denk je dat ze je daarop aankijken? Ben je niet bang dat er over jou en Nick en zijn homovriendje wordt geroddeld?'

'Misschien wil ze er niet over praten,' zei Caleb. 'Heerlijke kerrie-pompoen, trouwens.'

'Ik proef kerrie in deze soep,' merkte mijn vader op.

'Dat komt omdat het kerrie-pompoensoep is,' zei ik. 'Hou je niet van kerrie?'

'Jawel,' antwoordde hij, 'als daarna maar niet het hele huis naar kerrie ruikt.' Hij snuffelde wantrouwend.

'O, Si,' zei mijn moeder. 'Ze heeft het in óns huis gemaakt, niet hier. *Ons* huis ruikt naar kerrie.' Ze nam een slokje appelcider en voegde eraan toe: 'Voor we naar Calcutta gingen, vond ik kerrie veel lekkerder. In Calcutta maakten ze eten klaar op de binnenplaats. Ze zaten op de grond het vlees te snijden, midden tussen de vliegen en de kippen. Als je in Calcutta je neus snoot, was het snot zo dik en zwart dat...'

'Mam!' protesteerden alle aanwezigen, behalve mijn vader, geschokt. Mijn broers en zussen en ik zijn het niet altijd met elkaar eens, maar we waren eensgezind van mening dat we het zwarte snot van voorbije kerstdagen niet voor ons wilden zien.

Vanaf de kindertafel in de andere kamer klonk het geblèr van een van mijn vele neefjes. We hoorden een klap en een ongeduldig standje van de oudste kleindochter, Phoebe, die nu oud genoeg was voor Uggs en zuchtend omhoogkijken.

Desondanks brulde haar neef Jacob: 'Mama, Zach zei weer dat ik een mafkees ben! Hij lust zijn soep niet! Volgens hem smaakt hij naar' – overal gesmoord gegiechel – ' naar een smerige Pop-Tart!'

'Smerig in je luier!' schreeuwde Danny.

Staci keek geërgerd. 'Dat is kerrie!' riep ze over haar schouder. 'Dat is een smaak. Het hóórt zo te smaken!'

'Jongens,' riep Caleb met een strenge stem die precies zo klonk als die van mijn vader vijfendertig jaar eerder. 'Willen jullie soms dat ik daarheen kom?'

Plotseling verscheen kleine Joon, die haar vader aan zijn arm trok. 'Klop, klop,' fluisterde ze verlegen.

'Wie is daar?' vroeg Caleb teder, en hij boog zich naar haar oor.

'Kie.'

'Kie wie?'

'Nee, die lust ik niet!' grijnsde ze opgetogen, en ze duwde haar hoofd onder Calebs oksel.

'Hoe vind je de broccoli-kaassoep?' vroeg Staci aan mij. 'Ik heb hem zelf niet eens geproefd. Ik kan mijn eigen gerechten niet eten. Ik eet geen kaas. Daar word ik zo opgeblazen van, dat geloof je gewoon niet. Hoe heb je het voor elkaar gekregen om niet aan te komen na je auto-ongeluk? Want je kunt nog niet naar de sportschool, of wel?'

'Nog niet,' zei ik.

'Ze kan nog niet eens haar arm naar achteren draaien om haar rits dicht te doen,' zei mijn moeder. En daar achteraan, tegen mijn vader: 'Proef eens wat van deze bacon-aardappelsoep.'

Dat deed hij met priesterlijke ernst. 'Er zit een soort peper in,' zei hij. 'Hij heeft iets pittigs.'

'Dat is cayennepeper,' bevestigde mijn moeder vreugdevol.

'Rhoda,' zei Staci. 'Ik hoor dat je weer met iemand omgaat. Mag ik vragen of het serieus is? Want misschien moet je overwegen om een tijdje te wachten voor je weer iets met iemand begint.'

'Ik heb alle vier de soepen geproefd!' zei mijn vader.

'Als je een afgebroken tand hebt,' zei mijn moeder, 'is soep precies het juiste gerecht. Er zit een holte in je mond waar je steeds met je tong naartoe gaat, en die is zo gevoelig dat soep er het beste voor is.'

'Een goede remedie tegen kwaaltjes,' beaamde Caleb.

'Nou, ik hoop dat niemand hier aan tafel last heeft van kwaaltjes,' zei Staci, die me veelbetekenend aankeek. 'Ik hoop niet dat iemand hier iets besmettelijks heeft.'

'In deze tijd heersen verkoudheid en griep,' zei Aaron. 'Op school bezweken ze bij bosjes. Er hing een streptokokkenvirus in de lucht.'

'Je immuunsysteem is nu waarschijnlijk erg kwetsbaar,' zei Staci tegen me. 'Je staat onder zoveel spanning. Heb je last van stress? Want je ziet er wel een beetje gestrest en afgedraaid uit. Een scheiding schijnt een van de grootste stressboosdoeners te zijn, en dat is waarschijnlijk nog veel erger als je erachter komt dat je man je met een kerel bedrogen heeft. Maar ik vind je haarkleur wel erg mooi. Zijn dat highlights?'

'En al smaken alle vier de soepen heerlijk,' vervolgde mijn vader, alsof er verder niemand iets had gezegd, 'de Zwiebach is toch het allerlekkerst. Mary, geef de Zwiebachs nog eens door.'

Eén gouden moment lang zei niemand iets. We hadden het allemaal veel te druk met het pakken van een stuk Zwiebach, en braken gezamenlijk het brood.

3

Bang voor muggen

Mijn ouders en ik waren al sinds tien over halfacht 's ochtends op pad, nadat we de nacht hadden doorgebracht in een kamer met twee bedden in een budgetmotel. De kamer was echt beneden alle peil geweest. Dertien jaar eerder was mijn man onvrijwillig opgenomen in een crisisopvang – 'gedwongen opname in een psychiatrische instelling wanneer iemand een gevaar voor zichzelf en voor anderen vormt' – en ervoer ik de hulpeloosheid die ontstaat als je van een man houdt die een handvol pillen inneemt. Ook al zouden zijn artsen hem met medicatie weer op de been helpen, wie zou er dan voor moeten zorgen dat hij zijn antidepressiva zou nemen als hij uit het ziekenhuis ontslagen werd? En hoe zou ik de medische rekeningen kunnen betalen van mijn studietoelage? 'Wat vreselijk,' had mijn moeder aan de telefoon gezegd. Het was heel even stil en ik wachtte tot ze zou terugveren. Dat deed ze prompt. 'Je hebt het nu moeilijk. Maar nu Nick in het ziekenhuis ligt, kun je tenminste in alle rust aan je dissertatie werken!' Ik herkende haar stijl dan ook meteen toen ze bij binnenkomst in de sjofele motelkamer opmerkte: 'Niet bepaald smaakvol. Maar er hangen tenminste handdoeken!'

Altijd als mijn ouders een bon gebruikten om iets te krijgen, voelde ze zich verplicht het dan ook voor honderd procent leuk te vinden.

We waren met zijn drieën onderweg naar Bend in Oregon om mijn zus op te zoeken. Het was iets meer dan zestienhonderd kilometer rijden, en de helft daarvan reden we op eerste kerstdag. Die ochtend doezelde ik in een oncomfortabele houding steeds even weg. De nacht ervoor had mijn vaders gesnurk me uit de slaap gehouden, en bovendien zaten mijn slaappillen in een koffer die ergens achterin gepropt zat. Omdat de achterbank van de Camry vol lag met cadeautjes vol linten voor mijn nichtje, had ik niet veel plek om mijn benen kwijt te kunnen. Ik lag met mijn hoofd op mijn vaders scheerdoos en mijn benen in kleermakerszit, maar dan met mijn benen omhoog tegen het raampje.

Rond het middaguur vroeg mijn vader of we liever naar Burger King of naar McDonald's wilden. Het was minstens tien jaar geleden dat ik een van die uitspanningen had bezocht, dus ik kon er weinig van zeggen. Mijn moeder koos voor McDonald's omdat ze daar betere koffie hadden. 'Je kunt je seniorenpas gebruiken om een kop decafé voor Rhoda te bestellen,' stelde ze voor.

Dat vond mijn vader een goed idee. Hij dronk zelf geen koffie, maar had er geen bezwaar tegen dat ik dat wel deed, vooral als hij veertig cent kon besparen.

'Kijk daar eens, Mary,' zei mijn vader, en hij wees op een bordje achter het raam van McDonald's. 'Daar staat dat je voor één dollar een McChicken kunt krijgen.'

'Oké!' Mijn moeder nam de hint aan.

Fastfood is altijd een struikelblok voor koks, en ik geef toe dat ik van kleur verschoot bij de gedachte aan een koolhydraatrijk plakje kip dat was volgespoten met chemische smaakstoffen en gepaneerd tot de afmetingen van een knapperige McDollar. Dus zei ik dat ik liever een hamburger nam. De hamburger kostte maar liefst drie dollar, dus bood ik aan de lunchrekening te betalen, die voor ons drieën, na aftrek van de seniorenkorting, zes dollar en twintig cent bedroeg.

'Nee, nee!' Mijn vader wuifde mijn portemonnee weg. 'Ik heb het al, laat maar.'

Toen we zaten, zei hij: 'Je had drie kipburgers voor de prijs van die ene hamburger kunnen nemen.'

'Ja, maar ik vind deze lekkerder.'

'Vind je die hamburger lekker?'

'Nou, ik zou niet willen zeggen dat ik hem echt lekker vind,' antwoordde ik. 'Maar ik vind hem lekkerder dan de kipburger.'

Mijn moeder legde haar kipburger neer en deed er verwoed ketchup uit een knijpzakje op. 'Hij is een beetje flauw,' gaf ze toe, 'maar dat is met een beetje ketchup zo verholpen!' Ze proefde. 'Veel beter!'

'Deze kipburger van één dollar is lekkerder dan die kipburger van Wendy van gisteren, die twee dollar vierendertig kostte,' zei mijn vader. 'Wil je proeven?'

'Ik ben niet echt een type voor kipburgers,' antwoordde ik.

'Als we weer in de auto zitten, kunnen we het laatste beetje cranberrybrood opeten,' zei mijn moeder. 'En in de thermosfles zit nog een beetje koffie van gisteren.'

Die opmerking was in meerdere opzichten problematisch.

'Mam,' zei ik, en ik wees naar de dampende kop decafé die ze in haar hand had. 'Waarom drink je díé koffie niet bij je cranberrybrood?'

'Deze koffie is dan al op, want die drink ik bij mijn McChicken.'

'Waarom haal je er dan niet nog eentje als we naar buiten gaan?'

'Je moet betalen voor een tweede kopje!' interrumpeerde mijn vader, die zijn kans schoon zag. 'Zelfs met een seniorenpas!'

'Maar... je hebt die koffie in de thermosfles gisteren gezet, dus dan is hij nu toch helemaal koud geworden?'

'Ach, nou ja, kamertemperatuur. En het is tenminste vocht! We zouden hem kunnen drinken in geval van nood. Stel dat de auto het begeeft en we aan de kant van de weg moeten wachten.'

'Dat is zo,' zei ik hulpeloos. Iedereen zal het erover eens zijn dat een slok koude koffie van een dag oud je echt oppept in geval van autopech.

'Zie je dat?' Mijn vader knikte naar de menukaart van McDonald's. 'Daar staat dat je een wrap had kunnen nemen voor één dollar negenentwintig!'

Autoritten met mijn vader waren echt heel anders dan die met mijn moeder. Ze waren allebei op hun eigen manier verfrissend, maar een rit met mijn vader als chauffeur verliep kilometer na kilometer in rustgevende stilte. Papa zei niets, luisterde niet naar de radio en genoot niet van de muziek die hij op aandringen van mijn moeder eens in de zoveel tijd opzette. Mijn moeder voorzag de Camry altijd van een geestelijk verantwoorde selectie cd's, waaronder een van de buurman van mijn ouders, Chet Wiens en zijn Mustard Seed Praise Quartet. Er zat ook een nieuwe bij van de dochter van mijn nicht, Starla, die met veel moeite een carrière als operazangeres had opgebouwd, maar die kortgeleden was begonnen met het vertolken van vurige coloratuurliedjes à la Ethel Merman. En dan had ze nog wat instrumentale cd's, zoals die waarop devote thema's op de panfluit te horen waren.

Maar voor Si Janzen gold: één ding tegelijk. Hij was niet bepaald een multitasker. Hij concentreerde zich liever op het rijden. Langdurige gesprekken van het soort waarbij je abstracte ideeën uitwisselde vonden slechts plaats tijdens korte rustpauzes en bezoekjes aan fastfoodrestaurants, en zelfs dan werd er eigenlijk nog bij gefronst. Tijdens de rit zelf maakte hij soms relevante, specifieke opmerkingen over het voorbijtrekkende landschap. Dat commentaar klonk alsof het deel uitmaakte van een overkoepelend verhaal over een bepaald onderwerp. 'Ik zie schapen,' zei hij dan bijvoorbeeld. Of: 'Daar rijdt een joekel van een camper.' Persoonlijk heb ik het altijd nogal een uitdaging gevonden om op dat soort opmerkingen te reageren, omdat ik nooit weet of ze nou bedoeld zijn om een gesprek aan te knopen of juist om te voorkomen dat je er dieper op ingaat. Maar in de loop van vijfenveertig jaar huwelijk had mijn moeder zich de kunst eigen gemaakt om mijn vaders cryptische uitlatingen te pareren. Ze schonk hem altijd haar volledige aandacht, zelfs als hij haar stoorde bij haar kruiswoordpuzzel of sudoku. Bij het horen van 'ik zie schapen' kon ze bijvoorbeeld opkijken en opgewekt antwoorden: 'Schaapjes tellen!' En op 'daar rijdt een joekel van een camper' kon ze zeggen: 'Grote benzineslurper!'

Papa sloeg ons aanbod om hem af te lossen tijdens het rijden steevast af. Andere chauffeurs maakten hem nerveus, vooral mijn moeder.

Daar zat wat in. Als mijn moeder en ik alleen in de auto zaten, zat ik het liefst zelf achter het stuur, en ik kan echt niet zo geweldig rijden. Maar altijd nog beter dan zij. Gelukkig lijkt ze nooit van plan zelf op de bestuurdersstoel te kruipen. Een paar weken voor onze rit naar Bend hadden we met zijn tweeën een driedaags uitstapje naar Arizona gemaakt om een stel vrienden van haar Bijbelstudie te bezoeken, die naar Flagstaff zouden gaan om daar tijd door te brengen met hun dochter Frieda. Omdat het mennonitische vrienden waren, kende ik hen uiteraard ook. Ik kende Frieda nog van vroeger, toen ik verkering had met haar oudere broer toen ik nog op de School met de Bijbel zat. (Tussen twee haakjes: Reinhold en ik hebben een jaar verkering gehad zonder erachter te komen hoe we met onze tong moesten zoenen. Niet dat we slecht in tongzoenen waren; we deden het helemaal niet. We wisten niet eens dat het bestond, snap je.)

Toen ik hoorde dat Frieda, Reinholds schattige kleine zusje, nu in de woestijn buiten Flagstaff woonde, reageerde ik verbaasd. 'Is er daar een grote mennonietengemeenschap?' vroeg ik.

'Nee,' antwoordde mijn vader. Hij voerde graag gesprekken over het wel en wee van mennonieten. 'Frieda heeft gezondheidsproblemen, en vanwege haar gezondheid moet ze in een warm, droog klimaat wonen.'

Mijn moeder viel in. 'Allergieën, Si. En chronischevermoeidheidssyndroom.'

'O,' zei ik begrijpend. Ik nam aan dat chronischevermoeidheidssyndroom een code was voor een ernstige depressie en vroeg me af of Frieda de mennonieten niet gewoon een tijdje had willen ontwijken. Dat kende ik.

'Nee, ze is echt ziek,' zei mijn moeder. 'Ze was bijna dood.'

'Nou, in dat geval is het fantastisch dat ze baat heeft bij een ander klimaat,' zei ik. 'Daar heeft ze toch baat bij, of niet?'

'Jawel,' beaamde mijn vader somber. 'Frieda woont in een klein appartement op ongeveer een halfuur rijden van de stad.'

'Helemaal alleen?'

'Er is een kerel, een vriend, die haar af en toe opzoekt,' zei mijn vader op zijn beste priestertoon. Hij voegde eraan toe: 'Ze trekken naar elkaar toe, daar in de woestijn.'

Onderweg naar Arizona haalden mijn moeder en ik allerlei herinneringen op aan de familieritjes die we in mijn jeugd hadden gemaakt. Ik kan niet voor mijn broers spreken, maar Hannah en ik zagen enorm op tegen die autoritten omdat mijn vader zo star was en we gespeend zouden blijven van materiële geneugten. Ik kan nauwelijks geloven dat mijn vader bereid was te gaan kamperen, terwijl hij dat zo'n ellende vond. Die kampeervakanties waren ontspanning, maar stressvol; doelloos, maar gepland. Mijn vader dwong ons elke ochtend om zes uur op weg te gaan, niet met een bepaalde bestemming voor ogen, maar omdat het zo heerlijk was om op de koele uurtjes van de dag te rijden.

Misschien was het grote voordeel van kamperen wel dat het niet zoveel kostte. Tot op de dag van vandaag weet ik niet of we ons geen echte vakanties konden permitteren of dat een goedkopere autorit gewoon een principekwestie was. Waar het ook aan lag, het resultaat was hetzelfde: een gezin van zes personen, twee koelboxen, een oud gasstel en een tinnen vuilnisemmer met de kaart van de Verenigde Staten erop – zodat we onderweg de hoofdsteden konden oefenen – in een wit volkswagenbusje gepropt.

Een typische ochtend bestond eruit dat we in het schemerige ochtendlicht opstonden, uit onze overvolle tent naar een washok een heel eind verderop strompelden en lauwe instantchocolademelk uit een piepschuimen bekertje dronken. Omdat de melk lauwwarm was, loste het poeder niet volledig op en dreef het in klontjes aan de oppervlakte. Dat waren kleine, agressieve klontjes, niet te verwarren met minimarshmellows die op geheel eigen wijze onderin samenklonterden.

Hannah en ik bibberden in de ochtendnevel, en intussen schreeuwde mijn vader tegen mijn broers, die hem moesten helpen de tent af te breken, omdat ze nu eenmaal jongens waren. Mijn broers werkten zwijgend en trokken de haringen eruit met het klauwgedeelte van een hamer, terwijl mijn vader met de omvallende tentstokken worstelde. In al mijn jeugdjaren heb ik mijn ouders nooit de naam van de Heer ijdel horen gebruiken of ook maar één keer een drieletterwoord horen zeggen. Maar tijdens het kampeerseizoen hoorde ik tot mijn schrik felle verwensingen als 'potverdrie!'

en 'wel verdraaid!' Tijdens het afbreken van de tent nam ik Hannah vaak bij de hand en ging met haar een eindje verderop staan. Het ongeduldige gemopper van mijn vader maakte haar aan het huilen.

Omdat we na de chocolademelk, maar voor het ontbijt op weg gingen, wachtte mijn moeder altijd tot de zon op was tot ze de koelbox vol geurtjes openmaakte. In de kleine ruimte van het stampvolle busje vormde de doordringende lucht de onvermijdelijke voorbode van wagenziekte. Als ontbijt kregen we oudbakken *Schnetke*, beurse bananen en lauwe melk in de veelgebruikte piepschuimen bekertjes, die Hannah en ik hadden afgewassen terwijl de tent werd afgebroken. Mijn moeder maakte de melk door mager melkpoeder aan te lengen met water. Daar moesten we van kokhalzen, maar we moesten ieder een hele beker leegdrinken. We mochten ook nooit de rozijnen uit de Schnetke vissen, want Jezus hield niet van kieskeurige kinderen. We moesten opgewekt eten wat de pot schafte. We moesten met een rein geweten en een hart vol dankbaarheid voor de troon Gods verschijnen. De hongerige kindjes in Chaco zouden die rozijnen maar al te graag willen hebben!

Ik was als de dood dat God me zou oproepen om missionaris in Chaco te worden. Chaco was een dorre, hooggelegen streek in Zuid-Amerika waar het vrijwel onmogelijk was behoorlijk landbouw te bedrijven. De mennonieten uit mijn jeugd hadden enthousiast consensus bereikt over Chaco: met de vele inheemse, niet-christelijke volkeren was het rijp voor missiewerk. Ik weet nog steeds niet precies wat er allemaal in Chaco gebeurt, maar als kind vermoedde ik dat er zich snel uitbreidende snuitkevers en cassavewortels aan te pas kwamen. Tijdens de vele diavoorstellingen op zondagavond in de kerk leerde ik dat een missionarissenorganisatie met de naam Word Made Flesh vaak mennonitische missionarissen opriep om in Chaco kerken te stichten. Toen ik de dia's zag, bedacht ik stiekem dat Chaco niet zozeer kerken nodig had, maar eerder een betere keuze van groente en fruit. Laat die kerken toch zitten en ga met watermeloenen aan de slag. Een sappige, zoete watermeloen kan menig cassavewortel nog een lesje leren. Hoogstwaarschijnlijk!

Als er kinderen van Word Made Flesh naar de zondagsschool

kwamen tijdens het verlof van hun belangrijke kerkstichtingswerk in Chaco, waren die missionariskinderen humorloos, vroom en bleek. De meisjes droegen schorten naar de kerk. En hun gesprekken waren vervuld van verwijzingen naar demonen, wat me niets verbaasde. Waar anders zou je demonen verwachten dan in Chaco, waar ze de cassaveoogst verpestten?

Als een van ons ondankbaar deed over iets wat uit de koelbox kwam, kwam mijn moeder, zo snel als een revolverheld in het Wilde Westen, met Chaco op de proppen. De hongerige kindjes in Chaco zouden vechten om blauwachtige poedermelk uit een piepschuimen bekertje te mogen drinken! Ik concludeerde dat piepschuimen bekertjes een zeldzaam goed waren in Chaco, waardoor dat verderfelijke, goddeloze oord een beetje in mijn achting steeg.

Maar zelfs het beeld van demonen tussen de cassavewortels kon de wagenziekte niet tegenhouden. Dan gilde Caleb, die met halfopen mond op zijn banaan zat de kauwen: 'Mam! Rhoda gaat weer kotsen!' En dan porde hij met zijn banaan tegen mijn arm.

'Ik noem een hoofdstad voor elke rozijn,' zei Aaron zelfvoldaan. 'Concord. Tallahassee. Boise. Juneau.'

'Ze houdt haar hand voor haar mond!' Daarna, vertrouwelijk tegen mij: 'Kijk eens.' Caleb hield zo'n lange sliert omhoog die tussen de bananenschil en het vruchtvlees zit. 'Kijk, hij komt uit mijn oog. Kijk dan, het is van dat witte spul dat in je ogen zit als je wakker wordt.'

'Je bent zelf dat witte spul in je oog, sukkel!' reageerde Aaron. 'Wedden dat je niet weet wat de hoofdstad van Vermont is. Deze rozijn is de hoofdstad van Vermont. Moet je zien,' zei Aaron, en hij stopte Montpelier in zijn neus.

Caleb, die niet voor hem onder wilde doen, stopte de kledderige bananensliert in zijn eigen neus. 'Kijk dan, kijk dan, kijk dan.'

'Dat stelt niks voor,' zei Aaron smalend. 'Dat is gewoon spul uit een banaan. Dít is Montpelier!' Hij peuterde Montpelier met een plakkerige vinger tevoorschijn en smeerde het op Caleb.

'Smeerlap!' schreeuwde Caleb vrolijk, en hij schoot Montpelier weer naar Aaron. Hij miste. Montpelier bleef in Hannahs witblonde haar steken. 'Snotalarm! Hannah-de-pannah, je hebt een stuk snot in je haar!' Ze begon te huilen.

'Dat soort woorden gebruiken wij niet, jongeman!' blafte mijn vader over zijn schouder. 'Mary, wat doen ze daar achterin?'

Ze keek achterom en keek onderzoekend naar Aaron, de oudste.

'Caleb zegt lelijke woorden, Hannah huilt omdat ze een rozijn in haar haar heeft en Rhoda moet overgeven.'

Onverwachts concentreerde mijn moeder zich op de rozijn. 'Hoe is die rozijn in haar haar gekomen?'

'Dat heeft Caleb gedaan.'

Mama keek streng. 'Caleb, eet die rozijn op. In ons gezin worden geen rozijnen verspild.'

'Maar...'

'Geen gemaar, jongeman. Eet. Die. Rozijn. Op.'

Caleb at walgend de rozijn die uit de neus van zijn broer kwam, maar maakte daarbij zulke kokhalzende geluiden dat ik me niet meer kon inhouden.

'Si, ga aan de kant staan. Rhoda moet overgeven.'

Het busje had geen airco, maar bood wel iets verrassends. Mijn moeder had een triplex bed gefabriceerd met een zelfgemaakte, rode canvas-matras met witte sterren erop. Het had bijpassende kussens, en met zijn vieren op dat bed gepropt alsof het een klam nestje was, lagen we te lezen tijdens de lange, snikhete kilometers langs het droge struikgewas tussen Nevada en Utah. Soms mochten Hannah en ik 's nachts helemaal alleen in het busje slapen in plaats van in die stinkende tent, die niet alleen naar schimmel en adem rook, maar ook naar scheten latende broers. De tent bood geen bescherming tegen muggen. (Nachtelijke wezens kropen door de vele gaten in de 'ramen' van de tent naar binnen en naar buiten.)

Op een avond zaten we op een buitengewoon insectrijk plekje in een van de vochtiger staten om ons heen te slaan en ons te krabben. Uit de kluiten gewassen muggen hingen in de lucht als een rookwolk boven een onzichtbaar vuur, en we hadden ons best gedaan met hoeden, lange mouwen, insectenspray en een kampvuur. Maar ze kwamen toch en zwermden om ons heen als iets uit een Hitch-cock-film. Uiteindelijk kon mijn moeder er niet meer tegen en liep naar de campingwinkel om een spuitbus te kopen, ondanks mijn vaders protesten dat spuitbussen geld kostten. Toen ze terugkwam, spoot ze alles om ons heen goed in, waardoor we een tijdje rustig konden kaarten.

Die avond smeekten Hannah en ik of we in het busje mochten slapen. Pas toen we waren ingestopt, hoorden we het: het hoge gezoem van een muggenlegioen dat bij ons in het busje zat. Ik deed mijn zaklamp aan om aan de grote moordpartij te beginnen.

'Meisjes!' waarschuwde mijn vader vanuit de tent. 'Ga slapen!'

Voordat mijn vader voor de twee keer schreeuwde, hadden we al een paar flinke muggen doodgemept, dus wist ik dat ik iets drastisch moest doen. Ik wikkelde de tentzak als een tulband om mijn hoofd, spurtte de auto uit, pakte de spuitbus op en was binnen tien seconden weer terug, waarna ik het portier hard dichttrok.

'Meisjes! Laat me niet daarheen hoeven komen!'

'We gaan al slapen!' schreeuwde ik.

Maar voordat we dat deden, spoot ik eerst het laatste restje uit de spuitbus. Met de ramen dicht lag Hannah hoestend en proestend de vochtige gifdruppels in te ademen. 'Ik krijg geen lucht,' fluisterde ze.

'Ik ook niet,' fluisterde ik terug. 'Maar we wennen er wel aan. Geen mug die ons nu nog durft aan te vallen!'

Toen mama ons 's ochtends wakker kwam maken, deinsde ze kuchend achteruit en zwaaide met haar armen. De giftige gasdampen losten op toen de buitenlucht zoet en fris naar binnen kwam. We ademden hem dankbaar met volle teugen in.

'O, Rhoda! Wat heb je gedaan?'

'Spuitbus,' hijgde ik.

'Jullie hadden wel dood kunnen zijn! Waarom hebben jullie dat nou toch gedaan?' Ze huilde bijna. Hannah was duizelig overeind gekomen en ging weer zitten, haar hoofd tussen haar benen.

'Er zaten zoveel muggen in het busje,' zei ik. 'Ik wilde de gok niet nemen.'

Toen mijn moeder dit verhaal dertig jaar later tijdens onze autorit opdiste, giechelde ik omdat ik al zo vroeg tot elke prijs had willen voorkomen dat ik belaagd werd. Maar het verhaal leek wél een redelijk goed voorbeeld van de Jeugd vol Angst die Hannah en ik hadden beleefd. Ik kan niet zeggen waarom we altijd zo bang waren; we zijn nooit mishandeld, aangevallen of op enige manier misbruikt. Integendeel, als mennonieten leidden we een opmerkelijk beschut leventje. Geen radio, geen cassettebandjes, nooit alleen tv-kijken, geen speelgoed dat ook maar aan wereldse zaken deed denken. Een jojo, dat wel. Een kist waar de koelkast van de buren in had gezeten, toe maar. Een slinky-spiraal, natuurlijk. Badminton, ga je gang. Maar een dikke, vette nee tegen de volgende zaken: een Barbie-droomhuis (te volwassen? Met een bed waarop Barbie wel eens een andere Barbie zou kunnen verleiden?), Electro (te elektrisch en daarom te verspillend?), en eetbare speelgoedinsecten uit een bouwpakket (te satanisch?). Zelfs van onze vrienden werd vooraf nagetrokken of ze geen slechte invloed op ons zouden hebben.

Was de mate waarin we beschermd werden de aanleiding van de angst die Hannah en ik allebei voelden toen we in de puberteit kwamen? In die dagen zagen we een roofdier in elke man die bij ons in de buurt kwam! Op de een of andere manier had de mennonieten-cultuur ons bijgebracht dat alle niet-mennonitische mannen potentiële verkrachters waren. Dus telkens wanneer we buiten het beschermende schild van onze mennonietengemeenschap kwamen, stapten we een angstaanjagend onbekende wereld binnen. Bang voor schoolevenementen, huiverig voor wat er zou gebeuren als ik de teugels liet vieren en een biertje zou drinken, doodsbenauwd zodra een jongen me mee uit vroeg – ik was zo schichtig als een eekhoorn die verstijft als hij je auto ziet aankomen. Zelfs als je homo-echtgenoot het raampje laat zakken en 'Uit de weg, ukkie!' schreeuwt, blijven die eekhoorns vreselijk besluiteloos. Ik had altijd met ze te doen. Ook ik had onheil zien naderen. En net als de eekhoorns had ik mijn ogen gesloten in de hoop dat het onheil gewoon weg zou gaan.

Hannah en ik hadden geconcludeerd dat niet-mennonieten overal toe in staat waren. De wereld leek bijzonder gastvrij voor seriemoordenaars in onopvallende witte bestelbusjes. Als Hannah en ik naar de drogist liepen om stiekem lipgloss met aardbeiensmaak te kopen, namen we altijd een plan A en een plan B door, voor het geval een seriemoordenaar ons een lift aanbood of zou proberen ons in zijn onopvallende witte bestelbusje te sleuren. Ik ben blij te kunnen melden dat dit ons nooit is overkomen. Maar omdat onze puberteit samenviel met de laatste jaren voorafgaand aan de politieke correctheid, vingen we wel wat plastische dingen over onze anatomie op. Ik dacht in die tijd nog dat je zwanger kon worden van een zoen en heb vele avonden zitten piekeren over de mogelijke betekenis van tietneuken.

De angst bleef voortduren toen ik volwassen werd. Ik zat al op het hoger onderwijs toen ik een keer bij mijn appartement kwam en er een briefje op de voordeur geplakt zat. In enge blokletters stond erop:

WIL JE ZOVEEL DONUTS ETEN ALS JE WEG KUNT STOU-
WEN,
KOM DAN VRIJDAG OM 19.00 UUR NAAR ME TOE.
IK WIL JE LEREN KENNEN RODA.

JIMMY

Jimmy was een druiloor die ik ooit ontmoet had in een wasserette, en drieëntwintig jaar na dato vind ik deze toenaderingspoging wel grappig. Maar destijds reageerde ik er nogal gecompliceerd op, met crescendo's die wel wat weg hadden van de door Elisabeth Kübler-Ross gedefinieerde fasen van het rouw- en stervensproces. Eerst was er walging: wegstouwen? Wégstouwen?! Toen verwarring: wie eet er nou donuts op vrijdagavond? Daarna angst: hoe weet die Jimmy waar ik woon? En ten slotte paniek: zie ik er soms uit als iemand die donuts wegstouwt? Gottegot, lijk ik in deze kleren op Agnes Ollenburger, de dikke mennonietenvrouw uit onze jeugd die liposuctie had laten doen op haar bovenarmen en de kerk daarna om vergiffenis had gevraagd?

Jimmy was duidelijk een seriemoordenaar of een viezerik. Die vrijdagavond ging ik zoals altijd naar de bibliotheek, maar ik legde het briefje goed zichtbaar op mijn salontafel, voor het geval de politie het nodig zou hebben als mijn lichaam in stukken gehakt in een container zou worden teruggevonden.

Nu, op mijn drieënveertigste, lag ik – tijdens de lange rit naar Bend met allebei mijn ouders – zwijgend opgevouwen op de overvolle achterbank en dacht terug aan de autoritten uit mijn jeugd, waarbij ik me herinnerde dat de angst als een zoemende wolk muggen boven me hing. En ik kon niets bedenken wat kon verklaren waarom Hannah en ik altijd zo bang waren geweest. Natuurlijk, in de mennonietencultuur werden openlijke beelden van seks gewantrouwd, dat was een feit. Bij de zeldzame gelegenheden dat wij als kind tv mochten kijken, moest er altijd een ouder aanwezig zijn. Mijn vader hield de boel als een strenge cipier in de gaten. Als er ook maar één personage, getrouwd of niet, in welke serie dan ook de indruk wekte te gaan zoenen, stond papa al met de afstandsbediening in de aanslag. Hij wisselde snel van kanaal en mompelde soms hevig afkeurend: 'Schunnig!' Seks, zoveel was duidelijk, was een zondige kwelling.

Maar mijn ouders zelf waren niet bang. Ze begaven zich vol vertrouwen in de wereld, namen risico's, stelden hun huis open voor vreemden en reisden als onbevreesde kosmopolieten. Dankzij mijn vaders leidende positie in de mondiale mennonietenkerk moest hij veel reizen, en mijn moeder ging vrolijk met hem mee. Toen mijn vader met pensioen ging, bleven ze reizen – zelfs nog meer, want nu gaven ze zich op voor maandenlange trips met andere mennonietenstellen.

Geografie was belangrijk binnen ons gezin, zoals bleek uit de vuilnisemmer met de hoofdsteden erop. Maar het was niet alleen geografische kennis die mijn ouders ons wilden bijbrengen: het was kennis van internationale gebeurtenissen. Door een ironische speling van het lot waren twee van de meest conservatieve mennonietenouders fel tegen een eenzijdige blik. Een wereldbeeld waarin Amerika centraal stond, was volgens hen onverenigbaar met de christelijke waarden, omdat God van alle landen evenveel hield.

Mijn ouders stonden erop dat we gingen studeren en buitenlandse reizen zouden maken. Ze hebben op alle continenten rondgezworven, behalve Antarctica, maar dat staat waarschijnlijk op hun lijstje. Ze zijn zelfs in Chaco geweest en vonden het er heerlijk. In aanmerking genomen dat mijn beide grootmoeders niet eens de lagere school hadden afgemaakt en nooit hun dorp uit waren geweest tot ze naar het platteland van Ontario emigreerden, is het grappig dat mijn moeder me ansichtkaarten uit Kinshasa, Istanbul en Hyderabad stuurt. 'We hebben een spin zo groot als een theepot gezien! Papa lust geen yoghurt. Er lopen koeien los op straat. Liefs, mama.' Of uit Calcutta: 'Ze cremeren hun doden hier door oude rubberbanden te verbranden. Ze hebben zeker geen hout meer. Het stinkt ongelofelijk. Liefs, mama.'

Ik zat aan de onbevreesdheid van mijn ouders te denken toen we de parkeerplaats van een wegrestaurant op reden. Na een dag van meer dan zevenhonderdvijftig kilometer was het nog zo'n twee uur rijden naar Bend. Het was heerlijk onze benen onder tafel te kunnen strekken. En ik moet zeggen dat het heerlijk was om bekeken te worden door een stel jongens die tegenover ons zaten. Ze waren misschien half zo oud als ik, maar wel knap.

De serveerster, die mijn vaders hamburger met kaas en mijn moeders gebraden kippenborst al had opgediend, kwam eraan met mijn salade. Precies op dat moment begon mijn vader te bidden: hardop dankte hij God luid en duidelijk voor de hamburger met kaas, de gebraden kip en de salade. Toen bad hij voor zijn predikant, voor de gouverneur van de staat en voor de president. Hij bad voor het echtpaar dat net drie broers en zusjes geadopteerd had en voor de mensen in Irak. Hij bad voor het tonen van mededogen. Met zijn ingetogen stem zei hij dat we alle omstandigheden die God voor ons in petto had zouden verwelkomen en hij vroeg God om de gratie en de wijsheid om de lessen te leren die onze reis ons zou geven.

Tot mijn zesde bad ik tot Farao. Ik had op zondagsschool geleerd dat de Egyptenaren hun koningen en goden vereerden en wilde me zo goed mogelijk indekken. Maar ik richtte me altijd respectvol tot de oppermachtige Jahweh voordat ik tot Farao sprak – ik dacht dat er één machtige, eeuwige farao was – omdat de Tien Geboden voorschreven: 'Gij zult geen andere goden voor mijn aangezicht hebben.' Zo kreeg de mennonietengod mijn voornaamste verzoeken, zoals bemiddeling bij wolven, rode oogjes zonder lichaam, vampiers en vulkanen. Farao kreeg mijn secundaire en tertiaire verzoeken, zoals mijn serieuze smeekbede gespaard te blijven van rozijnen en Chaco.

Het was zeker dertig jaar geleden sinds ik had geloofd in de kracht van het gebed als iets anders dan een manier om dankbaarheid te tonen en zelfmedelijden te verdrijven. Hoewel ik met een atheïst getrouwd was geweest en zestien jaar lang het zeer seculiere pad van de hogere educatie had bewandeld, had ik het idee van God vreemd genoeg niet verworpen. Maar in de tussentijd was mijn geloof wel drastisch veranderd, omdat ik meer te weten was gekomen over de context van de kerk en over religies naast het christelijke geloof. Met een beetje kennis kom je een heel eind!

De mennonieten hebben een nogal netelige historie op het gebied van educatie. Er is een oud Plautdietsch gezegde waar ik altijd van heb genoten, deels omdat alles op de een of andere manier grappiger klinkt in het Plautdietsch, deels omdat het rechtstreeks aan mij gericht lijkt: *Ji jileada, ji vikjeada* (hoe hoger je opleiding, hoe verwrongener je denkt). Dat kennis het geloof zou aantasten is zo'n verrukkelijk ouderwetse opvatting waar we vandaag de dag om gniffelen, net als wanneer we horen dat men ooit dacht dat de baarmoeder door het hele lichaam dreef en af en toe in de nek of de elleboog belandde. Mennonieten brengen hun wantrouwen ten aanzien van educatie vaak in verband met het gedeelte uit het evangelie van Marcus waarin Jezus opmerkt dat het voor degenen die rijkdommen bezitten moeilijk is om het Koninkrijk Gods binnen te gaan. Bij de mennonieten heerst het idee dat mensen die geld en kennis een voorrecht vinden, denken dat ze alle antwoorden al kennen en niet geïnteresseerd zijn in het zoeken naar God. Ik kan niet voor de rijken spreken, maar het is mijn ervaring dat hoger onderwijs geen mensen voortbrengt die denken dat ze de wijsheid in pacht hebben, tenzij je mijn broer Aaron meetelt. Hoger onderwijs doet juist het tegenovergestelde: het leert ons dat we níét alle antwoorden kennen. Socrates vatte het uitstekend samen: 'Ik weet dat ik niets weet.' Dus helaas hebben de mennonieten het hier niet bij het juiste eind. Wat ze ongetwijfeld zelf ook hadden ontdekt als ze gestudeerd zouden hebben, zoals normale mensen.

Honderd jaar geleden, toen ze nog in Oekraïne woonden, gingen de mennonieten prat op hun gemeenschappelijke geletterdheid en vergeleken ze hun gedisciplineerde openbareschoolsysteem met de ongeletterde misère waar hun Russische buren in leefden. Maar de mennonieten zorgden er wel voor dat ze niet té geletterd werden. Ze hadden vastomlijnde ideeën over het moment waarop ze afhaakten: jongens maakten altijd de middelbare school af, meisjes hielden er na de derde klas van de lagere school mee op. Dat was wel genoeg om cijfers te snappen en de Bijbel te kunnen lezen. Nog meer onderwijs en je zou vragen kunnen gaan stellen die je geloof aan het wankelen zouden brengen en je bij God vandaan zouden leiden.

De generatie mennonieten van mijn grootouders was eensgezind in de vijandige houding ten aanzien van hoger onderwijs. Toen ik een keer in Oekraïne rondreisde met een groep oudere mennonieten, sloot ik vriendschap met een medereizigster, een kleine, kromgebogen weduwe die het stalinistische Rusland was ontvlucht door zich tijdens de bezetting 'te verbinden' aan een Duitse officier. Zelfs op vierentachtigjarige leeftijd, toen ze tientallen welvarende jaren en een gelukkig huwelijk achter de rug had, weigerde Marta over de seksuele relatie te praten die haar leven had gered. Toen ik naar haar Duitse weldoener vroeg, zei ze alleen dat de verbintenis had geresulteerd in emigratiepapieren voor haarzelf en haar vier zusters.

Marta was een klein vrouwtje – de kruin van haar zilverwitte hoofd kwam tot mijn middel – maar ze was vol geestdrift om haar oude geboortegrond weer te zien, en ik vond het heerlijk om mijn tempo aan haar tragere tred aan te passen. Het grootste deel van de reis spraken we over Marta: haar verleden, haar verlies, haar opvatting van de politieke gebeurtenissen in de jaren na de Russische Revolutie. Als jong meisje had ze de beruchte anarchist Nestor Machno in het echt gezien. Ik voelde me gezegend dat ik een reisgenote had gevonden die zich de belevenissen van de Machnovschtina uit de eerste hand herinnerde. Tussen reizigers bloeit vaak makkelijk vriendschap op, en algauw vertrouwde Marta me meer toe dan alleen de feiten. Onze intimiteit werd bevorderd door lastige fysieke omstandigheden, want ze had mijn hulp nodig bij het lopen over ongelijke treden, diepe geulen en dat soort dingen. Ze was zo licht als een veertje, dus tilde ik haar vaak op en droeg haar over de ruwe stukken. Het boerenland van Oekraïne, met zijn ranzige wc's, is al een hele uitdaging voor stoere reizigers, laat staan voor frêle hoogbejaarden die niet genoeg kracht in hun onderlijf hebben om hurkend te plassen. Geen wonder dat we zo snel nader tot elkaar kwamen.

Tegen het eind van onze periode samen zaten Marta en ik aan boord van de *Glushjkov* en voeren we naar Jalta en de Zee van Azov. We lieten Sebastopol en de mennonitische nederzettingen uit haar jeugd achter ons en keken hoe de zon onderging in de Zwarte Zee. Plotseling drong blijkbaar tot Marta door dat ze wel heel weinig wist van de vrouw die drie weken lang haar elleboog had vastgehouden. Tot op dat moment had Marta me niet veel over mijn eigen situatie gevraagd; het enige wat ze wist was dat ik een mennoniete was en dat ik de dochter van Si Janzen was. Dat was voor haar voldoende geweest. 'Liefje,' zei ze, terwijl ze met haar ranke handen de reling vasthield. 'Hoe komt het dat een jonge vrouw als jij met oude mensen zoals wij naar oude plekken reist?'

'Ik wilde meer van mijn geschiedenis te weten komen,' antwoordde ik.

'Hoe vul je je dagen in als je niet aan het reizen bent?' vroeg ze. 'Wat doe je, als je zelf geen gezin hebt?'

Ach, die lieve vrouw, ik wilde haar niet teleurstellen! Als ze erachter kwam dat ik wetenschapper was, zou ze dan treurig haar hoofd schudden en *Ji jileada, ji vikjeada* zeggen? Zou ze me dan geen verhalen meer vertellen en me afschrijven als wereldlijk? Voor veel mennonieten van haar generatie was het hebben van een doctorstitel zoiets als zondigen tegen God. Maar nu ze het me zo ronduit vroeg, moest ik wel bekennen dat ik een boekenwurm was.

Ik zei alleen: 'Ik ben docente, Marta. Ik geef les aan de universiteit.' Ze richtte haar blik op de Zee van Azov, en in de invallende schemering meende ik te zien hoe ze teleurgesteld haar lippen samenkneep. Zonder iets te zeggen keek ze uit over het water. Uiteindelijk draaide ze zich naar me toe, rechtte haar rug en gaf me een schouderklopje. 'Dat geeft niets,' zei ze geruststellend in het Duits. 'Je bent toch een goed mens.'

Mijn eigen ouders deelden Marta's vooroordelen ten aanzien van hoger onderwijs duidelijk niet. Zowel mijn moeder als mijn vader heeft een graad. Maar ze kozen devoot voor een studie die hen niet van hun geloof zou weghouden. Verplegen lijkt prima overeen te stemmen met Jezus' Bijbelse overtuiging om de zieken te genezen, en theologie is volledig gebaseerd op de aanname dat God bestaat en zich druk maakt om wat er met zijn schepping gebeurt. Mijn ouders moeten wel bezorgd zijn geweest toen ik een vakgebied koos waarvoor filosofische vragen gewenst en zelfs vereist waren.

Een van mijn vele opstandige gedragingen is mijn weigering om God ergens om te vragen, vooral voor de maaltijd, en vooral hardop. Verzoeken om goddelijke interventie komen gewoonlijk kinderachtig en wereldvreemd op me over. Waarom zou God het ene verzoek inwilligen terwijl iemand anders om het tegenovergestelde vraagt? Waarom zou een gelovige zo arrogant zijn te denken dat zijn behoeften bijzondere aandacht op het wereldtoneel verdienen? Ik zie bidden graag als een manier om je bewust te worden van je zegeningen. Het ontzelft het zelf, zoals theoloog Eugene Peterson zou zeggen. Als mensen goddelijke interventie verwachten, word ik nerveus, want dan horen ze ineens de stem van God, die hun bijvoorbeeld vertelt dat ze een groep mensen in Irak moeten doden.

Maar daar in dat wegrestaurant zat mijn vader tegenover me met zijn grote handen gevouwen en zijn knappe hoofd gebogen. Niet alleen zat hij te bidden alsof God naar hem luisterde, hij zat te bidden alsof God daar zelf stond, wachtend met een salade, net als de serveerster. Als je bij je ouders bent, val je snel terug in je oude gewoonten. Ondanks mijn gêne omdat de serveerster moeite deed om niet te lachen, en hoewel de leuke jongens die net nog naar me hadden zitten kijken nu onmiskenbaar terugschrokken, boog ik mijn hoofd en sloot mijn ogen. Onbevreesd.

4

Kwetsende woorden

'Tante Rhoda,' zei Allie, 'wil je met ons superscrabbelen?'

'Jazeker,' antwoordde ik.

Mijn zus en ik hadden nog geen moment voor onszelf gehad. Maar we hadden een heel hecht contact, dus konden we makkelijk communiceren met indirecte blikken en schuinse lachjes. We waren elkaars haven tijdens de stormachtige feestdagen. Ik was nu al enkele weken aan de westkust, en Hannah zou een gedetailleerd verslag willen van hoe het was om weer in de mennonietenstroom ondergedompeld te zijn. We zaten allebei te wachten op een tijdstip waarop we een cocktail konden nemen en bij konden kletsen. Vlak voordat mijn ouders en ik waren gekomen, hadden zij en haar man Phil bezoek gehad van Yvonne, Phils zus, en ik stond te popelen om te horen hoe dat hun was vergaan.

Hannahs man was fantastisch. Een van Phils vele uitstekende eigenschappen was dat hij absoluut niet van plan was zijn vrouw te verlaten voor een kerel die hij op gay.com had ontmoet. Toch had hij één zwakke plek. Phils kwelgeest, zijn persoonlijke *kryptoniet*, was zijn zus Yvonne. Hij had vooral een probleem met Yvonnes haar. We begrepen dat dit kritische punt samenhing met een hele catalogus aan gedragingen, daden en gewoonten die hem tegenstonden. Hij begon er keer op keer over dat Yvonnes haar eruitzag als een glimmende, nestachtige pruik en dat zij, zijn bloedeigen zuster, beter zou moeten weten. Hij bekeek dat nest dan ook uit vogelperspectief, want hij was twee meter lang, dus vanaf die hoogte was het vrijwel onmogelijk het nest niet te zien. Het lag kittig boven op haar hoofd, zoals de hoge, zwarte hoofddeksels van de lijfwachten bij Buckingham Palace. Als Yvonne langs was geweest, zat Phil soms ineens het liedje over de wisseling van de wacht uit *The Wizard of Oz* te neuriën.

Zelfs vanaf de zijkant bezien kon het nest je doen vergeten wat je ook alweer wilde zeggen. In mijn studententijd verscheen een boze feministe die zichzelf Lilith noemde, maar eigenlijk Barb heette, eens in een minuscule bikini op een zwembadfeestje. Iedereen had het gevoel dat ze dat expres deed, zodat alle anderen zich ongemakkelijk zouden voelen. Onder het broekje stak een indrukwekkende bos haar uit. Dit was wat je noemde schaamhaar op de schaal van Richter, haar dat losging, haar dat door de wolven was opgevoed. Het haar had haar zuidelijke regionen volledig overwoekerd, als klimop. Alle aanwezigen op het zwembadfeestje hielden hun ogen de hele avond krampachtig minimaal anderhalve meter boven de grond gericht om de magnetische aanblik van Barbs, ik bedoel Liliths, waanzinnige schaamstreek te vermijden. Proberen niet naar Yvonnes haar te staren was net zoiets.

Het nest, moet ik erbij zeggen, was van vóór haar metamorfose, vóór haar scheiding. In alle eerlijkheid, zei Hannah, zag Yvonne er een stuk beter uit nu ze niet meer zoveel stylingproducten gebruikte. Hannah drong er altijd bij Phil op aan dat hij Yvonne niet zo hard moest aanpakken. Elke vrouw zou er moeite mee hebben op de hoogte te blijven van de haartrends aan de oost- en de westkust, als ze zelf in een klein caravanpark in Wisconsin woonde met op een dubieus bord langs de kant van de weg de tekst ALLE SCHEPSELEN GODS ZIJN WELKOM!

Vele jaren eerder had Yvonne een carrière bij Mary Kay Cosmetics verkozen boven een universitaire studie. Als dynamische Zelfstandige Salesdirector reed ze vol trots rond in een bleekroze Cadillac waarop in bescheiden, roze cursieve letters op het achterraampje MARY KAY te lezen stond. Ze nam altijd gratis monstertjes mee voor Hannah en mij. 'Dame,' zei ze dan bijdehand, 'ik zeg waar het op staat, je hebt van die Martha Stewart-kringen onder je ogen, alsof je net vier maanden in de gevangenis hebt gezeten. Werk die ellende toch weg! Hier heb je een goede camouflagecrème. Pak aan!'

Twee jaar daarvoor was Yvonne na eenentwintig jaar huwelijk

gescheiden van haar man Stan. Of het waar was weet ik niet, maar Hannah en ik hadden – o, wat een tragische ironie! – altijd gedacht dat Stan homo was, en dan van het ruige soort. Stan had een piepkleine chihuahua, Miss Ginger, die hij overal mee naartoe nam. De eerste keer dat ik Stan ontmoette, kwamen Yvonne en hij na een lange autorit vanuit Wisconsin net bij mijn zus in Bend aan. Stan en Yvonne sprongen energiek uit Stans vrachtwagen. Ze omhelsden hun gastheer en -vrouw, schudden me de hand en wijdden zich vervolgens aan de belangrijkste taak: Miss Ginger uitlaten na de lange rit. Stan was een stevig gebouwde vent in een geruit flanellen overhemd, en zijn buik hing over zijn broek. Hij zette de trillende chihuahua op het gazon van mijn zus. Zijn stem schoot een vol octaaf omhoog toen hij Miss Ginger aanspoorde haar minibehoefte op het gras te doen. 'Wie gaat er dan plasjes doen? Ga je plasjes doen? Tijd voor plasjes!'

Het viel vast niet mee om met een homo-lijkende man getrouwd te zijn die met een falsetstem meervoud maakte van urine, bedachten Hannah en ik eensgezind, dus deden we nobele pogingen het niet over Yvonnes kapsel te hebben. Hannah had er wel voor gezorgd dat ik maar al te vaak in de gelegenheid was om Yvonne in actie te zien. Ik werd vaak meegevraagd op Phils familieuitjes, was aangehaakt bij feestdagen met Phils familie en had alle vier de vriendjes ontmoet die Yvonne na de scheiding had versleten. Nick had nooit mee gewild naar dat soort bezoekjes. Hij had er geen behoefte aan om de avonduren door te brengen met Yvonne die, zo hield hij vol, nog nooit iets had gezegd dat niet in het *Rad van Fortuin* voorbij was gekomen. Hoewel Yvonnes gezelschap verre van stimulerend was, vond ik dat ik mijn zus loyaliteit en morele steun moest bieden. Zodra Hannah zei dat Yvonne kwam, zag ik het als mijn zusterlijke plicht een goedkoop vliegticket te bemachtigen. 'Je móét komen,' smeekte Hannah dan. 'Haar nieuwe vriendje is vleeswarenverkoper!'

Dat waren de beste vleeswaren. Todd, het vriendje, ging prat op de topkwaliteit van de vleeswaren. Zijn vleeswaren werden verkocht in de beste kruidenierszaken. Tijdens het lange weekend waarin ik het voorrecht had deze vleeswaren elke dag te eten, deed ik mijn best Todd ertoe te bewegen 'vleeswaren' op een exotische manier uit te spreken. 'Mijn vleesjwaren zijn ongelofelijk vers,' zei hij dan. 'Ik bedoel, écht vers. Probeer het pimentgehakt eens.' Tijdens het bewind van de vleesjwaren in het huisje van Phil en Hannah in Tahoe vertelde Yvonne me over haar haarzakjesprobleem. Phil en Todd zaten beneden op het meer te genieten van de smaak van de vleesjwaren. Yvonne, Hannah en ik zaten op het terras met tijdschriften en ijsthee; het was rond het middaguur. Er was geen alcohol in het spel. We hadden alle drie een korte broek aan met het oog op de wandeltocht die later die middag op het programma stond. Yvonne droeg een t-shirt met de tekst VRAAG ME HOE JE JE VLEKJES KUNT WEGWERKEN! Op dat van mij stond IK BEN DE TAALKUNDIGE VOOR WIE MIJN MOEDER JE ALTIJD WAARSCHUWDE. Hannah droeg een mooie, korenbloemblauwe blouse, als een echte dame.

Vijf minuten eerder had Yvonne geopperd dat Hannah en ik haar volledig dekkende foundation moesten uitproberen, om onze huid egaal te maken. 'Dames, jullie hebben echt een Duitse huidskleur, laat me je dat vertellen! Als kind had ik een rat als huisdier, en zijn ogen hadden precies dezelfde kleur als jullie huid! Dat bedoel ik niet vervelend, hoor!' Sinds die opmerking waren we in plezierig stilzwijgen vervallen en bladerden we in onze tijdschriften. Tot mijn verbijstering stond Yvonne plotseling op, ritste haar korte broek open, haakte haar duim achter haar slipje en liet een stuk beharing zien dat zo dik was dat een gezin met drie kinderen zich er tijdens een lange poolwinter mee warm zou kunnen houden. 'Ik wil jullie gewoon even laten zien waar ik hier mee te maken heb,' zei ze. 'Hebben jullie ooit zo'n tapijtje gezien?'

Phil knikte toen ik later verslag uitbracht van de onverwachte verschijning van het tapijtje. Ik voelde me net iemand die beweerde een verzonnen wezen te hebben gezien, zoals de Sasquatch.

Hannah zei: 'Ik had haar er wel eens over horen praten, maar dit was de eerste keer dat ik het struikgewas in volle glorie zag. Lag het aan mij, of kon je de omtrekken van de Maagd Maria erin ontdekken?'

Ik knikte. 'Als Onze-Lieve-Vrouwe in een waterplas in een tunnel kan verschijnen, kan ze zéker in het slipje van je schoonzus opduiken.'

'Dat is nog niets,' zei Phil. 'Dat tapijtje is oud nieuws. We horen haar al jaren over het tapijtje. Wat dacht je hiervan? Ze vertelde ons dat Todd haar met kerst een dildo heeft gegeven.'

'Ik zou liever een dildo krijgen dan vleeswaren,' merkte ik op. 'Vooral als de vleesjwaren kunstmatige toevoegingen bevatten met de smaak van vloeibare rook.'

'Oké, daar zit wat in,' gaf Phil toe. 'Maar welk cadeau zou je liever tot in detail met je oudere broer bespreken?'

'En over welk cadeau zou je het liever tegen je negenjarige nichtje hebben, nog geen tien minuten nadat je uit het vliegtuig bent gestapt?' vroeg Hannah, die zich wat dit betrof duidelijk achter haar man schaarde.

'Vleeswaren zorgen, net als dildo's, voor een welkom verrassingselement tijdens familiebijeenkomsten,' verklaarde ik.

Natuurlijk was Allie een en al oor. "Mama, wat is een dildo?" vroeg ze meteen.'

'Wat zei je?'

'Yvonne was haar voor,' zei Phil. 'Ze zei dat het een soort kerstlolly was.'

Ik kon niet wachten om mijn zus te vertellen dat onze gemeenschappelijke schoonzuster Staci me op kerstavond had uitgehoord over mijn scheiding en financiën. Als tegenprestatie zou Hannah me toevertrouwen dat Yvonnes nieuwste vriendje weliswaar beschikte over een indrukwekkende penis van ruim twintig centimeter, maar niet bepaald een begenadigde of attente minnaar was. Hannah en ik keken ernaar uit om lekker bij te kletsen en ons hardop af te vragen wat nou gekker was, het feit dat Yvonne bleef omgaan met een man die haar in vijf maanden tijd nog nooit een orgasme had bezorgd, of het feit dat Yvonne die informatie plompverloren aan Hannah had verstrekt, terwijl ze nog geen zestig seconden binnen was voor haar jaarlijkse kerstbezoekje.

Dit was niet zomaar scrabble. Dit spel had een reuzenspeelbord, viervoudige woordscores en tweehonderd letterblokjes, wat er gegarandeerd voor zorgde dat elk spelletje minstens drie uur zou duren. Voor superscrabble moest je serieus bereid zijn tot winterpret in kerstsfeer. Daarbij kwam nog dat mijn moeder, die alert maar traag was, pijnlijk lang aarzelde wanneer ze aan de beurt was.

Terwijl we zaten te wachten tot mama haar besluit had genomen, vertelde Hannah ons dat het hoofd van Allies school, April Silty, naar een congres was gegaan met als titel 'Gemene meiden'.

'Gemene meiden?' interrumpeerde ik. 'Heette dat congres "Gemene meiden"?'

'O, het wordt nog beter,' zei Hannah.

Het onderwerp van het congres was de kliekjesvorming onder meisjes van nog geen tien. Het was blijkbaar een erg stimulerend congres geweest, want April Silty was bij terugkomst zo enthousiast geweest dat ze meteen wilde delen wat ze geleerd had. April Silty ging de klassen van de St. Veronica-school een voor een langs om telkens dezelfde demonstratie te geven.

'Ik ga jullie iets laten zien aan de hand van een praktijkvoorbeeld,' zei April Silty tegen de klas. Ze had een leeg vel papier in haar hand. 'Oké, roep eens iets wat je tegen een ander meisje zou kunnen zeggen.'

'Je stinkt?' probeerde Allies vriendin Ruby, de dappere pionierster.

'Ja!' April Silty verkreukelde een hoekje van het stuk papier. 'Nog eentje?'

'Je bent dik!'

'Je stinkt uit je mond!'

'Er hangt iets aan je broek!'

'Je moeder draagt een fleece vest!'

De beledigingen vlogen nu door de ruimte en elke keer verfrommelde April Silty het papier weer een stukje verder, tot het volledig in haar vuist verdween.

Tot zover was de moraal van het verhaal 'door beledigingen kun je verfrommeld raken', om nog maar te zwijgen van de gratis bonusles 'fleece vesten kunnen echt niet meer'. Maar het vel papier van April Silty zou opnieuw ten tonele verschijnen.

Met veel theatrale gebaren vouwde ze het papier open. Nu was de onderliggende les duidelijk 'beledigingen blijf je met je meedragen'. 'Zie je dat?' vroeg April Silty, die de kreukels glad probeerde te strijken. 'Als het eenmaal verkreukeld is, krijg ik het niet meer glad, hoe ik ook mijn best doe. Meisjes, woorden zijn net als dit vel papier. Woorden kunnen kwetsen.'

April Silty sloot haar praktijkles af met de nuchtere constatering dat alle meisjes moesten opletten welke woorden er uit hun mond kwamen. Ze zei dat als iemand iets gemeens zei, de beledigde partij dat meteen zou moeten pareren met: 'K.W.!' K.W. stond voor Kwetsend Woord.

'Zo, dat is echt spectaculaire shit,' zei ik tegen mijn zus. 'Oeps, dat had ik niet mogen zeggen waar jij bij bent, Al.'

'Geeft niks,' zei mijn nichtje. 'Mijn vriendin Ruby zegt de hele tijd shit.'

'Shit zou op zich ook een Kwetsend Woord kunnen zijn, afhankelijk van de context. Maar in dit geval was het niet kwetsend bedoeld. Als ik je gekwetst heb,' zei ik grootmoedig tegen Allie, 'dan spijt me dat.'

'Ik ben niet gekwetst,' meldde Allie. 'Maar ik wou dat mama eens opschoot. Dit spel gaat zo traaaaaag.'

'Accepteren jullie het woord "mongool"?' vroeg Hannah. 'Het is niet veel, maar de G krijgt tenminste driemaal de letterwaarde.'

'Ik accepteer "mongool",' zei mijn moeder. 'Dat is een heel gewoon woord. Veel beter dan "leeuwenhaar".'

'"Leeuwenhaar" was een topwoord. Dat had me honderdachttien punten opgeleverd!' zei Hannah.

'Ik wil niet leeuwenhaarkloven,' zei ik, 'maar jij speelt gewoon vals. Onder welke omstandigheden zou je ooit het woord "leeuwenhaar" gebruiken?'

'In ons Afrikaanse kamp hebben we vaak het probleem dat er leeuwenhaar op de ligstoel zit,' zei Hannah verdedigend.

'Er liggen leeuwen op je tuinmeubels en dan maak jij je druk om leeuwenhaar? Persoonlijk zou ik me meer zorgen maken om de leeuwentanden en de leeuwenhonger.'

'Misschien ben ik dan wel een mongool,' zei Hannah, en ze probeerde haar nieuwste woord op het bord te frommelen.

'"Mongool" staat niet in het woordenboek. En het is nog een Kwetsend Woord ook.'

'Je liet mama anders wel wegkomen met "stomalotion". En "pik",' protesteerde Hannah.

'Wat is er mis met "pik"?' vroeg mijn moeder. 'Dat is een keurig woord. Iemand had de pik op hem.'

'Inderdaad, iemand heeft de pik op me,' zei mijn zus terwijl ze me strak aankeek.

Mijn moeder gebruikte 'pik' in de betekenis van 'wrok'. Ik bedacht dat ik de etymologie moest natrekken. Wanneer was het woord 'pik' voor het eerst gebruikt in de betekenis van 'penis'? Ik had ruim de tijd voor dit soort lexicale overwegingen, want mijn moeder zat over haar woord te piekeren.

'Mam,' zei ik ten slotte. 'Waarom leg je niet 'ahoy'? Dan ligt de H op viermaal de letterwaarde en heb je ook nog driemaal de woordwaarde.'

Mijn suggestie deed mijn moeder vol vreugde denken aan vrolijke, ouderwetse meezingers. Ze zette jubelend een van de liedjes uit de oude doos in.

I was drifting along on life's pitiless sea
When the angry waves threatened my ruin to be.
When away at my side
There I dimly descried
A stately old vessel and loudly I cried,
SHIP AHOY! SHIP AHOY!
(and loudly I cried SHIP AHOY!)

Ik dreef rond in de kolkende levenszee
En de woedende golven sleurden me mee
Haast ten onder in 't sop

Keek ik plotseling op
Zag een statig oud schip en riep luid naar de top:
SCHIP AHOY! SCHIP AHOY!
(en riep luid naar de top: SCHIP AHOY!)

Toen haar robuuste sopraanstem even stilviel omdat ze adem moest halen, vroeg ik: 'Komt er nog een religieuze wending in dit lied?' Verwoed knikkend vervolgde ze:

'Twas the old ship of Zion thus moving along;
All aboard her seemed happy; I heard their glad song...

't Was het oude schip van Zion, dat voer daar langszij
Aan boord klonk gezang en eenieder keek blij...

'Ga door,' zei ik. Een hymne waarin de verlossing als een mysterieus piratenschip werd beschreven, verdiende het om gehoord te worden. Het deed er niet toe dat de populariteit van de hymne was gedaald sinds haar bloeitijd in 1938.

'Ik kan me de rest niet meer herinneren,' gaf ze toe. Om het gat in haar geheugen te compenseren, zong ze het eerste deel nog een keer, maar nu luider.

'Ik wil een ander spelletje doen,' zei Allie. 'Laten we Made for Trade spelen.'

Mijn zus en ik keken elkaar bewust niet aan. Made for Trade was waarschijnlijk het ergste bordspel aller tijden, en het was pas onlangs in het gezin van mijn zus terechtgekomen – een cadeautje van opa en oma. Het ging over saaie historische onderwerpen en de koloniale kartonnen figuurtjes waren veel te groot voor de kleine vakjes.

Maar natuurlijk haalden we het spel tevoorschijn. Er is weinig wat we niet voor Al overhebben.

'Je mag elke speler belasting vragen voor een voorwerp naar keuze,' zei Al toen ik op een oranje vakje met piepkleine, onleesbare letters kwam. Ik zette mijn leesbril op en keek er fronsend naar. 'Tante

Rhoda, je moet een doekaart pakken,' zei Al behulpzaam.

'Oké. Je gaat eraan, oma,' zei ik tegen mijn moeder, die theatraal gilde. 'Ebenezer Brown vraagt vijf shilling belastinggeld voor je spinnenwiel.' Toen nam ik braaf een doekaart en las hardop:

IS DE ERNSTIGE ZOMERDROOGTE HET GEVOLG VAN PERSOONLIJKE EN GEMEENSCHAPPELIJKE ZONDEN? ER WORDT EEN VASTENDAG OPGELEGD. GA DIRECT NAAR HET ONTMOETINGSHUIS, LUISTER NAAR EEN PREEK OVER ZONDIGHEID EN BID OM GODS GENADE IN DE VORM VAN REGEN. BETAAL UW TIENDE NIET.

'Huh?' zei ik. 'Ligt het aan mij of vraagt deze doekaart ons om wraak te nemen op God?'

'Nee,' zei mijn moeder. 'De schuld ligt bij de gemeente, niet bij God.'

'Maar het klinkt alsof we onze tiende niet betalen omdat God ons met droogte heeft opgezadeld.'

'We hadden die droogte verdiend,' zei mijn moeder.

'Omdat we zondig waren.' Al deed een duit in het zakje.

'Nee, we waren niet zondig. Nou ja, misschien hadden we wel wat slechte dingen gedaan,' zei mijn zus meelevend, terwijl ze Allie fronsend aankeek, 'maar we deden gewoon wat in ons vermogen lag. God is een liefdevolle God. Hij straft zijn volk niet met droogte.'

'Op school wel,' zei Allie. Phil en Hannah hadden Allie naar een katholieke privéschool gestuurd omdat de plaatselijke openbare school zo slecht was. 'Op school straft God iedereen.'

'Hier in huis straft God niemand,' zei Hannah. 'Er is op deze wereld genoeg christelijke schuld, toorn en wraak geweest om een leven lang mee vooruit te kunnen.'

'"Mij komt de wraak toe, zegt de Heere,"' citeerde mijn moeder.

'Mama,' vroeg Al, 'mag je om genade in de vorm van regen bidden?'

'Dat denk ik wel,' zei Hannah toegeeflijk. Phil en zij waren uit ideologisch oogpunt tegen alle religieuze instellingen en wisten dat ze zich op glad ijs begaven door dat hele katholieke-privéschoolgedoe. Hannah had veelvuldig beweerd dat haar achtergrond vol Bijbelkennis heel goed van pas was gekomen tijdens haar eigen opleiding en culturele training. Toch viel het niet mee. Op de katholieke privéschool werd de waarde van de Bijbelkennis aangetast door het katholieke schuldgevoel en de schaamte voor je eigen lijf. Aan de andere kant betekende de openbare school slecht rekenonderwijs, verouderde geschiedenisboeken en Gemene meiden. Dat Al nu op de St. Veronica-school zat was niet zonder slag of stoot gegaan, maar Phil en Hannah hadden besloten dat christelijk schuldgevoel beter was dan slecht rekenonderwijs.

'Goed,' vervolgde Allie logisch. 'Mag ik dan om Gods genade in de vorm van chocola bidden?'

'Er ligt chocola in de kast, Al. Daar hoef je God niet om te vragen. Je kunt gewoon bij mij terecht,' zei Hannah.

Mijn moeder zag haar kans schoon om Allies theologiekennis bij te spijkeren. 'Soms werkt God via andere mensen en dingen, zoals voorraadkasten.'

Ik trok mijn wenkbrauwen op, maar ze ging verder. 'God geeft zegeningen, zoals chocola, via je moeder en de voorraadkast. Maar de zegening komt nog steeds van God.'

'Jij bent, Allie,' zei ik. Toen ze meditatief fronsend naar haar doekaart keek, tikte ik vrolijk met mijn rechterhand in mijn linkerhandpalm, als een ouderwetse schoolfrik met een liniaal. 'Plok-plok!'

'Tante Rhoda, je spoort niet.'

'Kwetsende Woorden,' zei ik.

Het spelen van het koloniale spel met alle kandeelmokken en spinnenwielen die erbij hoorden, leidde natuurlijk tot een discussie over hoe anders ons leven eruit had gezien als we driehonderd jaar eerder hadden geleefd. Hannah wees erop dat het voor ons, met onze mennonietenachtergrond, veel makkelijker zou zijn dan voor de meeste Amerikaanse vrouwen. 'Voor mama zou het eigenlijk heel gewoon zijn. Zo is ze opgegroeid, alsof het driehonderd jaar geleden was.'

'Driehonderd jaar!' riep mijn moeder uit. 'Nee, zo erg was het nou ook weer niet! Wij hadden een boomgaard!'

Daar reageerden we maar niet op.

'Op school hebben we het over Albuquerque gehad,' zei Allie. 'Dat was gesticht door de Spanjaarden, maar het werd pas in 1706 een stad. Dat is precies driehonderd jaar geleden. De gouverneur kreeg van Spanje toestemming om het een stad te noemen omdat hij zei dat er al een kerk en wat gebouwen stonden, maar dat was niet waar. Het was eerder een dorpje midden in de woestijn. De mensen hadden daar medicijnen nodig, oma. Soms stierven ze aan cholera, dus je had mooi verpleegster kunnen zijn in Albuquerque en iedereen kunnen leren hoe ze konden voorkomen dat ze ziek werden.'

'Wij zouden met ons vieren dat hele koloniale Albuquerque nog wel aankunnen, geen probleem,' merkte Hannah op. 'We kunnen slachten, zeep en kaarsen maken, quilts naaien, brood bakken, noem maar op. En ik heb Spaanse les gehad.'

'Ik kan tot twintig tellen,' zei Allie. 'Maar slachten kan ik niet. Wat goor. Jij zult het slachten moeten doen, mam.'

'Daar wen je wel aan,' reageerde Hannah. 'Het is eigenlijk niet smeriger dan het vet van een rollade snijden.'

'Ook goor.' Tot dusver had de mennonitische voorliefde voor koken zich bij Allie nog niet gemanifesteerd – ze hielp alleen in de keuken als ze was omgekocht.

'Even serieus,' zei Hannah. 'Zou je terug in de tijd willen als het kon?'

'Mag ik dan de loop van de geschiedenis veranderen?' vroeg ik. 'Mag ik meisjes leren lezen en mensen vertellen over bacteriën?'

'Nee,' besliste Hannah. 'Je mag terug in de tijd, met de kennis die je nu hebt, maar die moet je dan wel voor je houden en gewoon het koloniale leven leiden.' De meningen waren verdeeld. Hannah en Al zouden niet terug in de tijd willen, maar mijn moeder en ik waren het erover eens dat het leuk, prettig en leerzaam zou zijn, als we maar weer terug mochten komen.

Automatisch vroeg ik me daardoor ook af of ik vijftien jaar terug zou gaan. Zou ik dat doen om mezelf te behoeden voor een huwelijk dat werd overschaduwd door zelfmoord, verdriet en wanhoop? Vijftien jaar eerder was mijn lot op een zaterdagmiddag bezegeld. Ik kwam Nick tegen op de bovenste verdieping van de universiteitsbibliotheek, een plek die officieus bestemd was voor intellectuelen met vreemde bakkebaarden en tweedehands sweaters. De opmerkelijke geur van die bovenverdieping was voor mij een grote stimulans om te blijven studeren. Het stonk er heerlijk naar negentiende-eeuwse boekbanden en oude tijdschriften. In de studienissen zaten de übersukkels, die achter stapels boeken schuilgingen als kinderen achter een pak cornflakes. Af en toe zag je een eenzame ziel in een retropak van polyester lopen, met zijn armen vol boeken die tot aan zijn kin reikten en een laptop. Ik was dol op de kerkse stilte en op de boekengeur die er hing. En ik vond het fijn dat die intellectuelen je met rust lieten achter je eigen boekentorens. Het gaf me het gevoel dat ik zo'n oude monnik was die in stilte vlijtig tussen zijn broeders zat te werken terwijl de ganzenveren over het velijn van een sacramentboek krasten.

Ik herkende Nick van een college Italiaans dat ik had gevolgd, en plotseling drong het tot me door dat hij, als hij hier tussen de hardcore wetenschappers rondliep, onmogelijk het studentje kon zijn waarvoor ik hem gehouden had. Vanwege zijn lange haar en jongensachtige charme had ik aangenomen dat hij begin twintig was. Nu hij bij mijn studienis stilhield, zag ik dat dat niet zo was; er ging een bepaalde zelfverzekerdheid en ervaring uit van de manier waarop hij naar me knikte.

Het logo van de polospeler op zijn verder onberispelijke Ralph Lauren-shirt was zorgvuldig gesloopt. Er staken aan alle kanten draadjes uit. 'Wat is daarmee gebeurd?' vroeg ik, wijzend op het logo.

'Ik heb het eraf gehaald. Ik ben echt niet van plan als wandelend reclamebord voor Ralph Lifshitz en zijn fantasieën over een Nantucket vol kakkers te fungeren.'

'Waarom heb je dat shirt dan gekocht?'

'Nou ja, kijk er maar eens goed naar.' Hij grijnsde. 'Het is een geweldig shirt.'

'Sssst!' klonk het korzelig vanuit een aangrenzende studienis. Een man in een bloemetjeshemd en met Doc Martens aan zijn voeten keek ons boos aan.

'Neem even pauze,' beval Nick. 'Laten we gaan lunchen. Dan kunnen we de *congiuntivo* oefenen voor het tentamen.'

Dat deed het hem. Ik ging ervoor, helemaal, zelfs nog voordat ik erachter kwam dat Nick Nietzsche las, nog voordat hij voorstelde om naar de documentaire over Noam Chomsky te gaan die die avond in Santa Monica draaide. Als ik toen had geweten wat ik nu weet, had ik gewoon kunnen glimlachen en zeggen: 'Nee, ik moet dit afmaken. Ik zie je wel weer.' Wat zou me dan veel pijn bespaard zijn gebleven, en veel Kwetsende Woorden!

Tijdens onze eerste huwelijksjaren woonden we praktisch in de YMCA in West-Hollywood. Die sportschool was de ideale tegenhanger voor ons starre academische werk. Nadat ik als kind altijd als laatste werd gekozen bij gym en maar liefst twee jaar de gymles had weten te omzeilen vanwege het pellen van mijn amandelen, begon ik pas laat met het ontdekken van sport. Pas toen ik al bijna twintig was en mijn broer Caleb me geduldig leerde hoe ik moest squashen, besefte ik dat mijn coördinatie goed genoeg was om deel te nemen aan atletische inspanningen. Dat probeerde ik te compenseren door bloedfanatiek te spelen. Nick, ook een bloedfanatieke speler, probeerde me altijd in te maken. Je kent die sportieve mannen toch wel die het leuk vinden om samen met hun vrouw te spelen en trots zijn als zij ook acht punten of zo bij elkaar weet te schrapen? Nou, zo was Nick niet. Hij speelde vurig en verbeten en raakte de bal soms zo hard dat hij het racket uit mijn hand sloeg.

Maar ik vond het heerlijk. Ik genoot van de spanning van onze woordeloze communicatie. We zeiden zo min mogelijk tegen elkaar als we op de baan stonden. 'Hinderen.' 'Valsspeler.' 'Punt voor mij.' Er waren professionals die bij de YMCA speelden, en als ze er waren, gaven we ons op voor hun lessen. Een van onze leden, een vrouw die Lila Korndahl heette, was nog beter dan de profspeelster die af en toe een seminar gaf. Lila Korndahl was een onaantrekkelijke huisvrouw van drieënvijftig met pluizig haar en dikke enkels, maar ze werd bij de YMCA in West-Hollywood door iedereen op handen gedragen. Soms trapte een arme bezoeker er wel eens in als Lila's man langs zijn neus weg zei: 'Hé, kerel, wat dacht je ervan als we onze vrouwen ook eens meenamen? Dan spelen we dubbel voor, ik noem maar wat, vijftig dollar.'

Lila Korndahl leerde me een techniek die Nick tot het uiterste dreef. Lila was de meesteres van het plaatsen, de koningin van het dropshot. Met een kleine polsbeweging kon ze een snoeiharde bal in een hoek meppen, waar hij dan geeuwend in slaap viel en zo recht naar beneden plofte. Die dropshots werden zozeer geassocieerd met Lila Korndahl dat het een afgang was als je door een trage bal verslagen werd. Soms hoorde je klaaglijk geschreeuw vanaf een andere baan: 'O, serveer nog eens zo lekker hard! Kom op met die bal!'

De weinige keren dat ik van Nick won, was mijn triomf steevast te danken aan succesvolle dropshots die midden in de lucht tot stilstand leken te komen, of de muur op tien centimeter boven de vloer schampten en vervolgens recht naar beneden vielen. Die ballen dreven Nick tot waanzin. Hij vond het heerlijk om me aan te zetten tot de sterkste, snelste rally's waartoe ik in staat was. Ik ben langer en sterker dan de meeste vrouwen en ik kon die bal echt wegrammen. Maar mijn balbeheersing was slecht, in tegenstelling tot die van Nick, en mijn service ongelijkmatig. Mijn squashfilosofie was simpel: vermoord de bal of sterf terwijl je dat probeert. Het enige wat ik wilde was mijn verwaande echtgenoot verslaan. Nick, die mijn vastberadenheid wel amusant vond, bood aan me vijf punten voorsprong te geven. Daardoor werd mijn strijd alleen nog maar verbetener. Hij hitste me op met een snoeiharde mep tegen de achterwand, waarbij de bal zo hard terugkomt dat je hem niet eens echt ziet, je moet hem blindelings zien te raken, instinctief, in een soort razende woede. En als ik dan net vaart had gemaakt, veranderde hij weer van tactiek met een boogballetje of een effectbal. Als ik hem heel soms inmaakte, trok hij zich dat persoonlijk aan. Inmaken was zijn territorium.

In vijftien jaar huwelijk is het me nooit gelukt hem met 15-1 te verslaan. Als ik al won, was het nipt en liep het uit op een grommende strijd om de laatste punten, waarbij we allebei buiten adem raakten. Waarschijnlijk had Nick als kind net die ene les gemist waarin de gymleraar uitlegde wat 'tegen je verlies kunnen' inhield. Hij beende woedend de baan af of, erger nog, vernielde zijn racket door ermee tegen de muur te slaan. Hij barstte in een lange reeks obscene verwensingen uit. 'Kutwijf, mij een beetje inmaken alsof ik verdomme een augurk ben, ik laat me toch niet inmaken als de eerste de beste klotegroente, lik mijn reet!' Soms werd ons verzocht te vertrekken.

Eén keer schopte hij vloekend en tierend een scène op de baan en eindigde met de opmerking: 'Je speelt als een ingemaakte kut!' Terwijl hij die laatste verwensing schreeuwde, smeet hij uit alle macht zijn racket op de baan en beende naar de herenkleedkamer. Ik zei tegen mezelf dat zijn gedrag kinderachtig, maar wel lollig was, vooral omdat ik wist dat hij binnen een uur met ontwapenende excuses zou aankomen. Tegen de tijd dat we in de jacuzzi zaten, zou hij schaapachtig zijn spijt betuigd hebben. Kom op, zei ik bij mezelf, al die beledigingen, in elkaar gedraaid als strengen DNA, waren op hun eigen vurige manier ook wel weer grappig. Maar die keer pakte ik Nicks achtergelaten spullen en mijn eigen uitrusting van het bankje buiten de baan, toen ik mijn vriendin Cameron tegen het lijf liep, die met haar partner stond te wachten tot de baan vrij was. Door de manier waarop ze naar me keek, met grote ogen vol medelijden, wist ik dat ze alles gehoord had. En ik merkte wel dat het helemaal niet grappig was.

'Cam!' zei ik luchtig. 'Hoe gaat het?'

'O, Rhoda!' riep ze uit. 'Gaat het wel met je?'

Nu ik bij mijn zus in de keuken suffe spelletjes aan het doen was, bedacht ik hoe vaak ik in al die jaren Kwetsende Woorden van me af had geschud. April Silty had ergens wel gelijk. Maar vreemd genoeg putte ik er totaal geen voldoening uit als ik me voorstelde hoe het zou zijn geweest om Nicks uitnodiging voor een lunch af te slaan, die dag in de bibliotheek vijftien jaar geleden.

Ik denk dat ik nog steeds geknikt en geglimlacht zou hebben, en met hem was gaan lunchen. Ik denk dat ik later die avond nog steeds naar de documentaire over Noam Chomsky was gegaan. En misschien was ik een paar weken later ook nog steeds met hem getrouwd. Hoe kan het ooit tijdverspilling zijn om echt en oprecht van iemand te houden, met alles wat je in je hebt?

5

Een uitgesteld einde

Hannah was niet onbekend met verbroken romances. De eerste paar jaar dat ik met Nick getrouwd was, was zij nog samen met haar eerste vriend, Josh. Ik kan het uren over die vent hebben, maar ik zal me beperken tot één zin waarin zijn karakter met bijna zen-achtige eenvoud in een notendop beschreven wordt: Josh vroeg of Hannah hem door zijn rechtenstudie wilde loodsen, en op de dag dat hij afstudeerde, dumpte hij haar. Iedereen in de familie had zijn best gedaan om Josh aardig te vinden, maar dat was niet gelukt. Hij was zo'n type waarvan Henry James zei dat hij een 'klamme morele buitenkant' had. Toen hij mijn zus zoveel pijn en verdriet berokkende, knarsetandde ik met opeengeklemde kaken.

Hannah – de behoedzame, koelbloedige Hannah – had ons allemaal versteld doen staan door iets te doen wat eerder iets voor mij was dan voor haar: in een mum van tijd trouwde ze met Phil, haar baas – nog geen drie maanden nadat Josh haar had verlaten. Heel even werd ze een Tasmaanse liefdesduivel. (Toen ik op mijn eerste avond met Nick al de Tasmaanse duivel uithing en een halfjaar later met hem trouwde, keurde mijn familie dat uiteraard af. Maar het verbaasde hen niets. Zoiets leeghoofdigs en geschifts doen als je verloven op de eerste avond was namelijk echt iets voor mij. Maar niet voor Hannah. Met haar baas nog wel! Dat was zo ongepast dat we ervan ondersteboven waren.)

Iedereen dacht stiekem dat Hannahs huwelijk met haar baas haar alleen nog maar meer liefdesverdriet zou bezorgen. Om te beginnen was ze al een nieuwe relatie aangegaan voordat ze de oude verwerkt had. En dan was er nog het leeftijdsverschil van achttien jaar. Hannah was destijds zesentwintig en – had ik dat al gezegd?

– huiveringwekkend mooi. Laten we eerlijk zijn: er is niets vreemds aan als een klein meisje ogen heeft die zo stralend blauw zijn als de Egeïsche Zee, of als datzelfde meisje een zijden gordijn van witblond haar heeft dat doet denken aan engelen en onschuld en eenhoorns. Maar als een vrouw van achtendertig nog steeds over die natuurlijke attributen beschikt, ga je toch vermoeden dat de duivel in het spel is.

Toch leek Hannah haar mooie uiterlijk nooit te waarderen; ík was degene die wanhopig graag knap wilde zijn. In mijn strenge mennonietenrokken keek ik verlangend naar de pastelkleurige, tot net onder het kruis reikende exemplaren van mijn klasgenootjes, die instinctief ver bij alle strenggelovige kinderen uit de buurt bleven. Mijn moeder vlocht mijn haar zo strak dat mijn wenkbrauwen omhooggetrokken werden. Daardoor zag ik eruit alsof ik geestelijk gestoord was, zoals Joan Crawford in *Mommie Dearest*.

Bovendien was mijn moeder zo vindingrijk dat ze, omdat ik zo snel groeide, reepjes stof in een contrasterende kleur onder aan mijn broeken naaide. Dat deden hippies ook, en vele fleurige strikken sierden de spijkerbroeken uit de jaren zestig. Maar rond 1970 was de mennonietengod er nog niet helemaal over uit hoe hij over spijkerbroeken dacht. Spijkerbroeken hoorden in de schuur, en dan ook nog bij de jongens. Ik mocht ze niet aan. De broeken die ik kreeg van de Kledingkast van het Seminarie voor Opofferingsgezinde Missionarisgezinnen die de Heer met Vreugde Dienden, waren van honderd procent polyester en hadden een vernederende elastieken tailleband en een vouw aan de voorkant van de pijpen, alsof ik voortijdig getraind werd om met een camper door heel Amerika te scheuren. Aan die broeken maakte mijn moeder contrasterende repen polyester. Ze knipte een centimeter of tien van de pijp af en zette die beschamende strook ertussen. Als ik dan weer vijf centimeter gegroeid was in twee maanden, zette ze er nóg een strook in een andere kleur tussen. Geen wonder dat ik als kind wanhopig graag knap wilde zijn! Ik blijf erbij dat het onder die omstandigheden raar zou zijn geweest als ik géén bloedpact met God was aangegaan, waarbij ik – net als de molenaarsdochter uit Repelsteeltje – mijn

83

eerstgeborene zou offeren als God me maar mooi zou maken.

Hannah had al bij haar geboorte de rijpe ingetogenheid die ik nooit heb bereikt. Op de een of andere manier had zij het sereniteitsgebed van de heilige Franciscus met de moedermelk naar binnen geklokt. Daarom lijkt zij de oudste van ons twee, al is ze vijf jaar jonger dan ik. Op mijn overhaaste, woelige huwelijk met Nick na is Hannah me bij alle grote levenskeuzes voorgegaan. Ik zou dom zijn als ik niet door zou hebben hoeveel wijzer zij is dan ik ben. Twijfel tussen studieprogramma's op Yale, UCLA en Berkeley? Vraag het Hannah. Welk voorgerecht past bij de Indiaas gekruide zalm? Vraag het Hannah. Hoe moet ik mijn docentenpensioen regelen? Vraag het Hannah. Eerst denk je dat het haar schoonheid is die haar zo bijzonder maakt, maar dan besef je: nee, het is iets ouders, iets waardigers, iets wat te maken heeft met pure wiskunde en praktisch evenwicht. Ze is net zo'n alpenmeer waar je op stuit als je op de Blüemlisalp in Zwitserland wandelt: helder, diep en verfrissend – precies wat je in gedachten had. Hannah lijkt de dingen gewoon te doorgronden.

Niet dat ze arrogant of agressief is. Het tegendeel is waar. Als kind was ze zo verlegen dat ze, toen we met het hele gezin aan tafel zaten, een keer heel zachtjes in mijn moeders oor fluisterde: 'Mag ik even het zout?' De overgang van kinderlijke verlegenheid naar volwassen sereniteit leek snel en onvermijdelijk. Mocht je denken dat ik overdrijf om dit verhaal een beetje op te leuken: ik ben heus niet de enige die haar deze orakelachtige status toekent. Mijn hele familie wendt zich in geval van nood tot haar. Ze is de wettelijk gevolmachtigde, de executeur-testamentair, de aangewezen zaakwaarnemer in geval van overlijden van een van onze ouders, degene die de organisatie van een familie-uitje naar Alaska op zich neemt. Toen ze vijftien was, heeft ze een jaar in Duitsland doorgebracht, waar ze naar een Duitse middelbare school ging en bij een gastgezin woonde. Mijn moeder schudde vol verbazing haar hoofd toen ze met bijna net zoveel geld terugkwam als toen ze vertrok. Mafkees.

En Hannah is zo vreedzaam als een slak. Ik vroeg mijn moeder een keer of ze zich kon herinneren of Hannah en ik vroeger wel eens vochten of ruziemaakten. 'Welnee!' zei mijn moeder getroffen. 'Jullie meisjes waren altijd samen, door dik en dun. De jóngens vochten. Caleb heeft Aaron wel eens met een stok op zijn hoofd geslagen.'

Tja. Op haar zesentwintigste kon Hannah – één meter tachtig, slank – het verkeer lamleggen. Vanuit een beschermende woede dachten we dat haar baas, die van middelbare leeftijd was, een *trophy wife* in de wacht wilde slepen en misbruik wilde maken van Hannahs emotionele gesteldheid.

Althans, dat dachten we tot we hem ontmoetten, wat pas het geval was nadat Hannah en Phil allebei ontslag hadden genomen en een paar maanden door Europa hadden gereisd. Op mijn gebruikelijke, overdreven manier besloot ik binnen tien minuten dat deze man haar echt adoreerde, en dat hij nog van haar zou houden als er padden uit haar mond zouden kruipen, zoals bij die heksenzuster in het sprookje van Grimm. En weet je? Mijn gevoel klopte als een bus. Phil en Hannah zijn elf jaar getrouwd en hebben het geweldig samen.

Soms voel je gewoon dat iemand deugt, zoals je het soms ook meteen weet wanneer dat niet zo is. De aandacht en betrokkenheid straalden van Phil af, terwijl Josh, Hannahs eerste verloofde, er altijd uitzag alsof hij probeerde niet op zijn horloge te kijken. Phil toonde voortdurend belangstelling voor het leven van anderen, terwijl Josh altijd over zichzelf praatte. Phil keek vol tederheid en humor naar mijn zus, terwijl Josh haar altijd aankeek alsof ze een hoogst irritante mug was.

Kort nadat Phil en Hannah getrouwd waren, maakte Hannah een van de meest genereuze gebaren die ik ooit heb gezien. Ze stuurde Phil naar me toe om me te redden toen ik er heel slecht aan toe was, op mijn absolute dieptepunt – zelfs nog erger dan op dit moment, nu ik in al mijn middelbare ellende bij haar op de trap stond. Nu ik op mijn drieënveertigste door mijn man was verlaten voor een kerel die Bob heette, met alle verliezen die daarbij hoorden, kon ik daar al met al wel mee leven. Maar destijds, in 1996, zat ik er echt helemaal doorheen en wist ik niet waar ik het zoeken moest.

Ik had een jaar vrijaf genomen van mijn doctoraal-programma, omdat Nick was toegelaten tot een studie politieke theorie aan de Universiteit van Chicago. We verhuisden van Los Angeles naar Chicago, waar ik een parttimebaan vond als docente aan een conservatorium, plus een fulltimebaan als receptioniste bij het stijve advocatenkantoor Skadden, Arps, Slate, Meagher & Flom.

Nick, die een mastertitel in de klinische psychologie heeft, zat in een fase waarin hij categorisch weigerde medicijnen te slikken tegen zijn bipolaire stoornis. 'Er is niets met mij aan de hand,' zei hij smalend. 'Bipolariteit is een natuurlijke toestand, geen ziekte. Waarom zou ik medicijnen nemen tegen een toestand die me slimmer, creatiever en bewuster maakt? Als je niet tegen mijn stemmingen kunt, slik dan zelf medicijnen.'

'Maar kanker is ook een natuurlijke toestand,' wierp ik tegen, 'en mensen hebben er totaal geen moeite mee om daar medicijnen voor in te nemen.'

'Dat zou wel anders zijn als er een negatief stempel op werd gedrukt. Als het slikken van medicijnen hun status als gezond functionerende burgers in de weg zou staan. Ik zal je eens wat zeggen: ik ga medicijnen slikken tegen mijn bipolariteit als de rest van de wereld medicijnen gaat slikken tegen domheid,' zei hij. En daarmee was de kous af.

Dom was Nick niet. Ik moet toegeven dat hij een van de slimste mannen is die ik ken. Als jongvolwassene had ik liever iemand die slim was dan aardig. Kun je nagaan. Van een intellectuele tapdans raakte ik helemaal ondersteboven. Ik was volkomen van de kaart als iemand op academisch niveau iets bereikt had, zo idioot graag wilde ik een identiteit als geleerde opbouwen. Er was een tijd – helaas nog helemaal niet zo lang geleden – dat een vlugge geest me belangrijker leek dan vriendelijkheid.

Die eerste maanden in Chicago schreef Nick briljante elliptische stukken, die ik oppoetste om er een samenhangend geheel van te maken. Maar soms was Nicks schrijfstijl niet om door te komen en moest ik hem vragen wat hij bedoelde, wat dan weer leidde tot een van zijn furieuze, onsamenhangende tirades waarin hij nijdig Durkheim, Nietzsche, Foucault, Gramsci en Hegel citeerde. Ik was afgestudeerd in de geesteswetenschappen en had uiteraard veel van de grote namen uit de westerse canon gelezen, maar Nick was bekend met theorieën en filosofieën die ik slechts uit voetnoten kende. Je zou denken dat een man die werd gekweld door een niet-aflatende stroom van ideeën zijn toevlucht zou zoeken in de academische wereld, die in de geschiedenis altijd gefunctioneerd heeft als veilige haven voor vrijdenkende buitenbeentjes. Gek genoeg had Nick geen goed woord over voor de ivoren toren, misschien omdat hij zelf nooit moeite had gehad om met mensen in contact te komen, wat voor veel academici wél het geval is. Hij vond wetenschappers over het algemeen maar middelmatige denkers met beperkte sociale vaardigheden en een diepgewortelde behoefte aan bevestiging van de buitenwereld. (Dat geldt in elk geval voor mij!)

In die periode waren we vijf jaar getrouwd. Nicks stemmingswisselingen waren moeilijk geweest, maar er viel zonder blijvende gevolgen mee te leven. Dat was deze keer wel anders. Toen Nick in een van zijn manische periodes terechtkwam, begon hij zijn seminars uit de weg te gaan, ondanks de lovende respons op zijn academische werk. Hij ging niet naar college. Hij ging winkelen.

Chicago, lieve lezer, is een verrukkelijk oord als je een uitgesproken gevoel voor stijl hebt (net zoals Los Angeles de ideale plek is als je de stijl van iemand anders wilt na-apen). Nick, uitgesproken tot op het bot, stuitte niet op problemen toen hij zijn stijl aan mijn creditcard wilde koppelen. Ik was opgevoed met het idee dat als een man zich aan zijn vrouw hecht, hij één zal worden met haar krediet. Het was nooit bij me opgekomen een huwelijk op een andere manier te construeren.

Op een dag kwam Nick thuis met een paar handschoenen van Yohji Yamamoto van 385 dollar. Let wel: we hebben het over 1996. Toegegeven, die handschoenen waren fantastisch: over een greinleren binnenkant zat een leren, vingerloze handschoen geritst, die werd teruggeslagen over een soort kap. Het was echt zo'n staaltje vernuftig naaiwerk waar een verwijfd elitair uitgaanstype voor zou vallen, echt iets voor Oscar Wilde, als Oscar Wilde zich zou willen opdoffen, zijn buikspieren zou aanspannen en zijn armen van onder tot boven zou laten tatoeëren door de befaamde tattoo-artiest Bob Roberts uit Los Angeles. Alleen was Nick geen verwijfd elitair uitgaanstype. Hij volgde een masteropleiding. We moesten zien rond te komen van de tien dollar per uur die ik als receptioniste van het advocatenkantoor verdiende.

Ik weet nog dat ik langzaam zei: 'Het zijn fantastische handschoenen. Maar Nick, ze kosten *385 dollar*. Dat is meer dan een halve maand huur.'

'Je snapt het niet, schatje,' zei Nick. 'Ik draag deze handschoenen de rest van mijn leven. Die 385 dollar is een koopje!'

Dat was nog maar het begin. Algauw verlangde ik terug naar de tijd waarin hij alleen maar 385 dollar aan een paar handschoenen had uitgegeven. Toen Nick via een neerwaartse spiraal in de zwartste depressie ooit belandde, begon hij zwaar te drinken, het meubilair te vernielen en onze relatie op de proef te stellen met wrede opmerkingen die hij niet meer terug kon draaien. Zoals zoveel vrouwen kan ik een flink aantal verwensingen hebben, maar Nick wist echt het bloed onder mijn nagels vandaan te halen. Daar had hij een gave voor. De kapotte ventilators, de geamputeerde stoelen, de glasscherven en de gaten in de muur konden me niet schelen. De kwetsende dingen die hij tegen me zei wel.

Misschien omdat ik schrijfster ben, of misschien omdat ik meen wat ik zeg, had ik altijd het idee dat Nick bepaalde uitlatingen opzettelijk deed. Ik dacht dat hij die vreselijke dingen die hij uitkraamde ergens wel meende. Hij behield zich het recht voor dingen die hij eerder had gezegd terug te nemen of weg te wuiven, en dat viel me zwaar. Hij vond me een bekrompen letterknecht omdat het gesproken woord zo zwaar voor me woog – typisch iemand met een Duitse achtergrond, plaagde hij. Telkens wanneer ik kille logica, verbale precisie of gedachteloos conformisme aan de dag legde, gaf hij een impressie van een nazi door zijn schouders te rechten en zijn rechterarm gestrekt in de lucht te houden.

Ik heb geen idee of ik een overgevoelig prinsesje ben. Misschien wel. Misschien had ik zo wijs en zo zelfverzekerd moeten zijn om mijn schouders op te halen en te zeggen: 'Schelden doet niet zeer, meneertje!' Maar nu ik toch heel persoonlijke onthullingen aan het doen ben, kan ik net zo goed opbiechten welke opmerkingen me het meest kwetsten. Deze bleven me dwarszitten:

1. Mijn goede geheugen had niets te maken met verstandelijk inzicht.
2. Mijn geleerde woordgebruik bevatte geen sprankje creativiteit.
3. Mijn esthetische na-aperij duidde op een gebrek aan eigen smaak.
4. Ik was dik en wist me niet te kleden.
5. Mijn ouders hadden een verstikkende omgeving vol religieus oordeel gecreëerd, en ik was zo dom geweest te geloven dat dat liefde was.

Tijdens de eerste vijf jaar had ik mezelf geleidelijk wijsgemaakt dat dit soort opmerkingen een uiting van zijn bipolaire stoornis waren. Gemene beledigingen borrelden als geisers omhoog, maar diep vanbinnen hield Nick van me, zei ik bij mezelf. Hij was toch bij me? Dat betekende toch dat hij van me hield?

Toen Nicks depressie die winter escaleerde, was mijn tamelijk ondoeltreffende oplossing voor dat probleem dat ik gewoon bij hem uit de buurt bleef. Ik ging vrijwillig diensten van twaalf uur draaien bij het advocatenkantoor, wat me een dubbele beloning opleverde omdat ik zowel overwerk als een taxivergoeding uitbetaald kreeg als ik tot tien uur 's avonds werkte. Ik genoot van die baan en de heerlijke, opgeprikte stilte die ermee gepaard ging. Het was de enige baan die ik ooit gehad heb waarin er niets van me verwacht werd. Niets doen, geen aandacht trekken, een soort minzame onzichtbaarheid aan de dag leggen: dat waren de hoofdvoorwaarden. Lavinia, degene met wie ik mijn sollicitatiegesprek had gevoerd, zei: 'De vorige receptioniste lakte haar nagels wel eens aan deze balie,' en ze tikte op de prachtige mahoniehouten balie waarachter ik zou moeten zitten. 'Mevrouw Janzen, kan ik erop vertrouwen dat u de verleiding om uw nagels achter deze balie te lakken kunt weerstaan?'

'Ja.'

'Mevrouw Janzen, uw gezicht is het eerste dat onze cliënten zullen zien. Denkt u dat u voortdurend een beeld kunt scheppen dat bij deze firma past?'

'Ja.'

'We nemen binnen achtenveertig tot tweeënzeventig uur contact met u op.'

Binnen achtenveertig tot tweeënzeventig uur begon ik aan mijn baan bij Skadden, Arps, Slate, Meagher & Flom. Ik glimlachte halfslachtig, mompelde zachtjes gedag, droeg een parelsnoer en stak mijn haar op in een nette wrong. Twaalf uur lang zat ik achter mijn mooie balie in een wolkenkrabber aan Wacker Drive, in een receptieruimte die prettig streng en formeel aandeed. Zelfs de planten stonden rechtop, verzorgd en gladjes in hun potten. Het tapijt was zo dik als een matras en ik kon de gedempte voetstappen van de advocaten en hun cliënten, die discreet in- en uitliepen, nauwelijks horen. Eenentwintig verdiepingen lager lag de rivier als een lint van ijs. Uit het raam zag ik alleen grauwe luchten en de bovenkant van andere wolkenkrabbers. Soms dacht ik dat mijn hoofdtelefoon het enige was wat me nog met de buitenwereld verbond, en dat ik zonder dat ding zou opgaan in al dat grijs.

Als laaggeplaatste medewerker zou ik waarschijnlijk nooit door mijn baas zijn opgemerkt, maar Lavinia kwam erachter dat ik taalkundige was en op betrouwbare wijze de woordenwisselingen die af en toe in de getuigenkamers oplaaiden zou kunnen beslechten. Later stelde ze zich nog welwillender op, toen ze zich realiseerde dat ik verstand had van Europese talen en internationale bellers te woord zou kunnen staan. Op een dag vroeg ze of ze iets kon doen om mijn werk eenvoudiger te maken. Eenvoudiger! Ik vroeg om een oefenprogramma om goed te leren typen op mijn computer. De volgende dag stond het erop, en binnen een paar weken ramde ik als een gek op de toetsen. Tip voor als je in de ontkenningsfase zit: als je heel hard probeert niet over je leven na te denken, overweeg dan eens het genot van driehonderd keer achter elkaar steeds sneller en driftiger dezelfde zin in te tikken.

Terwijl Nick instortte, leek het net of ik in een diepvrieskist viel. Als ik niet op dat kille, stijlvolle advocatenkantoor was, wilde ik er zijn. Ik dacht eraan in de trein, ik dacht eraan tijdens het lesgeven, ik dacht eraan als ik even voor de deur van het koetshuis van Nick en mij bleef staan. Ik bleef altijd even op de stoep staan om diep adem te halen, vrezend voor wat ik achter de deur zou aantreffen. Het advocatenkantoor was mijn veilige zone, mijn dierbare onbeduidendheid. Langzaam werd mijn kleding donkerder. Ik droeg marineblauw op marineblauw. Mijn wrong werd steeds strakker. Ik ging haarspray gebruiken en begon mijn strak zittende schuifspeldjes te waarderen. Ik ging als een schaduw mijn wolkenkrabber in en uit, kwam binnen bij zonsopgang en vertrok ver na het spitsuur, gebonden maar gelukzalig – een schim van wat ooit bestaan had, als de geest van een voorbije kerst.

Ik schrok een keer op uit mijn lichte trance van nietsdoen en zag dat Lavinia naar me keek. Haar haar was al net zo strak naar achteren getrokken als dat van mij, en haar donkere mantelpakje was niet bepaald uitnodigend. Ze zag eruit als een machthebber. Toch leek ze even te aarzelen voordat ze onhoorbaar op haar hoge hakken het hoogpolige tapijt overstak. Ze boog zich licht over de balie heen en vroeg zachtjes: 'Gaat het wel met je?'

Ha, dat kwam me bekend voor. Ik was er al bang voor geweest dat de ellende steeds groter en grimmiger op mijn gezicht te lezen stond, als een valies dat steeds meer gaat uitpuilen. 'Is er iets mis met mijn werk?'

'Nee. Het is alleen... ik vroeg me af... Weet je zeker dat het goed gaat... thuis?'

Plotseling had ik een waas van tranen voor mijn ogen, die ik prompt wegknipperde. Ik zei tegen Lavinia dat het prima met me ging, waarna ze goedkeurend knikte en de lange gang in liep waarvan ik de deuren nog nooit geopend had.

Op dat punt zou het niet onredelijk zijn als je zou vragen: 'Waarom ben je niet gewoon weggegaan, sufkop?' Dat is een logische vraag voor goed functionerende mensen die verhalen horen over vrouwen in een foute relatie. *Waarom is ze niet gewoon weggegaan? Waar er twee kijven, hebben er twee schuld! Die vent gaat tekeer, maar die domme koe laat het gebeuren!* Ik weet niet hoe andere vrouwen in gewelddadige relaties daarop reageren, maar ze moeten er antwoord op geven, al is het alleen maar tegenover zichzelf. Mijn eigen antwoord is vreselijk naïef en duidt op een treurig niveau van simpelheid en onervarenheid. Ik ging niet weg, omdat dat gewoon nooit bij me op was gekomen.

Het enige huwelijk dat ik van nabij had meegemaakt, was dat van mijn ouders. Ze vochten niet en maakten geen ruzie – in elk geval nooit waar de kinderen bij waren. Ik weet dat mijn moeder een paar keer op het punt heeft gestaan mijn vader te verlaten, maar toen ik opgroeide was het idee van een scheiding al net zo werelds als rock-'n-roll of eten in een restaurant. Dat was iets voor andere mensen.

Niet lang na Lavinia's discrete vraag stortte ik in en belde mijn zus. Nick had gedronken en aangeboden eerst mij en dan zichzelf te doden. Hij leek altijd een beetje verbaasd dat ik geen belangstelling had voor dat soort voorstellen. In die tijd was hij nog nooit gewelddadig tegen me geweest en was ik daar ook nooit bang voor geweest. Jaren later, in L.A., zette hij de auto eens aan de kant en duwde me eruit, en een andere keer moest ik de politie bellen, maar niet omdat ik bang was dat hij me iets aan zou doen. Toch was ik behoorlijk van slag door zijn roekeloze rijgedrag en de cycloon van kapot meubilair in ons piepkleine gehuurde koetshuis. Hij maakte niet meer slechts één ding stuk, zoals een raam of een ventilator; hij sloopte nu hele kamers en volledige serviezen.

De avond voordat ik Hannah belde, had mijn auto het in een dubieus deel van de stad begeven. Dat gebeurde nadat ik de hele ochtend had lesgegeven en de hele middag op het advocatenkantoor had gewerkt. Ik was even gestopt om wat boodschappen te doen, en daarna wilde de motor van mijn auto niet meer starten en stonden er een paar kerels met flessen in papieren zakken 'hé, schatje' tegen me te roepen. Ik had geen wegsleepverzekering, en gezien ons budget waren mobiele telefoons niet eens een optie. Toen ik eindelijk een telefooncel vond op het parkeerterrein van een groezelige avondwinkel, weigerde Nick botweg me te komen halen.

'Zie maar hoe je het doet,' zei hij kortaf.

'Maar er staan hier wat engerds uit papieren zakken te drinken...'

'Er is er vast wel eentje die je graag zal helpen.'

'Kom op nou, Nick. We weten allebei dat je me toch wel komt halen.'

'Luister goed,' zei hij langzaam, alsof hij het tegen een imbeciel had. 'Het. Kan. Me. Niet. Meer. Schelen. Wat. Er. Met. Jou. Gebeurt.'

Uiteindelijk kwam hij toch, maar zijn laatste opmerking bleef hangen. Die bleef hangen omdat het waar was wat hij gezegd had.

De volgende ochtend dronk ik de ene kop koffie na de andere om mezelf op de been te houden terwijl ik wachtte tot het elf uur was, en dus negen uur in Sacramento, waar Hannah en Phil destijds woonden. Nu vind ik het belachelijk dat ik midden in die huwelijkse ellende niet één keer overwoog mijn zus vóór negen uur te bellen. Het was alsof ik me de rigide protocollen van het advocatenkantoor had ingeprent.

Hannah stelde me een heleboel nuchtere vragen. Ze toonde zich totaal niet verbaasd over de onverschillige houding of het wangedrag van mijn man, hoewel dit de eerste keer was dat ze daarover hoorde zonder dat het een grappige anekdote leek.

'Goed,' zei ze praktisch. 'We moeten je daar weghalen. Dat is het belangrijkste. Heb je genoeg geld om hierheen te vliegen?'

'Mijn auto,' zei ik vaag. 'Mijn computer, mijn boeken, mijn kleren.'

'Tja. Oké. Ik laat Phil je ophalen. Hij vliegt overmorgen naar je toe, dan heb jij de tijd om je bankrekeningen te blokkeren en je spullen te pakken. Hij is er vrijdag. Morgen neem je ontslag op het advocatenkantoor en het conservatorium.'

'De opzegtermijn is twee weken,' zei ik hulpeloos.

'Dat doet er niet toe, liever,' zei Hannah teder. 'Zeg maar gewoon dat er een spoedgeval in de familie is. Zet jezelf op de automatische piloot, net als een Duitse robot, en hup.'

Zo kwam het dat ik murw het land door reed met de nieuwe man van mijn zus, een man die ik nauwelijks kende, een man die bereid was deze zware klus te klaren voor de vrouw die hij adoreerde. Phil reed me door sneeuw en ijs, met wat huisraad op het dak van mijn Camry gebonden en de achterbank vol met kat en een geurende kattenbak. Arme Phil! Hij is niet dol op katten. Een kanjer was hij, zoals hij onophoudelijk bleef babbelen terwijl die kat, die niet bepaald een doorgewinterde reiziger was, nerveus op de achterbank zat te schijten.

God zegene die man, en mijn zus, want die heeft hem naar me toe gestuurd. Phil wist heel goed hoe verkild en ongelukkig ik was, maar stelde geen prangende vragen. In plaats daarvan vertelde hij me lange, omslachtige verhalen waar geen eind aan leek te komen. Een van die verhalen, over een man die ergens ver buiten de bewoonde wereld een ernstige blessure had opgelopen tijdens een trektocht, gíng maar door, en alle personages en details werden uit-en-te-na besproken terwijl we door Kansas, Colorado en Utah reden. Ik geloof dat hij het nog steeds over die vent had toen we ingesneeuwd raakten in Nevada. Ik ben nog nooit van mijn leven ergens zo dankbaar voor geweest als voor Phils extreem gedetailleerde verslag van de gebroken botten van die man en de manier waarop diens leven nadien was veranderd.

Maar dat was allemaal ruim tien jaar geleden. Ook aan mijn huwelijk leek geen eind te komen. Sinds dat debacle in Chicago waren Nick en ik weer bij elkaar gekomen, uit elkaar gegaan, weer bij elkaar gekomen, weer uit elkaar gegaan, opnieuw bij elkaar gekomen, gescheiden en hertrouwd. (Ik zeg niet dat ik niet gek ben. Eigenlijk – laat dat duidelijk zijn – zeg ik dat ik wél gek ben. Maar je had er gewoon bij moeten zijn. Had ik al verteld hoe charmant Nick kan zijn? Hoe overtuigend, hoe berouwvol?) Het eind van onze relatie werd zo lang uitgesteld dat ik, toen Nick me eindelijk verliet, bijna opgelucht was vanwege de deerniswekkende onstuimigheid ervan, vanwege de onontkoombaarheid van Bob en zijn lul en gay.com.

Ondanks de huwelijksonrust die daarna nog zou volgen, had de week die ik aan de zijde van mijn nieuwe zwager doorbracht op zich ook een effect waar geen eind aan kwam. Ik heb Phil sindsdien altijd beschouwd als een verrukkelijke held. Wat voor onweerlegbaar bewijs van liefde zou een vrouw zich nog meer kunnen wensen dan het gegeven dat haar man alles liet vallen waar hij mee bezig was, in een ijzige februaristorm naar het Midden-Westen vloog en haar stumperige zus uit een chaos van slecht inzicht en ontkenning redde? Ik sta nog steeds te kijken van de ijzersterke liefde en loyaliteit tussen mijn zus én Phil.

Mijn vrienden zagen de relatie tussen Nick en mij altijd als het voorbeeld van een goedlopend huwelijk, al maakte hij geen geheim van zijn depressie, opvliegendheid en kleurrijke taalgebruik. Wat mijn vrienden zagen, was een vernuftig ontworpen muur, zoals de trapezestructuur die ik verwachtte aan te treffen op de vakantie-kiekjes van Phil en Hannah – fel maar fijn, echt en toch nep. Ze zagen wat Nick in het openbaar altijd zo zorgvuldig liet zien: onze kameraadschap, ons o zo sympathieke gedrag, onze gevatte grapjes. We praatten over hetzelfde, we liepen snel, we kleedden ons goed, we hadden hetzelfde stadse vernislaagje. We wisten wat de ander dacht. Dat soort intimiteit is gewild in academische kringen.

Daarbij kwam dat mijn vriendinnen Nicks ongedwongen stijl opmerkten en dan klaagden dat hún vriendje suffe broeken droeg en/of al sinds 1976 dezelfde treurige onderbroeken aantrok. Iets anders wat mijn vriendinnen niet wisten, was dat mijn eigen chique garderobe een filmproductie was die geregisseerd werd door mijn echtgenoot. Nick dicteerde elk detail, tot mijn oorbellen en de kleur en de hoeveelheid van mijn eyeliner. Niet dat ik zelf geen mening of smaak had. Het was gewoon dat Nick veel meer belang hechtte aan hoe ik eruitzag dan ikzelf. Ik dacht dat ík er veel belang aan hechtte, maar hij was nog veel erger. Het kwam erop neer dat ik het makkelijker vond me maar bij zijn voorkeuren neer te leggen.

(Ik laat mijn lezers maar even weten dat ik het merendeel van dit manuscript heb zitten typen in een belachelijke kamerjas van rood bont. Rood bont! En ik heb hem zelf uitgekozen! Zo'n beetje. Ik bedoel, mijn moeder heeft hem gemaakt en ik draag hem. Ik zou niet weten waarom. Maar het is verdomme wel mooi een – zij het enigszins verlate – bevestiging van mijn individualiteit!)

Ondanks, of misschien wel dankzij, Nicks depressie hadden hij en ik een functionerende intimiteit opgebouwd. Maar de vrienden die ons huwelijk zo bewonderden, zagen zelden de Nick die hij thuis was, de suïcidale Nick, de Nick die tekeerging tegen de wereld, de Nick die te veel wodka zoop. Ze zagen nooit hoe hij met blote handen de bladen uit een elektrische ventilator trok. (Hij houdt van me... hij houdt niet van me...)

Waar het om gaat is dat bij Phil en Hannah álles echt is.

Want weet je wat pas echt is? Vijf dagen doorbrengen met een cryogeen gestoorde zus en een schijtende kat.

Aan de andere kant: weet je wat pas 'ik overdrijf de realiteit wel een beetje heel erg' was? De ingelijste collage van Phil bij Club Med in de trapeze, die vol trots bij Phil en Hannah in het trappenhuis hing. Ik had Phil altijd geassocieerd met de donkere waardigheid van pakken en aktetassen. Zijn politieke positie als raadsman maakte zijn capriolen in de trapeze op de een of andere manier nog onwaarschijnlijker. Toen Hannah zijn nieuwste wapenfeit beschreef, had ik eerder iets verwacht als zo'n klimwand in een sporthal. Maar op de foto's was Phil dingen aan het doen waar ik duizelig van werd. Petje af voor elke man die...

... de vliegende trapeze beschouwde als een prettige kans om je eigen herinneringen te creëren;

... om zes uur 's ochtends opstond om dodelijke sprongen te oefenen, terwijl gewone vakantiegangers hun dag op de gebruikelijke manier begonnen: met een margarita om tien uur 's ochtends;

... zichzelf permanent visueel liet vastleggen in niets anders dan een superstrak kobaltblauw *spandex* broekje.

Ik stond glimlachend naar de foto's te kijken toen Hannah me kwam zoeken.

'Zijn dat de toppen van palmbomen?' vroeg ik ongelovig.

Ze knikte.

Ik wees naar een man om wiens onderarmen Phil zijn knieën vastklemde terwijl hij ondersteboven hing. 'Wie is die vent?'

'Dat is de trapeze-instructeur. Raptor.'

'Raptor? Ja, hoor,' zei ik. 'Dat is vast niet zijn echte naam. Dat heeft Raptor zelf verzonnen.'

Laat me even duidelijk stellen dat ik respect heb voor het recht van elk individu om zijn identiteit zelf te bepalen aan de hand van de stille belofte van de American dream, maar dat ik het toch altijd erg pretentieus vind als mensen hun geboortenaam veranderen, zoals een onbeduidend galeriemedewerkstertje dat Maureen heet maar zichzelf gaandeweg Char gaat noemen, of een zus van een studiegenoot die verkondigt dat we haar niet langer bij haar echte naam mogen noemen (Sarah Hostetler), maar dat ze vanaf nu Lettuce – Sla – wil heten. Nu we het daar toch over hebben, wil ik ook nog even kwijt dat ik tijdens mijn studie een vriendje had wiens kamergenoot zijn doodgewone naam, Billy Smigs, wettelijk liet veranderen in Alistair John William Smythe III. Echt waar. Alistair John William Smythe III, alsof je bij die naam een tweedjasje en een pijp cadeau kreeg. Natuurlijk werkte zijn poging om daarmee waardigheid af te dwingen volkomen averechts. De arme Smegma (zoals zijn vele belagers hem noemden) werd de rest van zijn studietijd gepest. De hechte groep feministes rondom Sarah Hostetler ging er echter mee akkoord haar Lettuce te noemen.

'Grappig,' zei Hannah. 'Op onze laatste dag daar gingen we met Raptor ontbijten, en Phil vroeg hoe hij toch aan die te gekke baan bij Club Med was gekomen. Raptor zei dat er zo'n vijfhonderd trapezeartiesten op sollicitatiegesprek waren gekomen, dus wist hij dat hij iets moest doen waardoor ze zich hem zeker zouden herinneren.'

'Moet je je voorstellen hoe het is om in zo'n sollicitatiecommissie te zitten,' zei ik. 'Er zouden heel wat margarita's voor nodig zijn om me vijfhonderd trapeze-acts te laten doorkomen.'

'Ja, maar zo ging het ook niet. Raptor ging een kamer binnen waar een stuk of tien, twaalf Club Med-managers aan een lange tafel zaten. Ze gaven hem twee minuten om hen te imponeren – 'oké, ga je gang' – en dat was het dan.'

'En wat deed hij?'

'Hij imiteerde een raptor.'

'Een velociraptor?'

Hannah deed een vliegende hagedis na en gaf gorgelend en met kokhalzende bewegingen een redelijke imitatie van een Amerikaans icoon, de roofzuchtige carnivoor uit *Jurassic Park*. 'Hij zei dat ze hem sindsdien altijd Raptor waren blijven noemen.'

Ik was bereid mijn vergissing toe te geven. 'Indrukwekkend. Bravo voor de man die sinds kort bekendstaat als Raptor.'

De manier waarop ze bij Club Med sollicitatiegesprekken voerden was verrassend, en ik vroeg me af of zoiets ook in de academische wereld mogelijk zou zijn. Op een vacature van assistent-hoogleraar komen vaak vijfhonderd geschikte kandidaten af. Het huidige protocol bestaat eruit dat de top-cv's worden geselecteerd en de sollicitanten wordt gevraagd om naast een aanbevelingsbrief ook enkele hoofdstukken uit hun dissertatie in te leveren. We elimineren de overduidelijke sukkels al tijdens de jaarlijkse vergadering van de Modern Language Association, die de eerste sollicitatieronde vormt. De tweede ronde is een uitnodiging aan drie van de meest veelbelovende wetenschappers voor een afschrikwekkend bezoek aan de campus, waar de kandidaten zich moeten presenteren tijdens een tweedaags sollicitatiegesprek dat is onderverdeeld in drie fasen en zo is opgebouwd dat zelfs bij de bijdehandste sollicitant de tranen in zijn ogen springen. Eerst moeten de kandidaten hun wetenschappelijk onderzoek tijdens een vraag- en antwoordforum toelichten. Er wordt ook van hen gevraagd een zaal vol onbekende studenten toe te spreken en een dynamisch gesprek te voeren over een literaire tekst die ze misschien nog nooit hebben onderwezen, maar waarbij ze wel hun uitgelezen didactische vaardigheden kunnen demonstreren – en dat allemaal terwijl het sollicitatiecomité achterin driftig aantekeningen zit te maken. Ten slotte, en dat is het toppunt, hebben de kandidaten minstens twee keer een lunch en twee keer een diner met potentiële collega's. Bij die feestelijke aangelegenheden proberen de leden van het sollicitatiecomité vaak op slinkse, maar legale wijze naar de huwelijkse staat en de seksuele voorkeur van de kandidaten te hengelen. (Terzijde: Hé! Het zou wel eens amusant kunnen zijn om die taak aan mijn schoonzus Staci over te laten!)

Maar ik had het idee dat Club Med op het juiste spoor zat. Misschien moesten we die zenuwslopende campusbezoekjes maar eens in heroverweging nemen. Misschien konden we in plaats daarvan beter achteroverleunen en die doctoren een demonstratie van twee minuten laten geven van een opvallende vaardigheid of dito gedrag. Als ik persoonlijk ooit weer op de banenmarkt zou terugkeren, kon ik het sollicitatiecomité versteld doen staan door mijn been in mijn nek te leggen. Weerzinwekkend, dat wel. Irrelevant, jazeker. Maar wel opvallend, gezien het feit dat ik drieënveertig ben.

Ik had nog een vraag voor mijn zus. 'Hoe heette Raptor echt?'

'Stuart.'

'Hij ziet er niet uit als een Stuart.'

'Dat geldt voor wel meer mensen,' merkte Hannah spitsvondig op.

'Phil ziet er wel uit als een Phil,' zei ik.

'Ik zou niet een-twee-drie uitgaan met een kerel die Stuart heette,' gaf Hannah toe.

Dat leek redelijk, aangezien de enige Stuart die ik kende graag in een auberginekleurig T-shirt rondliep waarop in roze, cursieve letters te lezen stond: ZO ZIET EEN FEMINIST ERUIT. 'Met wat voor namen zou je nog meer moeite hebben?'

'Dennis,' zei ze resoluut.

'Goeie.'

Onze neef Dennis verzamelde peper-en-zoutstellen in de vorm van frisse, gezonde boswezens. Die stalde hij prominent uit in een speciaal ontworpen vitrinekast in zijn eetkamer. Hij had een stel parmantige, eigenaardige keramieken stinkdieren, die al vaak te berde waren gebracht tijdens onze overpeinzingen over de familie Loewen.

'En jij?'

'Dat ligt voor de hand: Bob,' zei ik. Hannah maakte een priesterlijk gebaar van absolutie. 'Natuurlijk. Bob zou problematisch zijn. Net als Nick.'

Inmiddels waren we bij Hannahs ruime kledingkast aanbeland. We dronken samen thee en hielden een kleine kerstschoonmaak. Mijn motto was, net als dat van Nick: als je iets een jaar niet gedragen hebt, gooi het dan weg! Hannahs versie van dat motto was: als je iets een jaar niet gedragen hebt, hang het dan terug in de kast en bewaar het voor als je dochter van negen volwassen is, over een jaar of tien!

Terwijl we ons afvroegen met welke niet-bestaande aanbidders we al dan niet uit zouden willen, werkten we een hele rij jasjes en topjes door. Tegen de tijd dat we bij de rokken waren aangekomen, hadden we de volgende hypothetische romantische partners stuk voor stuk verworpen:

– Mannen die Dwayne of Bruce heten.

– Mannen die gek hoog lachen of de clown uithangen.

– Mannen die van ons verwachten dat we hen door hun studie loodsen en ons dan dumpen zodra ze afgestudeerd zijn in rechten en/of geneeskunde, en/of zich als een dolle op de homoadvertenties storten.

– Mannen die zo zenuwachtig zijn voor de eerste afspraak dat ze openingszinnen op systeemkaartjes van 75 bij 105 mm schrijven, zoals 'vind je je lessen leuk?' en die kaartjes vervolgens in hun dashboardkastje leggen, waarschijnlijk om later op de avond sociaal gladjes over te komen; maar omdat je van die lange benen hebt, duw je het dashboardkastje per ongeluk open en belanden de kaartjes op de automat en móét je ze wel volslagen verbijsterd lezen.

– Mannen die minstens vijfenvijftig zijn terwijl jij achttien bent, wat ronduit huiveringwekkend is, vooral gekoppeld aan het feit dat die vijfenvijftigjarige mannen vier van de vijf avonden zitten te wachten in het restaurant waar jij gastvrouw bent.

– Mannen die rondhangen in bars of lounges die de Peppermill, Beethoven's, Nibblers, Parrots of Crackers heten, en ook al vertelt je zus dat de tent die jij je ten onrechte als Parrots herinnert eigenlijk Crackers heet, toch is Parrots een stomme naam, en als dat restaurant ergens in het achterland van Amerika bestaat, wat vast en zeker het geval is, dan weiger je categorisch met een man uit te gaan die daar de ongetwijfeld namaakteakhouten deur doorgaat.

– Mannen met een bepaalde dansbeweging waar één herhaaldelijk opgetrokken knie aan te pas komt en ook een zijwaartse vingerknip, die wel iets weg heeft van het personage Betty of Veronica in de hoogtijdagen van de Archie-tekenfilms, hoewel bovengenoemde dansbewegingen daar op de dansvloer bij Crackers niet retro, maar tamelijk serieus bedoeld leken, terwijl een andere kerel ook zijn heupen losgooide, zij het wat minder stuntelig, in een poging je zus te imponeren die voor Thanksgiving vanuit Florida naar je toe was gevlogen, en dat beide mannen zich duidelijk gelukkig prezen omdat ze met twee blonde zussen dansten.

'Ons vriendjesverleden zou mijn vriendin Carla aan het huilen maken,' zei ik. 'Ze vindt me te kieskeurig als het om mannen gaat. Maar moet je horen, dit slaat alles: het overkwam Lola voordat ze naar Italië verhuisde. Na haar scheiding woonde ze in San Francisco en ontmoette een vent waar ze helemaal weg van was, maar die maar over zijn kookkunst bleef doorzaniken. Hij zei dat hij een fijnproeversmaaltijd voor haar wilde bereiden.'

'Nou? Wat is daar mis mee?' Net als ik valt Hannah op mannen die kunnen koken. 'Wat is er mis met deze rok?' Hannah bekeek haar achterkant in de spiegel. 'Ziet mijn kont er zo uit als een dienblad?'

'Een beetje wel,' zei ik. 'Lola paste op het appartement van een vriendin en toen kwam die vent aanzetten met een boodschappentas vol Cool Ranch-chips, een pot pastasaus en een soort kant-en-klare spaghetti. Je zult toch met me eens zijn,' zei ik, en ik vouwde de afgekeurde rok op, 'dat een man die op de rand van de afgrond balanceert zijn eigen lot bezegelt met een zak Cool Ranch-chips.'

'Wat is Cool Ranch? Ik heb ze wel eens gezien toen ik met Allie boodschappen deed.'

De avond ervoor hadden we een behoorlijke hoeveelheid wijn

naar binnen gewerkt met de smoes dat we wilden leren praten als wijnsnobs. Nu kon ik het niet laten om mijn nieuwe vaardigheden te demonstreren. 'Een soort maïschips met kunstmatige smaakstoffen. Volgens mij hebben ze een fluwelige topnoot met een vleugje radijs, die dan plaatsmaakt voor een poederachtige suggestie van zure room, gevolgd door een krachtige afdronk en een flinke bierboer.'

'Mafkees,' zei Hannah, die met haar handen op haar heupen in haar ondergoed stond.

'Hé, ík heb dat Cool Ranch-voorafje niet verzonnen! Hoe dan ook, Lola zei dat het tijdens dat etentje pijnlijk duidelijk werd dat het tussen hen niet zou werken. Na het eten verontschuldigt die jongen zich, dus zij denkt dat hij even naar het toilet is.'

'Tja, wie zou er niet naar het toilet moeten na zo'n zak chips? Die arme jongen was waarschijnlijk nog dagenlang winderig. Doe mijn rits eens dicht.'

'Nou,' zei ik, terwijl ik gehoorzaam de rits omhoogtrok, 'die vent bleef wel heel lang weg. Dus uiteindelijk maakt ze zich ongerust en klopt op de wc-deur. Maar die is open. Hij zit niet op het toilet.'

'Ik krijg de kriebels van dit verhaal,' zei Hannah.

'Lola gaat naar de enige kamer waar ze nog niet heeft gekeken: de slaapkamer. En daar ligt hij, languit op bed, helemaal naakt...'

'Jek!'

'En hij poseert in een houding alsof hij op een centerfold staat die helemaal mis is gegaan...'

'Niet te geloven!'

'En nu komt het: hij heeft een onbeschrijfelijk kleine erectie. Waar hij nog trots op is ook!'

'Een piemeltje!'

'Een pietepeuterig piemeltje,' beaamde ik. 'Lola zei dat ze nog nooit zoiets kleins had gezien, net een donzig rupsje.'

'Wat deed ze?'

'Ze bleef daar gewoon verbijsterd en vol afschuw in de deuropening staan. Maar opeens vloog er een groep eenden uit de vijver in de omheinde gemeenschappelijke tuin naast de openslaande glazen deuren van de slaapkamer. De eenden begonnen te kwaken alsof ze reageerden op de minuscule genitale groet van die vent. Die arme Lola kon er niets aan doen, maar ze kreeg de slappe lach. En ze kreeg weer de slappe lach toen ze me het verhaal twintig jaar later vertelde, dus het moet wel ontzettend grappig geweest zijn.'

'Grappig, ja, maar ook zielig. Een man mag niet worden afgerekend op zijn genitale gebreken. Maar wel op dat voorafje, want dat had hij zelf in de hand. Jeetje, wat een gotspe dat Lola hem recht in zijn gezicht uitlachte. Dat had ik niet gedaan, hoezeer hij het ook verdiend had.'

'Ik ook niet. Herinner je je meneer Epp nog?'

'Wie? Wat vind je van deze jurk? Tijdloos of kerkdame?'

'Kerkdame. Kerkdame met Pasen. Die halslijn smeekt gewoon om een koorjurk.' Ik neuriede een paar regels van een paascantate die in de Butler Mennonite Brethren Church vaak op palmzondag gezongen werd.

Hannah was even in verwarring, tot ze het deuntje kon plaatsen: 'Paid in Full'. Toen negeerde ze mijn advies en hing de kerkdamesjurk weer op het hangertje. 'Die trek ik wel aan als ik even bij Phils moeder langsga. Wat zei je ook alweer?'

'Meneer Epp was een kerel waar ik een keer mee uit ben geweest.'

'Meneer? Waarom noem je hem meneer?'

'Ik weet niet meer hoe hij heette.'

'Dat is ook gek,' zei Hannah fronsend. 'En wat is er met die meneer Epp?'

'Misschien heb ik het er nooit met jou over gehad. Ik ben met hem uitgegaan naar aanleiding van één simpele versierzin. Dat was jaren geleden in Kansas, toen papa daar een semester lesgaf aan de mennonietenuniversiteit in Hillsboro. Jij studeerde toen ergens anders en ik was overgevlogen om papa en mama op te zoeken. Toen ik de universiteitssportzaal uit kwam, was ik even mijn oriëntatie kwijt. Dus ik sta daar even op de drempel en probeer erachter te komen waar ik naartoe moet. Blijft er een jongen staan, die vraagt: "Kan ik je helpen?" Ik zeg: "Ja, kun je me vertellen waar ik ben?" en hij grinnikt zachtjes en antwoordt: "Je bent in Kansas, Dorothy." Dat vond ik leuk genoeg om met hem uit te gaan.'

'Dat is inderdaad behoorlijk leuk,' beaamde Hannah. 'Heel wat anders dan een zak Cool Ranch-chips. Maar blijkbaar was die meneer Epp van jou niet doorlopend leuk?'

'Nee. Die opmerking over Kansas bleek het hoogtepunt. Vanaf daar ging het bergafwaarts. Hij was zo'n jongen die al na twee biertjes melodramatisch gaat doen. Meneer Epp reed me naar huis door een paar landelijke tarwevelden. Het voelde heel landelijk. En raad eens waar hij sentimenteel over begon uit te weiden?'

'Zijn piemeltje?'

'Bijna goed. Over zijn ontknaping.'

'Hè? Waarom?' vroeg Hannah niet-begrijpend. 'Waarom zou een man op zijn eerste afspraakje over zoiets beginnen?'

Ik haalde mijn schouders op. 'Waarom bestaan er Cool Ranch-chips? Dat zijn vraagstukken voor filosofen, net als de eeuwigdurende aanwezigheid van het kwaad. Ik weet alleen dat meneer Epp er één grote, snotterige biecht van maakte, met een stem die omfloerst was van emotie. "In precies zo'n veld als dit, in precies ditzelfde maanlicht, zette ik die ene kleine stap naar mijn ontknaping..."'

'Bah,' zei Hannah met een grimas. 'Heb je hem welterusten gekust?'

'Absoluut niet!' zei ik verontwaardigd. 'Ik heb nog wel een beetje niveau. Ik stak mijn hand uit.'

'En, schudde hij hem?'

'Nee,' grijnsde ik, want ik wist dat ze dit smerig zou vinden. 'Hij kuste hem.'

Ze maakte niet bepaald charmante kokhalsgeluiden.

'Er zijn vrouwen die van dat soort nepperige middeleeuwse ridderlijkheid houden,' merkte ik op.

'Er zijn ook vrouwen die van Cool Ranch-chips houden, maar dat wil nog niet zeggen dat het oké is. Schenk me nog eens wat thee in,' beval ze koninklijk.

'Met genoegen.' Ik ging uitsloverig verder met het tentoonspreiden van mijn bijdehante wijnproeverijkennis en verklaarde: 'Deze thee heeft een na-ons-de-zondvloed-vleugje kaneel en een robuuste topnoot van Darjeeling, met een lange, maar krachtige afdronk, alsof hij zin heeft om foto's van zijn lul op gay.com te plaatsen, en dat op de computer van zijn vrouw.'

Meer vrouwen zouden twee luie stoelen en een theetafel in hun kast moeten zetten. We namen even pauze tijdens het inspannende proces van het doen van uitspraken over de gangbaarheid, de pasvorm en de stof van de vele kledingstukken in Hannahs garderobe.

'Nou,' zei Hannah laat in de middag, terwijl ze haar laatste kledingstuk voor het goede doel opvouwde, 'ik heb weer een heleboel ruimte in mijn kast.'

Ik knikte. 'Daar heb je gelijk in. Het gaat erom dat je het verleden loslaat.'

6

Wat de soldaat deed

Hoewel de thermosfles al in 1892 werd uitgevonden door Sir James Dewar en dus al vijfenveertig jaar vóór mijn moeders jeugd in gebruik was, namen haar schoolkameraadjes in 1942 nooit iets te drinken mee. In het mennonietenschoolgebouw van mijn moeder, dat uit één klaslokaal bestond, zou een warm blijvende drank als iets futuristisch en uit een andere wereld worden gezien, ook al waren de mennonieten wel op de hoogte van belangrijke uitvindingen als de thermosfles. Als mennonietenkinderen dorst hadden, dronken ze geput water uit een *Schleif* met een lang handvat. De emmer werd aan een touw omhooggetrokken uit een put in de schooltuin.

'Er zat een keer een rat in de put,' vertelde mijn moeder me tussen neus en lippen door bij het ontbijt. Ik bracht net een lepel huisgemaakte muesli naar mijn mond. 'Mijn broer Franz haalde de dode rat omhoog in de wateremmer.'

Ik bracht mijn lepel muesli weer omlaag. 'Wat heeft hij ermee gedaan?'

'Een paar jongens hebben hem in het bos begraven. Het stonk verschrikkelijk; zo'n weeïge geur van ontbindend vlees, jakkes. En o, wat werd het water er smerig van! We moesten met dichtgeknepen neus drinken, kijk, zo.'

'Wacht even,' zei ik. 'Dus jullie dronken dat rattenwater gewoon?'

'We hadden dorst,' legde ze uit. 'Maar we hebben nooit de pest opgelopen, hoor!'

Tot op dat moment had mijn vader, die ernstig zijn geroosterde brood zat te smeren, niet aan het gesprek deelgenomen. Nu deed hij ook een duit in het zakje. 'Bij mij op school dronken we niet uit een gemeenschappelijke Schleif. Ik nam melk mee in een pot.'

'Blèh,' zei ik. 'Warme melk in een pot?'

'Het was koude melk. De melk bleef koud.'

'Hoe kan de melk nou koud gebleven zijn? Ik dacht dat jullie geen koelkasten hadden.'

'We hadden geen koelbox. Als we iets koel wilden houden, schonken we het in een pot, schroefden de deksel er stevig op, bonden een twijgje om de pot heen en lieten hem een meter of twaalf, vijftien de put in zakken. Daarbeneden bleef het wel koud.'

'Schaamde je je niet als je een pot melk meenam?'

'Waarom zou ik me daarvoor schamen? Melk bij je lunch is toch niets om je voor te schamen?'

'Wat kregen jullie van je moeder mee als lunch?' vroeg ik.

'Boterhammen met reuzel,' zei mijn moeder. 'Ik hield er niet van als de reuzel roze was. Maar met wat zout smaakte het prima. Zout brengt de reuzel op smaak.'

'Boterhammen met pindakaas,' zei mijn vader. 'Elke dag twee boterhammen met pindakaas. Af en toe zat er een boterham met sardientjes bij, dat was echt een traktatie.'

'En ga je me nu vertellen dat je je ook niet schaamde voor een boterham met sardientjes?'

'Reuzel, dat was pas gênant,' zei mijn moeder.

'Dat is een feit,' beaamde ik. 'Maar sardientjes?'

'Nee, ik was trots op de sardientjes. Die waren heerlijk,' antwoordde papa mijmerend. 'Waarom eten wij nooit sardientjes?' vroeg hij aan mijn moeder. 'Ik gaf mijn vrienden zelfs een hapje van mijn boterhammen met sardientjes. Er was één jongen, Fritz Vanderkamp, die we altijd plaagden met zijn vreemde lunches. Zijn moeder deed er altijd een raar broodje bij. Bovenop zat brood,' hij giechelde bij de herinnering, 'en onderop een pannenkoek. En die at hij dan zo.' Mijn vader hield zijn handen steels om een denkbeeldig half pannenkoekbroodje, alsof hij dat verborgen wilde houden voor priemende ogen.

Mijn moeder en ik lachten hartelijk, zowel om mijn vaders pret als om dat half pannenkoekbroodje. Och, zal die opwinding over gênante lunches ooit verdwijnen? Mijn hart ging uit naar die arme, vernederde Fritz Vanderkamp, die misschien nog leeft, maar misschien ook niet. Als hij nog in leven is, hoop ik dat hij tegenwoordig zonder schaamtegevoel naar een pannenkoek kan kijken.

Hannah en ik hebben vaak gedacht dat het leuk zou zijn ons eten, dat specifiek voor mennonieten was en waarvoor we ons vroeger zo schaamden dat we het in de kantine probeerden te verbergen, nu opnieuw te bekijken. Na heel wat wikken en wegen stelden we een lijst op van Eten om je voor te Schamen, waarbij de lezer zich moet voorstellen dat het verpakt zat in Lunchtrommeltjes om je voor te Schamen, waardoor de bezitter gedoemd was tot sociale uitsluiting op de Easterby Elementary School. Ho, maar wacht even. Dat is niet helemaal waar. Hannah zegt dat toen ze aan haar derde of vierde lunchtrommeltje toe was, mijn moeder per ongeluk een niet gênant Holly Hobbie-lunchtrommeltje kocht. In de wetenschap dat deze gelukkige toevalstreffer slechts één keer in de zesenzeventig jaar voorkomt, net als de komeet van Halley, klampte Hannah zich tot ver op de middelbare school vast aan haar Holly Hobbie-lunchtrommeltje.

Ik had de weg gebaand met mijn ellenlange klaagzangen over mijn eigen lunchtrommeltje. De meeste kinderen op de Easterby Elementary School hadden blikken trommeltjes met felgekleurde figuurtjes erop, zoals Aquaman en Underdog. Het lunchtrommeltje dat míj in vuur en vlam zou zetten, was van Josie en de Pussycats. Het is hoogst onwaarschijnlijk dat een lunchtrommeltje van Josie en de Pussycats me had kunnen redden uit de duistere krochten van de impopulariteit waarin ik al diep was weggezonken, maar op achtjarige leeftijd dacht ik daar anders over. Ik dacht dat Josie en de Pussycats op magische wijze compensatie zouden bieden voor mijn knielange, zelfgemaakte rokken of mijn met neurotische precisie strak gevlochten blonde lokken, als Heidi die aan de crack zat.

Maar goed, door mennonietenomstandigheden waar ik geen invloed op had, moest ik een enorme tas van marineblauw vinyl met een lang hengsel meezeulen. Hij was duidelijk bedoeld voor volwassenen en ik heb me altijd afgevraagd of het geen luiertas was. (Er was een precedent in de familie: voor picknicks en het zeldzame uitje naar Disneyland propte mijn moeder altijd een lompe, grijze luiertas vol met kleffe tonijnsandwiches.) De herinnering aan mijn enorme marineblauwe luiertas verklaart grotendeels mijn huidige belangstelling voor Prada.

Onze moeder wikkelde de meeste lunchgerechten in hergebruikt – nee, tweedehands – waspapier. Omwille van de kosten gebruikte ze nooit plastic boterhamzakjes. Als we klaagden dat de andere kinderen ons uitlachten, klonk de opgewekte ouderlijke dooddoener: 'Wij waren met zijn zeventienen, en toen we net zo oud waren als jullie deed mijn moeder onze boterhammen in twee blikken emmertjes van Roger's Golden Syrup! Jullie hebben tenminste nog waspapier!'

Hier volgt, in volgorde van minst tot meest gênant, onze top vijf van Eten om je voor te Schamen.

5. *Warmer Kartoffelsalat* (Warme aardappelsalade)

Deze pittige aardappelsalade was weliswaar heerlijk, maar had twee belangrijke minpunten. Ten eerste was hij al afgekoeld en gestold tegen de tijd dat we onze Margarinekuipjes om je voor te Schamen hadden opengemaakt om hem te eten. Ten tweede, en dat was op de een of andere manier nog erger, waren we niet in staat onze warmer Kartoffelsalat te consumeren zonder daarbij aan het vrolijke wijsje te denken dat mijn moeder altijd zong:

> *Auf den Hügel*
> *da steht ein Soldat.*
> *Er macht in den Hosen*
> *Kartoffelsalat!*

> Op de heuvel
> daar staat een soldaat.
> Hij maakt in zijn broek
> Aardappelsalade!

Het is heel goed denkbaar dat de lezer zich afvraagt waarom er in een pacifistisch mennonietengezin liedjes over soldaten werden gezongen. Bovendien, en dat is nog beklemmender, is het heel goed denkbaar dat de lezer zich – terecht – afvraagt waarom die soldaat aardappelsalade in zijn broek maakte. Hannah en ik bespraken het in elk geval uitgebreid tijdens het opstellen van onze lijst van Eten om je voor te Schamen. Hannah dacht dat ze zich ook nog andere versies herinnerde waarin werd geopperd dat de soldaat een beer had gezien en dat de arme jongen zo bang was dat hij zichzelf bevuilde. Dus belde ik mijn moeder vanuit Bend in Oregon om te vragen waarom die soldaat de controle over zijn darmen had verloren. Was hij ziek? Getraumatiseerd? Had hij ergens spijt van? Mijn moeder ontkende alle causale verbanden. 'Het is gewoon een soldaat die op een heuvel staat en aardappelsalade in zijn broek maakt,' legde ze uit. 'Moet er dan nog meer zijn?'

'Soms is een sigaar gewoon een sigaar,' zei ik.

'Je gaat dat van die Kartoffelsalat toch niet in je boek zetten, hè?'

'Ik ben van mening dat de Kartoffelsalat een breder publiek verdient. Die mag niet onder het tapijt worden geschoven, o nee! Ik zal hem laten stralen! Misschien gebruik ik hem wel als motto.'

'Oké,' zei ze gelaten. 'Maar ik wil wel duidelijk stellen dat ik het niet geschreven heb. Ik heb het slechts geciteerd.'

'Waarvan akte,' zei ik.

Toen ik me die avond klaarmaakte om naar bed te gaan, dreunde ik 'Auf den Hügel da steht ein Soldat' als een mantra op. Het was gek genoeg rustgevend. Toen ik bij het aanrecht mijn tanden stond te poetsen, merkte ik dat het soldatenrijmpje, als het hardop werd uitgesproken, de helderheid van een haiku aannam – een lucide distillatie van het mysterie van de wereld. Nadat ik het vijf of zes keer had opgezegd, kreeg het langzaamaan het gewicht van een orfische uitspraak, zoals de profetieën van Nostradamus uit 1555. De soldaat zou iemand kunnen zijn die we nu, in het heden, kennen en die misschien al aan de beklimming van de heuvel begonnen is. Hij zal omhooglopen. Hij zal er staan. En zijn darmen zullen in beweging komen. Het is slechts een kwestie van tijd. Wie weet waarom de soldaat daar staat en in zijn broek poept? Ik niet. Jij niet. En hij al helemaal niet. Wat kunnen we zeggen, behalve dat we de houding van de soldaat leuk vinden. Dit is een verlichte soldaat. Kijk hem daar met de nonchalance van een heer op die heuvel staan, alsof hij zeggen wil: Hé! Mijn broek mag dan vol zitten, maar mijn hart is warm!

4. Vochtige persimmonkoekjes met een garnering van rozijn en walnoot

In de afgelopen decennia heeft mijn moeder vaak trots verkondigd dat ze ons nooit van die felbegeerde supermarkttussendoortjes heeft meegegeven die ons vanuit de onbereikbare lunchtrommeltjes van onze klasgenootjes tegemoet straalden: chocoladecakejes, roze koeken, negerzoenen, crackers en kaaskoekjes in van die mooie, knisperende verpakkingen. Er was één tussendoortje dat er verrukkelijk intrigerend uitzag, maar ik heb nooit kans gezien het te proeven en nu heb ik het gevoel dat de lol er wel af is. De traktatie in kwestie was een harde plastic vinger met daarin vier oranjeachtige kaascrackers en een vierkante klodder gehydrogeneerde, suikerachtige pindakaas. Kaascrackers met pindakaas – klinkt heerlijk, toch? Ik wilde dolgraag zo'n pakje bemachtigen. Maar ruilen was geen optie. Ik had niks wat de andere kinderen wilden hebben.

Alles wat wij in onze mond stopten was huisgemaakt en vrij van chemische toevoegingen. Toch was de vermoedelijke voedingswaarde van onze Lunches om je voor te Schamen bijlange na niet het voornaamste criterium bij het bereiden van onze lunchpakketjes. Dat waren de kosten. Mijn moeder was zo zuinig dat ze persimmonkoekjes maakte van de beurse vruchten die voor de helft van de prijs werden verkocht bij het Japanse kraampje. Die koekjes – pittig, vochtig en voor volwassenen waarschijnlijk heerlijk sappig – waren voor ons kinderen de ultieme antikoekjes, want we hunkerden naar de lekkernijen uit de supermarkt.

3. *Platz*

Platz bestaat uit eierdeeg met gezoet fruit erop – in dit geval de on-volgroeide, door vogels toegetakelde kerspruimen uit de achtertuin. Hannah en ik hadden een drieledige verantwoordelijkheid ten aan-zien van de kerspruimen: we moesten ze plukken, ontpitten en ver-volgens bereiden voor de Platz. Drie arbeidsintensieve stappen om tot een resultaat te komen waar we niets van moesten hebben. We hielden niet van Platz, en wel om dezelfde redenen als onze weerzin tegen de vochtige persimmonkoekjes. Alleen werd onze afkeer in dit geval nog versterkt door het feit dat de Platz, als we die uit ons twee-dehands waspapier haalden, een gênante gistlucht verspreidde, waardoor de andere kinderen hun nek verdraaiden om naar ons te kunnen gluren en zich dan snel uit de voeten maakten. Die gistlucht werd veroorzaakt door de laatste laag op de Platz, die van kruimel-deeg was gemaakt en al net zo kleverig als geurig was.

2. De boterham met *Cotletten* en ketchup

Als een-na-laatste op de lijst van Eten om je voor te Schamen prijken de Cotletten, die erg genoeg werden opgediend in een romige jus met gesnipperde ui. Cotletten zijn mennonitische gehaktballen. Wat er mennonitisch aan is, is de toevoeging van een heleboel zoute crackers, die in een tweedehands plastic boterhamzakje worden ge-stopt en met een deegroller worden verkruimeld. Als je een heel pak zoute crackers aan bijna een kilo vet gehakt toevoegt, er een stuk of twee eieren bij gooit en er met wat gecondenseerde melk een smeu-ig geheel van maakt, heb je genoeg gehaktballen voor een week lang overheerlijke koude lunches. Koude Cotletten zijn moeilijk te be-schrijven. Elke sterk ruikende zoutbal verandert in een geleiachtige substantie en wordt zo zwaar als een ijshockeypuck. De toevoeging van ketchup is een interessante keuze. Dat geeft zelfgemaakt brood een kleffe, roze buigzaamheid, te vergelijken met een vochtige tis-sue.

1. Borsjtsj

Hier waren we het meteen over eens. De prijs voor het Eten om je het Meest voor te Schamen ging unaniem naar borsjtsj, de hartige wintersoep van de Russische steppe. Ons volk nam het van de Russen over tijdens de lange mennonietenbezetting van Oekraïne. Borsjtsj heeft een uitgesproken rode kleur en vlekt op alles waar hij mee in aanraking komt. Die uitgesproken kleur is afkomstig van bieten. De soep heeft ook een uitgesproken geur, een kwalijke stroom van wilde scheten. Die schetenlucht komt door de kool. Alsof dat allemaal nog niet smakelijk genoeg is, wordt borsjtsj geserveerd met azijn en een beetje zure room. De azijn zorgt ervoor dat de room gaat schiften, zodat het geheel eruitziet en ruikt als bedorven melk. Maar dat is nog niet alles. De nawalm, de geur die achteraf blijft hangen, doet nadrukkelijk denken aan de klonterige Hosen van onze vriend de soldaat.

Borsjtsj is het mennonitische kattenkruid. Het zorgt ervoor dat onze ogen in hun kassen rollen. Als je iemand met een mennonitische naam ontmoet, laten we zeggen de nieuwe bibliothecaris van de universiteit, zou het gesprek als volgt kunnen verlopen:

Jij: Dus je bent een Wiebe! Mag ik vragen of je mennoniet bent?

Meneer Wiebe: Ja, van mijn vaders kant. Wij zijn de Wiebes uit Manitoba. Ik kende wat mennonitische Janzens toen ik in Minnesota ging studeren. Is dat familie van je?

Jij: Nee, die van mij zijn vanuit Oekraïne naar Ontario gekomen. Ik zal jou en je vrouw eens uitnodigen om borsjtsj te komen eten.

Meneer Wiebe, trillend: Borsjtsj? Echt?

Jij, bescheiden: O, ik kan die ouwe ketel wel laten stomen, hoor!

Meneer Wiebe, die nu met een wilde blik in zijn ogen staat te kwijlen: Maak je de versie met bieten erin?

Het is belangrijk om te weten dat mennonitische *Hausfrauen* ergens in de vorige eeuw de bieten zijn gaan vervangen door Campbells tomatensoep. Maar wij puristen geven nog steeds de voorkeur aan bieten. Het is het verschil tussen een blokje fabriekskaas en een lekkere cheddar uit Vermont. Ik wil maar zeggen: in het hart van een mennoniet is altijd een plekje voor voedsel dat niet te eten is, zoals bieten, gesmoorde kool en reuzel. We doen zelfs iets bizars met hoofdkaas.

In elk bedrijf is er wel iemand die in de kopieerkamer een walm van magnetronlunchgerechten verspreidt. Ik heb het niet over dieetmaaltijden. Ik heb het over de helse stank van iets waardoor je maag zich omdraait, zoals een kliekje van vis in chermoula. De geur blijft in de kopieerkamer hangen, want daar staat zoals iedereen weet bij de meeste bedrijven de magnetron. Niemand wil degene zijn met de lunches waarvoor iedereen zijn neus dichtknijpt. Toch is er overal wel zo'n type. Misschien herken je hem wel. Hij is de passagier die 's ochtends vroeg een druipende burrito uit het zakje haalt zodra je vliegtuig uit Newark opstijgt en, net als je denkt dat het niet erger kan, de bovenkant van een doordringend geurend zakje hete saus er afbijt. Olé!

Ik bleek een variant op die vent te zijn. Ik weet niet hoe ik het voor elkaar kreeg, maar ik werd de weerzinwekkende hoogleraar die een restje koolsoep meeneemt en dat om elf uur 's ochtends opwarmt, ruim voordat andere mensen trek krijgen in warm eten. Mijn collega's – volwassen wetenschappers van middelbare leeftijd – zijn te tactvol om openlijk kokhalzende geluiden te maken, maar ze komen echt niet binnen als de borsjtsj staat te dampen.

Begrijp me goed: het is lekkere soep. Toen ik eenmaal volwassen was, heb ik hem wel eens als nieuwigheidje aan gasten voorgeschoteld, al rep ik dan natuurlijk met geen woord over de azijn. Mensen houden echt wel van borsjtsj. Ze scheppen vaak een tweede keer op. (Trouwens, borsjtsj is heel geschikt als dieetgerecht, gezien het lage koolhydraatgehalte van kool. Ik roep mijn lezers op die informatie door te spelen aan dieetgoeroes. Borsjtsj is mijn advies aan hen. Gratis.)

Maar borsjtsj is niet iets om je kind mee te geven naar school. Geloof me. Koude borsjtsj brengt problemen met zich mee. Toen ik klein was en de beschikking had over beperkte technologie, was de voornaamste functie van een thermosfles het transporteren van vloeistoffen, niet zozeer het warm houden ervan. De thermosfles met borsjtsj werd daardoor een tijdbom van giftige stank, een geur die zo afgrijselijk was dat iedereen de kamer uit liep. Ik hou ook rekening met de mogelijkheid dat alleen ónze thermosflessen (die van Aaron, Caleb, Hannah en mij) geen warmte vasthielden. Mijn thermosfles paste nooit bij mijn luiertas, dus wie weet waar mijn moeder hem vandaan had.

Als lekkerbekken van middelbare leeftijd stelden Hannah en ik een plan op om mennonietenvoedsel aanlokkelijker en minder gênant te maken. We speelden zelfs even met het idee om een eigen kookboek te schrijven. Dat zou een uitdaging zijn op het gebied van zowel smaak als schoonheid. Hoe zou je bijvoorbeeld gekookte knoedels met droge boerenkaas in een moderner jasje kunnen steken, terwijl de witte knoedels ook nog een typisch mennonietenvestje van romige jus dragen? Deze lichtzure knoedels, die door ons volk *Verenike* worden genoemd, zijn onovertroffen in smaak, maar ik ben de eerste om toe te geven dat mensen die gaan lunchen er niet warm voor zullen lopen. Ze zien er bleekwit uit, net als de mennonietendames die ze bereiden. Als volk zijn we zo bleek als varkenskarbonaadjes en op smaak gemaakt met eeuwenlange inteelt en schaamte.

Helaas is de mennonietenkeuken niet bepaald fantasievol te noemen. Op de kleine boerenmarkt in mijn stadje zie ik soms een kraam van mennonieten van de oude stempel, waar de vrouwen nog hoofddeksels en lange, ingetogen jurken dragen. Toen ik ze de vorige keer zag, vroeg ik of ze nog nieuwe rode aardappeltjes hadden. De twee jonge vrouwen die achter de kraam stonden keken elkaar aan en probeerden hun lachen in te houden. Ze vonden mijn vraag blijkbaar onbegrijpelijk. Er lagen meer dan genoeg normale aardappelen vlak voor mijn neus. Waarom zou ik in hemelsnaam kleine aardappeltjes willen als ik de grote jongens kon nemen? Ik keek over de schouders van de jongedames en zag een mand op de plank achter hen. In die mand zat wat ik wilde: lentefrisse krieltjes. 'En die daar?' vroeg ik.

'Die? Wilt u die?' De jonge vrouw kon haar verbazing nauwelijks verbergen. 'Dat zijn de afdankertjes. Die gooien we weg.'

'Mag ik ze kopen?'

'Oké. Vijftig cent.'

De jonge vrouwen giechelden toen ik wegliep.

Maar ik had meer vertrouwen moeten hebben in de mennonieten – en in mijn zuinige moeder. Lang geleden, toen ik in Frankrijk studeerde, gaf ik me op voor kooklessen. Het was geen opleiding bij Gastronomicom of L'École Internationale de Pâtisserie; het was gewoon een cursus die gegeven werd door een driesterrenchef. Ik ontdekte verbaasd, bijna wrevelig, dat ik niet voor veel verrassingen kwam te staan, behalve dan tijdens het koken met wijn. Nou ja, we leerden dingen die ik al kon! Ik voelde me nogal schaapachtig, als Dorothy wanneer ze beseft dat ze die zilveren muiltjes al die tijd al aan heeft gehad. Ik kon bijvoorbeeld al een fluweelzachte saus maken, een mooi stuk vlees tot elke gewenste gaarheid bereiden, en een taart precies goed bakken. Zo eenvoudig kan het niet zijn, dacht ik wanhopig, er moet een bepaalde kosmopolitische kennis zijn waardoor ik voorgoed zal veranderen als ik haar eenmaal onder de knie heb.

Bij terugkomst in de Verenigde Staten gaf ik mijn eerste etentje voor tien personen en plande ik een typisch L.A.-menu van coquilles met een sausje van drie tomaten en een *tomatillo*-vinaigrette. Mijn gasten waren hippe industriëlen, allemaal niet-mennonieten, mensen voor wie de actuele culinaire trends iets betekenden. Ik was een echte beginneling en ik was zenuwachtig. Zouden mijn gasten van mijn knolraap-aardappelgratin proeven en doorhebben dat ik maar wat deed? Zouden ze aanvoelen dat ik was opgegroeid met bruine vleesjus en zelfgemaakte appelmoes?

Maar het etentje verliep vlekkeloos. Er werd me zelfs tweemaal om het recept voor mijn citroentaart met frambozencoulis gevraagd. Toen ik die avond de boel opruimde na het feest, ervoer ik zo'n heerlijk sereen Robert Browning-moment. 'God is in Zijn hemel, het gaat goed met de wereld!' Eindelijk leek het gewicht van mijn mennonietenverleden geen ondraaglijke handicap meer. Sterker nog, op het gebied van koken was ik ronduit blij dat ik de geheime basisuitrusting van Menno had gekregen. Anders had ik nooit met zoveel zelfvertrouwen tegelijkertijd de voorgerechten opgefrist, de maaltijd opgediend en gezellig met mijn gasten gekletst.

Toch was het tot vijf, zes jaar geleden nooit bij me opgekomen dat ik op voedselgebied ooit nog eens de mennonietenschaamte aan mijn laars zou lappen. Ik had me in de twintig jaar daarvoor min of meer serieus met koken beziggehouden, had van Hannah geleerd, ijverig gelezen en geëxperimenteerd met spannende liflafjes. Elk jaar organiseren de collega's van mijn afdeling in april een banket voor onze studenten Engels die zijn afgestudeerd. Elke hoogleraar neemt dan een gerecht mee. Het resultaat kan variëren van een eenpansmaaltijd tot een culinair hoogstandje, want sommige collega's kunnen uitstekend koken. Deze keer had ik me opgegeven voor een voorgerecht, maar ik was volledig opgeslokt door mijn drukke schema, en ineens was het al zaterdag. Nick zei: 'Wat maakt het nou uit wat je meeneemt? Pak toch gewoon iets uit de vriezer. Het zijn studenten. Die eten zelfs karton.'

Daar zat wat in. Als hoogleraar zie ik van dichtbij wat voor afgrijselijke dingen studenten zonder blikken of blozen naar binnen werken, van Pop-Tarts tot spekzwoerdjes. Maar ik vond dat onze laatstejaars iets bijzonders verdienden, iets verfijnds, want met dit dinertje vierden ze een mijlpaal in hun leven. Helaas was er geen tijd meer voor iets elegants. Dus haalde ik een grote pan *Hollapse* (uitgesproken als 'hollapsee') uit de vriezer.

Hollapse is een van de vele manieren waarop mennonieten kool bereiden. De kool wordt onderworpen aan een mennonitische drieledige behandeling: koken, bruineren en bakken. Elk koolblad wordt dampend van de bol getrokken en blijft als een hangmat in je hand hangen. Dan wordt het blad gevuld met een gekruid mengsel van vlees en rijst, dat in de juiste vorm wordt geduwd, waarna het wordt gesmoord en nog even blijft sudderen. Elk bundeltje wordt met een cocktailprikker vastgezet en in een bed van tomatensaus gelegd. De cocktailprikker zit verborgen, dus de eter kan wel eens verrast worden. Dat geldt trouwens ook voor de eerste walm van de koolgeur. Maar ik had nu eenmaal Hollapse onder handbereik, dus nam ik Hollapse mee naar het etentje.

Ik weet dat ik het niet als een compliment moet opvatten dat de laatstejaarsstudenten in een recordtijd een enorme ketel Hollapse leegaten, want het is echt zo dat ze alles met smaak zouden hebben opgegeten. Maar het werd toch even anders toen een van mijn studenten, Ricky, naast me kwam zitten. Hij had zich verontschuldigd omdat hij nog een keer ging opscheppen, en kwam even later terug met een bord met nog drie Hollapses, die hij als een piramide had opgestapeld. Hij had een ware Nijl van saus over het geheel geschept. 'Man,' zei hij, 'ik weet niet wat voor klerelijers dit zijn, maar ze smaken verdomd lekker!'

Sindsdien heb ik langzaam maar zeker steeds vaker mennonietenrecepten aan mijn etentjes toegevoegd. Ik zie de mennonitische kookkunst niet langer als de gekkin op zolder, het gênante familielid dat tot elke prijs van het feest moet wegblijven. Mijn mennonietengerechten worden steeds brutaler en verschijnen stiekem op elegante tafels, waar ze rustig voorgeschoteld worden aan senatoren, producenten en architecten. Wat maakt het uit dat ik het voedsel van de schaamte combineer met de vrucht van de kennis? In het Genesisverhaal van Adam en Eva in de Hof van Eden gaat schaamte onvermijdelijk gepaard met kennis. Kennis veróórzaakt schaamte. Weet je nog dat Adam en Eva van de verboden vrucht eten en zich dan pas realiseren dat ze naakt zijn? Ze grijpen naar vijgenbladeren om hun edele delen te bedekken, en daarmee begint een lang traject van genitale schaamte. Dat verhaal zou heel anders moeten eindigen als het aan mij lag. Ik zou Eva van de vrucht laten proeven en ervoor zorgen dat ze hem ook aan Adam liet proeven, want wie vindt het nou niet leuk de man van wie ze houdt te eten te geven? Misschien zou het vijgenblad ook wel mogen blijven, want koks hebben nu eenmaal schorten nodig. Maar in mijn versie zou Eva niet weglopen en zich verstoppen. Ze zou God uitnodigen om aan tafel te komen zitten. 'Ik heb heerlijke apfelstrudel gemaakt,' zou ze zeggen. 'Proef maar.'

7

De Grote Boodschap

Hannah, Phil en ik gingen naar een karaokefeest dat via een veiling tot stand was gekomen. Degenen die het organiseerden, hadden er zesduizend dollar voor geboden en daarbij waren alle toeters en bellen inbegrepen: licht, microfoons, geluid, luchtgitaar, mariachi-shakers. Nadat de gastheer het ijs had gebroken met een snelle, maar middelmatige vertolking van 'New York, New York' kreeg hij van de gasten, grotendeels rijke zelfstandigen van middelbare leeftijd, applaus voor zijn moed. Ze leken echter niet van plan zelf deuntjes te gaan zingen voor hun zakenrelaties en vrienden.

Toen schreed er een piepkleine, witharige vrouw naar het voorste deel van de kamer. Ze heette Olive en was vijfentachtig. Olive was de moeder van de vrouw van een collega van Phil. Olive liep langzaam en onvast naar de microfoon, maar uiteindelijk was ze er. Ze wachtte rustig tot een jonge man de microfoon lager had gezet en zette toen met een beverig oudedamesstemmetje het bekende 'You Are My Sunshine' in. Elke bankier, hotemetoot, binnenhuisarchitect en projectontwikkelaar die op het feest aanwezig was haastte zich de kamer in, morsend met zijn martini. De stem van Olive trilde lichtjes door de luide bijval, maar we konden haar verstaan. Toen gebeurde er iets geks.

Bij het refrein viel iedereen in, alsof het zo afgesproken was. En ze zongen vol overgave. Mensen zwaaiden met hun aansteker. De mensen achterin sloegen hun armen om elkaars middel en wiegden heen en weer, zoals in oude films. Ik had nog nooit zoiets gezien. Er klonk een luid applaus voor Olive, die de onbetwiste ster van de avond was. Hannah wist later nog een kort gesprek met Olive aan te knopen, en die had gezegd dat ze het alleen jammer vond dat de karaokemachine niet het lied had geboden dat ze het liefst had gezongen: 'Brighten The Corner Where You Are.'

Door Olives onthulling begonnen we uiteraard te speculeren over het lied dat onze moeder gezongen zou hebben als ze hier was. We stelden ons voor dat onze moeder daar met veel aplomb zou gaan staan om een van de liedjes ten beste te geven die ze ons jaren geleden op de godsdienstclub had geleerd.

Mein hand on myself
Und vas ist das hier?
Das ist mein Tinkerboxer,
mein Mama dear!

(wijzend op verschillende lichaamsdelen)

Tinkerboxer! Hornblower! Meatgrinder!
Rubbernecker! Breadbasket! Hitchhiker!
Sitter-downer! Seat-kicker! Ja ja ja ja –
Dat's vat I learned in der Schul, ja, ja!

Een deel van de charme van het lied zat hem in het feit dat je het met een flink Duits accent moest zingen, en ik kan je vertellen dat een zaal vol hulpeloze kleine meisjes dat inderdaad doet als ze geen keus hebben.

Ik belde mijn moeder in Californië om te verifiëren of Hannah en ik ons de verschillende lichaamsdelen in de *Hornblower Song* goed herinnerden. Mama zong alle coupletten maar al te graag door de telefoon. Toen vertelde ze giechelend dat Hans, het vijfjarige zoontje van Deena en Aaron, had gevraagd om een tweede stuk 'dump cake'. 'Zo noemt hij *bundt*-cake,' zei ze ongekunsteld.

'Ik denk dat we bundt-cake nooit meer bij de juiste naam zullen noemen.'

'Raad eens wat ik vandaag heb gedaan?'

'Nou?'

'Ik heb zindelijkheidstraining gedaan met Hans!'

'Is Hans daar niet een beetje te oud voor?' vroeg ik.

'O, hij kan heel goed plassen!' riep mijn moeder opgewekt als altijd uit. 'Maar die malle jongen dacht dat hij zijn Grote Boodschap 's nachts in zijn luier moest doen.'

Je kunt een heleboel over iemands gezin van herkomst zeggen door te kijken naar het woordgebruik van de ouders als het gaat om uitscheidingsprocessen. Toen wij klein waren, gebruikte mijn moeder de term Grote Boodschap (de hoofdletters zijn van mezelf) om naar darmbewegingen te verwijzen. De enige uitzondering die ze maakte was voor niet-menselijke wezens, zoals de keer dat er een vogel op de patio poepte waar ik met haar zat te scrabbelen, en ze uitriep: 'O, kijk! Die vogel deed een oempa!' *Oempa* was voor vogels. *Grote Boodschap* was voor thuis. Die uitdrukking gaf wel aardig aan hoe het er in ons gezin aan toeging: zelfs natuurlijke lichaamsfuncties werden in termen van praktische zaken beschreven. Nu ik erover nadenk, geeft Grote Boodschap precies de essentie weer van wat het betekent om mennoniet te zijn. Tot op dat moment was ik de term Grote Boodschap helemaal vergeten.

Ik zei wantrouwend in de telefoon: 'Zit je op dit moment iets te eten? Terwijl je me over de Grote Boodschap van Hans vertelt?'

'Een stukje kerspruimen-Platz,' bekende ze. 'Deena liet Hans zijn Grote Boodschap gewoon 's nachts in zijn luier doen! Ik vond het hoog tijd worden dat hij dat afleerde! Hij is al vijf!'

Ik vond het ook hoog tijd worden dat hij dat afleerde. Maar er kwam nog meer. Ik wachtte geduldig tot mijn moeder de rest van haar Platz had fijngekauwd en doorgeslikt.

'Raad eens hoe Deena heeft geprobeerd hem te leren het op de wc te doen.'

'Geen flauw idee,' zei ik. 'Vertel.'

'Ze heeft een gat in zijn luier geknipt! Ze zei dat hij op de wc moest gaan zitten en zijn Grote Boodschap door het gat moest doen!'

'Fijn dat je het zo beeldend vertelt, mam. Ik neem aan dat je Hans hebt laten zien dat hij verkeerd bezig was?'

'Nou en of,' antwoordde ze opgewekt. 'Nu doet Hans zijn Grote

Boodschap als een volwassen vent!'

'Gefeliciteerd met deze belangrijke toiletbemoeienis,' zei ik. 'Ik hoop dat Deena de boodschap kan waarderen. De Grote Boodschap. Mag ik je voorstellen haar een stukje chocolade dump cake aan te bieden als je haar het nieuws vertelt?'

Gelukkig konden Hannah en ik ons geen van beiden het genot van zindelijkheidstraining door mama herinneren. Mijn verslag van Hans' toiletles deed Hannah denken aan de tijd dat mama haar tandenpoetsen had geleerd en Hannah op de een of andere manier had begrepen dat gebitshygiëne een doel was dat alleen op zondag bereikt diende te worden. 'Op de kleuterschool zeiden ze dat we elke dag onze tanden moesten poetsen,' legde Hannah uit, 'maar toen mama zei dat het lichaam Gods een tempel was, dacht ik dat we alleen op zondag onze tanden hoefden te poetsen, omdat we alleen dan naar de kerk gingen. Ik maakte me echt zorgen omdat ik van die tegenstrijdige signalen kreeg.'

'Waarom heb je het niet gewoon aan mama gevraagd? Durfde je dat niet?'

'Het was niet zozeer dat ik niet durfde, maar meer dat ik niet tegen het gezag wilde ingaan,' zei ze.

'Ja, zeg!' riep ik uit. 'Wat is het toch met de mennonieten, dat ze kleine meisjes leren niet tegen het gezag in te gaan? We worden allemaal zo gehoorzaam opgevoed, we doen er alles aan om geen deining te veroorzaken.'

Ik vertelde mijn zus over de eerste keer dat ik me ervan bewust werd dat een volwassene een verkeerde beslissing kon nemen. Voordat ik in de zesde klas bij juf Eplett kwam, was ik ervan uitgegaan dat meesters en juffen, net als alle gezagsdragers, in staat waren me alles te leren wat ik moest weten. Dat gold ook voor mijn vriendin Lola, die vierendertig jaar geleden bij me in de klas zat. Zij herinnert zich nog net zo goed als ik wat er gebeurde.

We weten allebei nog dat juf Eplett een felrode pruik had, die vaak een beetje naar voren gleed – net als Paul Revere in ons geschiedenisboek als hij zijn paard *ventre à terre*, met hoge snelheid, reed. Juf Eplett sloeg ons, en dan legde ze ons het liefst als een baby over de knie. We waren als de dood voor haar. Nu zat ze gezellig boven op haar bureau voor in de klas en boog voorover alsof ze een geheimpje wilde verklappen. 'Laten we beloven dat we dit gesprek strikt vertrouwelijk houden,' zei ze indringend. We knikten ernstig. Ze wachtte even voor het beoogde effect, en het was zo stil dat je de grote wijzer van de klok hoorde verspringen. 'Het is altijd belangrijk om de feiten onder ogen te zien,' zei ze. 'En dit is een feit. Zijn jullie er klaar voor om dat onder ogen te zien?'

We waren er klaar voor.

'We moeten het even over Milla hebben. Dat moeten we doen nu ze er niet is. Soms bezorgt Milla overlast.' Juf Eplett maakte een wapperende beweging ter hoogte van haar oksel.

Weer knikten we. Het was waar. Dit was een ernstige zaak.

'Mensen weten het niet als ze vies ruiken. Vaak kunnen ze er niets aan doen. En Milla's ouders zijn niet in Amerika geboren, dus hebben ze andere gebruiken. Weten jullie nog dat Milla een keer een doos knoflookslakken voor ons meenam?'

Dat wisten we nog, en we rilden.

'Nou, Milla's moeder kookt met knoflook. Ik hou er misschien niet van. Jullie houden er misschien niet van. Maar kinderen: sommige mensen houden ervan. En knoflook heeft een sterke geur, die in je poriën gaat zitten. Dat ruiken we dus als we Milla's lichaamsgeur opsnuiven!'

We knikten vol begrip. Knoflooklichaamsgeur, oké.

Juf Eplett kreeg de smaak te pakken. 'Kinderen, als ik een sterke lichaamsgeur had, zou ik willen dat jullie het tegen me zeiden. Zouden jullie dat doen?'

'Ja, hoor!' zei Mike Helm toegeeflijk.

'Dank je wel, Mike. Fijn om te horen. Kinderen, het is jullie plicht Milla te vertellen dat ze een sterke lichaamsgeur heeft. We moeten een plan opstellen.'

De zesde klas van de Easterby Elementary School was met stomheid geslagen en voelde leedvermaak opborrelen. Dit was geweldig.

'Is iemand hier bevriend met Milla?' vroeg juf Eplett.

Langzaam staken Lola en ik onze vinger op. We waren een of

twee keer bij Milla thuis geweest en wisten dat Milla, de koningin van de hoogwaterbroeken, niet veel vriendinnen had. Lola en ik waren mennonieten, maar Milla was dik. Dik was erger dan mennoniet. Op het schoolplein was er maar één ding erger dan dik, en dat was homo. Al kon je nog ontkennen dat je homo was. Dik zijn kon je niet ontkennen. Milla kon haar omvang niet verbergen. Het leek zelfs wel of ze haar uiterste best deed die te accentueren, gezien haar broeken.

'Rhoda en Lola, goed.' Juf Eplett zag onze aarzelende handen. 'Zijn jullie bereid ons te helpen?'

Lola en ik knikten weifelend.

'Uitstekend,' zei juf Eplett. 'Goed, dit is het plan.'

Het plan was dat Lola en ik Milla tijdens de pauze naar de gang van de zesde klas zouden lokken. Op een afgesproken tijdstip zou Milt Perko, de grappenmaker van de klas, naar ons toe komen. Milt Perko zou het slechte nieuws brengen. Hij zou Milla op mannelijke, directe wijze namens ons allemaal vragen of ze deodorant wilde gebruiken. Milt Perko, de schetenlater eersteklas, de beha-grijper, de viezemoppentapper! Iedereen was dol op Milty, dus werd Milty gevraagd op te treden in tijden van nood. Juf Eplett droeg hem voor, Mike Helm viel haar bij en vierentwintig handen gingen democratisch omhoog.

Op de betreffende dag kreeg ik het Spaans benauwd en raakte ik in paniek om Milla. Ik had net *A Tale of Two Cities* van Charles Dickens gelezen, en toen Lola en ik Milla meevoerden naar de gang van de zesde klas stelde ik me voor dat we drie aristocraten in een gevangenenkar waren en met geschoren hoofd nederig en puur op de guillotine wachtten. *Wat ik nu doe is veel, veel belangrijker dan alles wat ik tot nu toe gedaan heb.*

Milty kwam stipt op tijd de hoek om. Zou die grappenmaker zijn gezicht in de plooi kunnen houden? Hij kwam aanlopen met zijn handen in zijn zakken, bloedserieus. Hij had er nog nooit zo ongrappig uitgezien; hij leek wel volwassen. Nu liep hij recht op ons af, keek Milla als een echte man in de ogen en zei zonder omhaal: 'Milla, de hele klas zou het zeer waarderen als je af en toe eens deodorant zou gebruiken. Juf Eplett vroeg of ik dat tegen je wilde zeggen. We hebben er met de hele klas over gestemd en zo.'

Prompt keek Milla omhoog. Ze kneep haar lippen toe in een popperig namaaklachje.

Milty was niet van plan weg te lopen zonder dat hij antwoord had gekregen. 'Oké, Milla? Deodorant, oké? Van welk merk dan ook. Je kunt het onder je oksel spuiten, oké?'

'Oké,' fluisterde ze. Toen, uit het niets, zei ze met koninklijke waardigheid: 'Als je het niet erg vindt, Milty... we hadden een privégesprek.'

Milty knikte. Missie volbracht. Hij liep heldhaftig fluitend weg.

Milla draaide zich om naar Lola en mij, terwijl ze haar tranen wegknipperde. Ze pakte mijn hand. We bleven de hele pauze met zijn drieën in de gang zitten en hielden elkaars hand vast terwijl we over Milla's zus Hava praatten alsof er niets gebeurd was. Alsof we elkaars hand helemaal niet vasthielden.

De pijn en de paniek die ik tijdens dat incident ervoer, waren op een vreemde manier ondraaglijk. Ik had er nog jaren daarna nachtmerries over, en ook nu nog droom ik soms over Milty Perko die de hoek van een mentale gang omslaat en op me afkomt als een onheilsbode, een grimmige Ezechiël. Lola en ik wisten dat we Milla verraden hadden, maar het was nooit bij ons opgekomen dat we een keus hadden gehad. Ik kan niet voor Lola spreken, maar in de zesde klas had ik geen flauw idee hoe ik in opstand moest komen tegen autoriteiten. Ik kon niet eens bedénken hoe ik tegen het oordeel van een volwassene zou moeten ingaan. En ik was nog lichtjaren verwijderd van het zelfvertrouwen dat ik nodig zou hebben om op mijn tafel te gaan staan en opzettelijk een harde scheet te laten, zoals Milty Perko af en toe deed, waarmee hij onze collectieve bewondering en applaus oogstte.

'Goeie god,' riep Hannah uit toen ik haar het verhaal vertelde. 'Wat dácht juf Eplett in hemelsnaam? Wat is dat voor pedagogisch idee om iemand publiekelijk te schande te maken?'

Een paar jaar nadat ik hoogleraar was geworden stuurde mijn vader me een krantenknipsel. Het ging over mijn inmiddels stokoude juf van de zesde klas, juf Eplett. Ik was stomverbaasd dat ze nog leefde, maar de foto waar ze kwiek en met pruik op stond was het bewijs. De foto was gemaakt tijdens een feestje ter ere van haar langdurige bijdrage aan het onderwijs. In het krantenartikel stonden uitspraken van meerdere generaties oud-leerlingen, die allemaal zeer lovend waren over Ann C. Eplett. 'Juf Eplett gaf ons een pak voor onze broek als we stout waren!' 'Ze was de beste juf ooit! Ze controleerde of we onze tanden wel hadden gepoetst voor we naar school gingen!' 'Juf Eplett stuurde me naar huis omdat ik hoofdluis had!' Toen ik het artikel vol fijne herinneringen doorlas, voelde ik zelf ook een golf van dankbaarheid door me heen gaan. Hoewel juf Eplett mijn slechtste juf was geweest en zeker niet mijn beste, knikte ik vanwege deze veelzeggende getuigenis over de langdurige invloed die onze leraren en mentoren op ons uitoefenen.

Dat zei ik ook tegen mijn zus. Hannah antwoordde: 'Mentor? Ammehoela! Wat juf Eplett met die arme Milla gedaan heeft was misdadig, zelfs als ze inderdaad altijd stonk. Wat zou er van haar geworden zijn?'

'Lola hoorde dat ze kinderarts is geworden. Ze heeft een bloeiende praktijk in Orlando.'

'Dan nog.'

'Tja. Waarschijnlijk heeft het haar voor het leven getekend. Mij in elk geval wel!'

'Dat hele gedoe van het gezag niet in twijfel trekken, verklaart wel waarom je zo lang bij Nick bent gebleven, terwijl je allang bij hem weg had moeten gaan,' zei ze.

'Ik weet het,' zei ik narrig. 'Verdomme. En het gekke is, dat ik wetenschapper ben. Ik ga tegen het heersende gezag in. Dat is mijn werk. Geef me een argument en ik vertel je wat er mis mee is.'

'En dat is een leuke eigenschap voor een zus!' merkte ze op. 'Het gekke is dat jij en ik in ons werk altijd heel goed tegen het gezag in kunnen gaan. Ik was ook zo toen ik nog bij de bank werkte. Maar geen enkele mennonietenvrouw is assertief in haar privéleven.'

Het was niet zo dat ik Nick nooit had tegengesproken. Het was heel makkelijk om te zien waar hij slecht in was, want daar wees hij me zelf op. Hij was alleen zo gekweld, zo depressief, zo grappig en geweldig, dat ik het hart niet had om de grenzen te stellen die ik had moeten aangeven.

'De eerste paar keer dat ik bij hem wegging, was ik er nog niet klaar voor om de banden definitief te verbreken,' zei ik triest.

'Nou en? Dit keer was je er wel klaar voor. Je hoeft niet met spijt achterom te kijken,' zei ze. 'Sterker nog, je hoeft helemaal niet achterom te kijken.'

'Ik hield gewoon van hem.'

'Je houdt nog steeds van hem.'

'Verdomme,' zei ik weer. 'Als je van middelbare leeftijd bent, draait alles om het leren leven met ambiguïteit.'

'Niet waar,' zei Hannah peinzend. 'Jij leeft al met ambiguïteit sinds je de hele mennonitische *Ursprach* in twijfel ging trekken. En je hebt altijd geweten dat houden van Nick niet per definitie betekende dat je ook met hem moest samenwonen. Hij is zo ongelukkig dat iedereen zich ellendig bij hem zou voelen.'

'Ik voelde me niet ellendig bij hem. Ja, op het laatst, misschien.'

'Je hád je ellendig bij hem moeten voelen. Ik denk helemaal niet dat je op middelbare leeftijd moet leren leven met ambiguïteit. Integendeel. Je komt er juist eindelijk achter dat je ambiguïteit moet afketsen en dat alles om eenvoud draait. Wat kan er nou eenvoudiger zijn dan te zeggen: "Wat mijn gevoelens voor hem ook zijn, ik stel mezelf niet bloot aan deze schade." Ik zeg niet dat het niet pijnlijk is. Maar eenvoudig is het wel.'

Ik schudde mijn hoofd. 'Je zegt het alsof ik degene was die wegging. Maar ik was de lafaard die nooit vertrokken zou zijn. Die nooit wílde vertrekken. Híj was degene die wegging.'

'Jíj bent nu aan het weggaan. Eindelijk! Weet je, van alle keren dat jullie uit elkaar zijn gegaan, is dit de enige keer dat je er vrede mee lijkt te hebben.'

Die avond bleven Hannah en ik lang op om de Japanse versie van *Iron Chef* op het culinaire kanaal te bekijken. Ik had geen kabel, wat ik graag toeschreef aan mijn recente financiële tegenslagen en mijn huwelijksfiasco, maar wat eigenlijk kwam doordat ik een academische halvegare was. Het is tragisch, maar wij hoogleraren lezen liever een wijdlopige biografie over Feo Belcari dan dat we de tv aanzetten. Hannah was verbijsterd dat dit de allereerste keer was dat ik ooit van dat hele *Iron Chef*-concept hoorde. 'Hoe kun je jezelf nou kok noemen als je niet eens weet wat er in de kookwereld gaande is?'

'Kan ik soms geen behoorlijke kok zijn zonder te weten wat andere mensen koken?'

'Nee.'

Ik probeerde het nog eens. 'Wat is het geluid van één klappende hand?'

'Zorg dat je op de hoogte bent, of ga die keuken uit,' zei ze.

'Nou ja,' zei ik toegeeflijk. 'Ik draag in elk geval geen fleece vest.'

Naar dit programma kijken gaf net zo'n hulpeloos gevoel als je krijgt wanneer je je gedwongen voelt een flinke teug karnemelk te nemen. Je rilt al van de geur, maar toch blijf je het drinken. In het programma gaf een culinair recensent die een bord Israëlische couscous met een rijke rode bietensaus voorgeschoteld kreeg gedetailleerd commentaar in het Japans, waar we niets van verstonden. Maar de recensent sprak een hele tijd. Hij gebaarde uitvoerig en probeerde genuanceerde opmerkingen te maken. Hij sloot af met een oratorische stroom serieuze aanmerkingen. Net toen hij aan het afsluiten was, klonk de bedaarde voice-over van een professionele tolk. Ze vertaalde het langdurige, breedsprakige commentaar van de recensent als volgt:

'Ik voel me goed.' (Pauze)

'Al met al.' (Pauze)

'Op dit moment.'

Die avond neuriede ik 'Brighten The Corner Where You Are' en stapte ik in bed terwijl ik in gedachten de dag nog eens doornam. Hornblower, ja. Grote Boodschap, ja. Couscous, ja. Eenvoud, ja. Mijn hart was gebroken, mijn benen zaten onder de littekens en ik kon mijn huis wel eens kwijtraken. Maar weet je, ik voelde me best goed. Al met al. Op dit moment.

8

Druppend water

Als kind wilde ik zo graag dansen dat ik op zondagsschool een keer zei dat ik die avond op tv zou komen en zou tapdansen in *The Ted Mack Amateur Hour*. *The Ted Mack Amateur Hour* was een soort *Idols* van mijn generatie, een variétéshow waarin ouders hun vocaal begaafde dreumesen beroemd denken te kunnen maken. Met bevend vibrato, opgedirkt in cowboyoutfits, blèrden kinderen hun ingestudeerde deuntjes en draaiden ze manisch in kringetjes rond, als op hol geslagen speeltjes.

Verschillende moeders belden mijn moeder op en vroegen verbaasd en afkeurend op welk kanaal ik zou optreden. De zondag daarop bestond een deel van mijn straf eruit dat ik de hele zondagsschool om vergiffenis moest vragen, zoals mevrouw Ollenburger – die van de vlezige bovenarmen – om vergiffenis had moeten vragen toen ze zo ijdel was geweest om liposuctie te laten doen.

Nu ik een patroon van onbetrouwbaar gedrag vertoonde, werd alles wat ik zei aan kritisch onderzoek onderworpen. De oude mevrouw Lorenz, mijn zondagsschoollerares, vroeg mijn moeder of het waar was dat ik allergisch was voor rozijnen. Als we een blad vol broze havermoutkoekjes van mevrouw Lorenz in het oog kregen, aten wij kinderen nog liever het telefoonboek op. Daarbij waren deze koekjes niet alleen oudbakken, maar zaten ook nog eens vol rozijnen. Mevrouw Lorenz gaf me een groot, zanderig koekje waarin de rozijnen krioelden als mieren op een boerderij. Ik nam voor de vorm een hapje, maar schudde toen mijn hoofd tegen mevrouw Lorenz: ik was allergisch, vreselijk allergisch voor rozijnen. Eén rozijn en mijn keel zou opzwellen en dan kon ik wel doodgaan. Door het dansdrama van de zondag ervoor was mevrouw Lorenz gealarmeerd, en zodra de zondagsschool was afgelopen kwam ze erachter dat ik helemaal niet allergisch was voor rozijnen. Het was al erg genoeg dat ik mijn zonde moest opbiechten, maar het ergste was dat ik dat opnieuw voor een grote groep moest doen.

Door die straf nam mijn verlangen om te dansen echter niet af. De passie duurde onverminderd door tot ik volwassen was, tot ik eindelijk de leeftijd bereikte waarop ik onafhankelijk was en over de middelen beschikte om les te nemen. Slechts eenmaal behoedde de mennonietenhouding ten aanzien van dansen me een voor gênante situatie. Dat was in de achtste klas, toen ik deelnam aan een idioot natuurwetenschapproject.

Meester Handwerker gaf les aan de Tiende Talentklas. De slimme supersukkels (onder wie mijn broer Aaron) waren dol op hem. Ze kwamen in zijn lokaal bijeen met hun geurige boterhammen met bolognesesaus. Aaron was een hooghartig klein dikkerdje wiens drang om alle dieren bij hun wetenschappelijke naam te noemen geen sociale problemen opleverde, totdat hij een paar jaar later, op de middelbare school, het toppunt bereikte. Op de middelbare school was hij het lievelingetje van de leraren. Hij was hard op weg om de knorrige neerbuigendheid van meester Handwerker over te nemen. Meester Handwerkers ongeduldige arrogantie maakte het me onmogelijk toe te geven dat ik een stollingsgesteente niet van een afzettingsgesteente kon onderscheiden. Al in de achtste klas vermoedde ik een waarheid die later in mijn leven bevestigd zou worden, namelijk dat het misschien helemaal niet nodig was om onderscheid te kunnen maken tussen stollings- en afzettingsgesteente. Persoonlijk begon ik me af te vragen waarom we die gesteenten niet gewoon lekker door elkaar konden husselen. Waarom moeite doen om ze te categoriseren? Waren we aan het repeteren voor een niet nader genoemde, maar onvermijdelijke gebeurtenis in het hiernamaals, wanneer de Here Jezus de schapen en de geiten zou scheiden?

Net als die Bijbelse domkop die zijn huis op het zand had gebouwd, had meester Handwerker zijn reputatie gebouwd op het verplaatsen van zijn natuurwetenschapproject naar de Grand Canyon, voor een kampweek op een plek waar het wemelde van de dikkopjes. Meester Handwerker had de indruk dat die excursie ons voor het leven zou vormen. Om geld in te zamelen voor dit prijzige tripje werd mijn natuurwetenschapklasje gedwongen lolly's, tijdschriftabonnementen, chocola en gloeilampen te verkopen. Maar onze gezamenlijke inspanningen waren niet voldoende, zoals in de voorgaande jaren het geval was geweest. Dus droeg meester Handwerker zijn achtste klas voor het eerst op een talentenshow te organiseren.

Helaas was mijn klas niet behept met enig talent. Bovendien waren we uitgeput van het verkopen van lolly's, tijdschriftabonnementen, chocola en gloeilampen. We wilden niet met een rugzak over het steile kluizenaarspaadje lopen, en we wilden niet bewonderend naar pijlpunten en afzettingsgesteenten kijken. Maar zoals alle kinderen met een oudere broer of zus waar een steekje aan los is, moesten we het over ons heen laten komen en gehoorzamen. Aangezien mijn oudere broer het lievelingetje van de meester was en meester Handwerker wist dat mennonietenmeisjes konden naaien, werd ik uitverkoren tot hoofd van de kostuums. Ik naaide me een ongeluk voor dat nachtmerrieachtige evenement. Voor één nummer ontwierp en naaide ik vier roze, vooroorlogse bloemenjurken van een lap stof die ik in de uitverkoop bij Gottschalks had gevonden, en ik gebruikte kleerhangers en taf om ze op hoepelrokken te laten lijken.

De finale van de talentenshow was een vrolijke quadrille met boerenhoofddoeken. Het idee was dat het publiek dan 'jieha!' zou roepen. Ik herinner me nog steeds het refrein, geschreven door onze gevreesde meester.

Werkie forbids us singin'
songs around here
Werkie forbids us dancin'
moves around here
But we don't care what Werkie forbids
'cause we're the singin' dancin' SCIENCE KIDS!

Werkie verbiedt ons
hier liedjes te zingen
Werkie verbiedt ons
hier dansjes te dansen
Maar het kan ons niet schelen wat Werkie verbiedt
Wij zijn de zingende, dansende AARDRIJKSKIDS!

Als choreograaf leek het meester Handwerker hilarisch als ik – de langste van de klas – een cartoonachtig hypernerveuze Glenn Arbus, een bonenstakerig jongetje, de spotlights in zou sleuren voor een hotseknotsdansje. Zo'n act tussen groot en klein zou voor een komische noot zorgen, zei meester Handwerker.

Toen meester Handwerker zijn plan tijdens de repetitie voor het eerst te berde bracht, riep hij Glenn en mij naar voren en sprak ons in het bijzijn van iedereen toe.

'Jij, druiloor,' zei hij, naar mij wijzend, 'pakt Twijgje hier bij de arm en sleept hem naar de spotlights. En jij,' zei hij tegen Twijgje, 'doet of je geschokt bent en er geen zin in hebt. Je zet je hakken in de grond terwijl zij je meesleurt. Snap je?'

Twijgje haalde stoïcijns zijn schouders op en knikte. Die arme jongen, voor hem moet het al net zo vernederend geweest zijn als voor mij. Als ik aan dat ogenblik terugdenk, klamp ik me altijd maar vast aan het gerucht dat ik jaren geleden gehoord heb: dat Twijgje een briljant genetisch wetenschapper is geworden.

Hoe ontsteld ik ook was, ik zou alles hebben gedaan wat meester Handwerker gevraagd had. Ik wist niet hoe ik eronderuit kon komen. Ik was me niet eens bewust van de mogelijkheid om in opstand te komen. Zo werden mennonietenmeisjes niet opgevoed. Maar ik dacht terecht dat de autoriteit van de kerk groter was dan de autoriteit van een leraar die zich voornamelijk bezighield met het categoriseren van gesteenten. Dus liet ik mijn hoofd hangen en mompelde dat ik niet dacht dat ik van mijn moeder een dansje mocht doen.

'Wat zeg je?' vroeg meester Handwerker scherp. 'Praat eens wat harder, stomkop.' Hij dacht dat hij grappig was als hij dat soort aanspreekvormen gebruikte.

'Ik moet het aan mijn moeder vragen. Van dat dansen,' zei ik, in de hoop dat dat klonk als een logische stap voor een achtsteklasser. 'Jezus christus,' zei meneer Handwerker. 'Oké, doe dat dan maar.'

En dat deed ik dan maar. Het antwoord was een empathische, kordate brief waarin werd uitgelegd waarom Mary Janzens dochter NOOIT zou deelnemen aan een publiek spektakel waarin gedanst werd, al waren er duizend gesteenten in de Grand Canyon die gecategoriseerd dienden te worden. Mennonieten dansten niet. Punt uit. Dansen was absoluut streng *verboten* en wel om twee redenen. Ten eerste leidde dansen tot seks... en dat, beste lezers, was een bewezen feit. In de mennonietenbeweging Die Fröhliche Richtung (de Vrolijke Richting) begon een groep rebelse, charismatische mennonieten rond 1860 door middel van dans uitdrukking te geven aan de vreugde van de Heilige Geest. Tijdens deze vrolijke kerkdiensten werd het middenpad dat de mannenkant van de vrouwenkant scheidde zomaar overgestoken. De jongens begonnen een beetje al te blij met de meisjes te dansen. Er werden lichaamsdelen bevoeld! Er werden ervaringen opgeschreven! Er werden dagboeken gelezen! Er werden pubers gestraft!

De tweede reden dat dans in de Oekraïense mennonietenkerk taboe was, was meer een kwestie van halsstarrige gewoonte dan van een onderbouwde stelling. Iets aan de luchthartige frivoliteit van het dansen wekte de suggestie van een fatale zwakte bij het stellen van prioriteiten. Mennonieten hoorden vol waardigheid te werken, en als het werk gedaan was, zou dat te zien zijn. Dat was het mooie van werken: er was altijd een meetbaar resultaat. Maar als je zou dansen tot de koeien weer teruggekeerd waren, zou je van dat dansen niets tastbaars meer terugzien. En juist die luie, doelloze joligheid was het probleem bij de van oorsprong Russische boeren. Als ijdelheid de werkplaats van de duivel was, was dans het bonenzakje waarmee de duivel zich veel te vrijblijvend vermaakte.

Op de middelbare school kon ik nog niet weten dat de jongere mennonieten twintig jaar later op een idee zouden komen. Zoals alle ideeën die de mennonieten kregen, was ook dit niet nieuw. Maar voor hen was het wél nieuw. De jongere garde bedacht dat dansen misschien helemaal niet zo slecht was. De enige manier waarop mennonieten echter nieuwe activiteiten konden ontplooien, was ervoor te zorgen dat het aannemelijk was dat God het wel goed vond. Zo deed 'liturgisch bewegen' zijn intrede in sommige mennonietenkerken. Dit zogenaamde liturgisch bewegen bestond eruit dat drie zondagsschoolleraressen in lelijke witte rokken in gesynchroniseerde patronen bewogen. Deze dappere dames deden samen een stap naar links, stapten uit naar rechts en tilden een arm op als een olifantenslurf, die ze richting de hemel hieven. Het spijt me dat ik moet zeggen dat de oudere mennonieten nogal korzelig reageerden op liturgisch bewegen. Het sloeg nooit echt aan.

Als je me in de achtste klas had verteld dat er op een dag drie dames in witte rokken voor de kansel zouden staan dansen, zou ik je een gebakje naar keuze hebben aangeboden, vooropgesteld dat er geen rozijnen in hoefden te zitten. In de achtste klas wilde ik zo graag dansen dat ik mezelf de *Hustle* aanleerde. Die poging was gedoemd te mislukken, want ik had geen toegang tot de muziek en evenmin tot de pasjes. Op school hoorde ik tussen de lessen door op de gang flarden van de radio: HÉ, FREAKS, KOM DE DANSVLOER OP! O, wat wilde ik dat graag! Maar ik wist niet hoe. Wat ik wel wist, was dat mijn passie voor dans misschien voor altijd zou verdwijnen als ik de Twijgjesdans had opgevoerd als humoristische act. Dus uiteindelijk was uitgerekend datgene waardoor ik werd tegengewerkt mijn redding. Toen mijn moeder me verbood in die talentenshow te dansen, was ik zelfs blij dat ik mennoniet was. Dat is net zoiets als verliefd worden op je ontvoerder.

Meester Handwerker liet zich niet ontmoedigen en dwong mijn vriendin Bettina Hurrey de Twijgjesdans in mijn plaats te doen. Bettina en ik waren allebei opvallend lang voor onze leeftijd. De visuele humor van mijn Twijgjesdans zou mijn extreem toenemende magerte alleen maar benadrukt hebben. Ik zou eruit hebben gezien als Ichabod Crane die een bij dood probeert te meppen. De humor van Bettina's Twijgjesdans benadrukte het feit dat Bettina de vorm had van een enorme *Bratwurst*. Ik begreep dat meester Handwerker spotte met haar en Twijgje, met alle stevig gebouwde mensen en alle kleine mensen, met alle lange, spinachtige mensen en met alle mensen in het algemeen. Meester Handwerker was de gemeenste leraar die er bestond. Tijdens de zang en de dans stond ik achter het podium te klappen, te stampen, te zingen en te schreeuwen – voor Bettina, en ook voor de kleine Glenn Arbus, al had die ooit een meikever in mijn blouse gestopt.

De kloof tussen Aaron en mij werd gekenmerkt door veel meer dan een scheiding tussen de linker- en de rechterhersenhelft, tussen de exacte vakken en de talen. Eigenlijk heb ik met allebei mijn broers weinig gemeen. Aan de universiteit bleven zij tevreden met hun mogelijkheden binnen de mennonietenkringen. Aaron zong close harmony in een madrigaalgroep, waar zijn diepe bariton uitstekend in het geheel paste. Caleb speelde bij een christelijke organisatie op staatsniveau in de volleybalcompetitie. Ze volgden allebei Bijbellessen. Ze hadden verkering met serieuze meisjes die hun pony stijf spoten met haarspray en missiereisjes maakten. Aaron en Caleb waren groot en gemakkelijk in de omgang, en ze coachten, studeerden en baden vol geestdrift. Maar we hadden niets gemeen.

Ik kreeg het gevoel dat ik aan die kleine mennonietenuniversiteit geen serieuze literaire opleiding zou krijgen. Ik had in zekere zin ook een achterstand opgelopen. Daar kwam ik achter toen ik na mijn eerste studiejaar zag hoe schrikbarend veel ik had gemist. Op mijn twintigste wilde ik alleen maar over filosofie, feminisme en mode lezen. Ik was blind voor alle lessen die mijn solide, kleine mennonietenopleiding me te bieden had: lessen over de waarde van een gemeenschap, van dienstbaarheid, van wijsheid in plaats van kennis.

Toen mijn broers ouder werden, kozen ze ervoor om stevig geworteld te blijven in de mennonitische levensstijl. Ze trouwden jong en kregen grote gezinnen, en ze waren actief in de kerk. Onze levenspaden zijn zo verschillend dat onze onregelmatige bezoekjes worden gekenmerkt door bevreemding: mijn broers volgen de gebeurtenissen in de wereld van de schone letteren niet, en ik heb geen idee wat ik aan moet met voetbalmoeders en thuisonderwijs. Mijn broers vragen nooit naar mijn werk of mijn leven, een zwijgen dat ik opvat als afkeuring. Zodra ik vraag naar hun ideeën of politieke overtuigingen snijden ze een ander onderwerp aan. Dan doen ze verslag van belangrijke nieuwtjes over hun kinderen of, in het geval van Aaron, van het naamregister en de classificatie van zijn herbaria. En die nieuwtjes komen heel geforceerd over, alsof de informatie een preventieve aanval is op eventuele oprechte communicatie.

Tijdens mijn laatste bezoek, vijf jaar geleden, kwamen Caleb en zijn vriend Gabe Warkentin langs terwijl ik in mijn moeders keuken *Quarkkuchen* aan het maken was. Gabe is net als wij kind van een mennonitische geestelijke. Ik hoorde Gabe zeggen dat een wederzijdse oude vriendin, Fran Thiessen, net getrouwd was. De bruidegom was een mennoniet die Rob Franz heette.

'Jammer,' zei Caleb. 'Nu heeft ze wel een heel onhandige naam: Frau Fran Franz.'

Ze grinnikten. Vanuit de keuken vroeg ik: 'Waarom zou Franny de naam van Rob hebben aangenomen? Ze begon toch net naam te maken op haar eigen vakgebied?'

Plotseling viel er een geladen stilte. Verbaasd keek ik op van mijn beslag: mijn broer en Gabe snoven hoorbaar afkeurend.

'Vind je dat een vrouw haar eigen naam moet houden, terwijl er duidelijk in de Bijbel staat dat de man de baas in huis is?' vroeg Gabe ernstig.

'Ha,' zei ik. 'Daar heb ik je tuk.' Tot op dat moment had ik geen idee dat hij zo kleingeestig was.

'Wat wil je daarmee zeggen?' vroeg Gabe kwaad. Caleb zat daar alleen maar naar zijn koffie te fronsen.

'Niks,' zei ik, en ik probeerde aardig te blijven. 'In academische kringen nemen vrouwen niet meer zo vaak de naam van hun man aan, dat is alles.'

'Waarom niet?'

'Het is een beetje ouderwets. Het idee erachter is dat de herkomst en de achtergrond van een vrouw net zo belangrijk zijn als die van een man. Veel vrouwen zien het aannemen van de naam van hun man als symbool van onderdrukking. Het is net of je tegen een vrouw zegt: Als mens ben jij minder belangrijk dan ik.'

'Gabe, misschien moeten we maar gaan,' zei Caleb, die me niet aankeek.

'Heb jíj de naam van je man aangenomen?' Gabe was van streek. Hij vatte het persoonlijk op.

'Nee,' gaf ik toe.

'Wat vond hij daarvan?'

'Het is nooit ter sprake gekomen. Nick is er altijd van uitgegaan dat ik mijn eigen naam zou houden.'

'Ik neem aan dat jullie het woord van God ook een beetje ouderwets vinden?' barstte Gabe los.

'Weet je wat, Gabe? Begin daar maar niet over. Dat vindt ze inderdaad. Laten we hier weggaan,' zei Caleb.

Toen ze weg waren, vroeg ik aan mijn moeder: 'Vind je het niet raar dat de jongens veel conservatiever zijn dan papa en jij?'

'O, die draaien wel bij,' zei mama. 'Als je jong bent, is het geloof vaak een kwestie van regels. Wat je wel en niet hoort te doen, dat soort dingen. Maar als je ouder wordt, realiseer je je dat het geloof eigenlijk een kwestie van relaties is – met God, met de mensen om je heen en met de leden van je gemeenschap.'

'Heb jij er problemen mee dat ik Nicks naam nooit heb aangenomen?'

Ze giechelde. 'Je bent oud genoeg om zelf beslissingen te nemen.'

'Zou jij de naam van Rob Franz hebben aangenomen als je Franny was?'

'Ik zou nooit met Rob Franz getrouwd zijn,' zei ze resoluut. 'Dat is een luie nietsnut. Let maar op. Straks stopt hij met werken en verwacht hij dat Franny hem onderhoudt. Arme kleine Franny. Het was altijd zo'n schattig meisje. Ze speelde vroeger klarinet.'

Aaron is een jaar ouder dan ik. We hadden een heel goede band moeten hebben, want we gingen naar dezelfde school, hadden dezelfde leraren en lazen dezelfde boeken. Ik had met zijn vrienden moeten dwepen, maar zijn vrienden waren al net zulke serieuze bètatypes als hij. Zijn groepje zat altijd in het klaslokaal van meester Handwerker, waar een doka was voor het afdrukken van artistieke zwart-witfoto's van tuinslakken – pardon, *Cepaea nemoralis* – waarmee ze misschien wel een prijs zouden winnen op de jaarmarkt van Fresno! Aaron en zijn vrienden stopten hun T-shirt in hun broek, en als je een van die jongens tegenkwam, roken ze altijd naar chemische ont-wikkelvloeistof, stopbad of formaldehyde.

Een van Aarons vrienden was minder erg dan de anderen. Wyatt Reed had slap, bruin haar en een bedaarde glimlach, en hij at tussen de middag nooit in meester Handwerkers lokaal, maar op het gras-veld voor de bibliotheek, zoals normale kinderen. Eén zomer nodig-de hij Aaron en mij uit voor de Vakantie-Bijbelschool van zijn kerk. Wyatt was geen mennoniet, dus ging mijn moeder zorgvuldig na hoe het zat met Wyatt, zijn presbyteriaanse kerk en zijn familie, al-vorens haar fiat te geven. De VBS interesseerde me geen zier, maar ik vond het leuk te horen dat Wyatts lichte gestotter erger werd wanneer hij met mij praatte.

Tot dan toe had ik toevallig altijd grieperige verschijnselen gehad zodra de Vakantie-Bijbelschool in de buurt van onze kerk kwam, dus dit was mijn eerste kennismaking. De Vakantie-Bijbelschool is een soort religieus kamp, maar dan in je eigen plaatselijke kerk in plaats van een dennenhouten jachthuis. Je ouders brengen je er voor twee uur naar toe, niet voor twee weken. Bij de VBS horen wel een paar kampdingetjes: kunstmatig opgewekte concurrentiestrijd, wilde christelijke liedjes over Vader Abraham en snotterige spirituele ver-toningen voor het altaar. Maar de VBS blijft een beetje in gebreke op het gebied van kano's, kampvuren en slaapzakken.

Op de VBS werden de christelijke jongeren verdeeld in twee con-currerende groepen. Die van Wyatt en mij werd de Wolken ge-noemd, de groep waar Aaron in zat heette de Tornado's. Waarom we naar stormachtig weer vernoemd werden is me tot op heden een raadsel. Maar als de Heer dreigend had gefluisterd: 'Morgenrood, water in de sloot', zou ik daar acht op hebben geslagen, want Wyatt Reed was echt bijna leuk als hij stotterde. Waarschijnlijk moest hij van zijn moeder zijn T-shirt in zijn broek stoppen.

De volwassen leiders, twee leden van de Sporters-voor-Christusbeweging in Virginia, versterkten de rivaliteit tussen de Wolken en de Tornado's op elke mogelijke manier. We werden aangespoord om estafettes te lopen, slogans te schreeuwen en geheime wachtwoorden in te stellen. In een strakke formatie brachten we een geheim saluut. Hoewel ik destijds niet bekend was met de manier waarop het Derde Rijk werd geconstrueerd, heerste er bij deze VBS een griezelig, Riefenstahl-achtig sfeertje. Deze Sporters voor Christus hadden blijkbaar een esthetisch beeld van de jeugd voor ogen. Ze lieten ons affiches maken.

Ik had het die middag reuze naar mijn zin toen ik mijn affiche maakte. Het was net popart, en mijn poster zag er heel hip uit met blauwige wolken die op grazende schapen leken. Met zilveren metallic verf trok ik een randje om elke wolk. Met blokletters stond erboven geschreven: ELKE WOLK HEEFT EEN ZILVEREN RANDJE. 'Ik v-v-vind dat z-z-zilveren randje mooi,' zei Wyatt.

Toen de Wolken van de Sporters voor Christus die avond hun saluut brachten en hun affiches lieten zien, veranderde mijn blik op de wereld abrupt. Er werd een gat in de kern van mijn bestaan geslagen. Toen de Sporters voor Christus mijn affiche daar in de kerkzaal op de ezel zetten, zag ik die affiche opeens in een nieuw licht. Terwijl mijn mede-Wolken juichten, klapten en stampten en mijn Sporter voor Christus zijn ineengeslagen handen als een kampioen boven zijn hoofd heen en weer bewoog, vloeide mijn laatste restje enthousiasme weg en werd ik een lege wolk. Daar, gezeten op een metalen klapstoel naast Wyatt Reed, mijn pony stijf ingespoten met haarspray, proefde ik op mijn dertiende voor het eerst wat groepsdenken was. Wolken als schapen? Een zilveren randje? Mijn affiche sloeg nergens op. En als mijn affiche nergens op sloeg, wat voor rivaliteit symboliseerde hij dan? Wat zei hij over de hele Vakantie-Bijbelschool? En over religie? Wolken, tornado's, zonden die voor een denkbeeldig, maar noodzakelijk altaar wervelden – een zware, oorlogszuchtige storm! Op dat moment begreep ik voor het eerst wat Tennessee Williams bedoelde toen hij de kleine spasmen van de mens bespotte. De aardige Wyatt Reed, die verlegen probeerde mijn hand aan te raken, werd onbeduidend. Aan de andere kant van het

middenpad, waar de Tornado's zaten, zag ik Aaron zijn armen optillen in een ritueel saluut aan Jezus. Hij was mijn broer, hij bewoog
zijn handen, hij verhief zijn stem, hij was een vreemde.

Toen het eindlied die avond wegstierf, rende ik naar de damestoiletten om alleen te zijn met mijn verontrustende nieuwe ontdek-
king. Ik bleef daar dralen en borstelde langzaam mijn haar, honderd
borstelslagen. Ik ging op het puntje van de bank zitten die bedoeld
was voor moeders die hun baby de borst gaven. In de spiegel zag ik
mezelf als braaf meisje in een nette jurk, met mijn keurige macra-
métasje en mijn witte in leer gebonden bijbel. Dat spiegelbeeld
klopte niet meer. Ik moest die beleefde blik van mijn gezicht poetsen. Ik moest weglopen. Ik moest alles wat me geleerd was opnieuw
overdenken. Dus sprintte ik het damestoilet uit alsof ik op de vlucht
sloeg voor een gedachte die te beangstigend was. En ik botste
prompt tegen een van de Sporters voor Christus aan. Het was nogal
donker in de gang, en ik had hem niet gezien.

'Sorry,' hijgde ik beschaamd.

'Geeft niks.' Hij deed een stap achteruit, maar bleef me aankijken.
Het leek wel of er op de een of andere manier iets niet klopte aan
deze Sporter voor Christus. Er was iets mis. Het was net of hij op
me had staan wachten. 'Eigenlijk was ik naar je op zoek.'

O jee, hij had aangevoeld dat mijn geloof plotseling wankelde en
dat dit de duistere nacht van mijn ziel was! Ik zou straks op het christelijke matje worden geroepen! Ik keek naar hem op en zei: 'Hè?' Hij
kwam een stukje dichterbij. 'Ik zat te denken. Zou je het leuk vinden
als ik een avondje op bezoek zou komen? Een bezoekje van je ome
Rodge?'

Terwijl ik hem aanstaarde, drong tot me door wat hij bedoelde.
Het duurde even voor ik het doorhad, maar toen draaide ik me om
en rende de gang door naar de hal. Aaron zocht me. 'Waar zat je
nou?' klaagde hij. 'Wyatts moeder staat al tien minuten te wachten.'

Ik liep achter mijn broer aan naar de auto van mevrouw Reed,
waar ik in het verste hoekje van de achterbank kroop en stijfjes bij
Wyatt uit de buurt bleef. Verward maar beleefd verviel hij in stilzwijgen. 'Was het leuk vanavond?' vroeg mevrouw Reed.

'Het was echt te gek,' zei Aaron. 'De Tornado's kregen de meeste punten, omdat ik Ezechiël 37 uit mijn hoofd kende. Dat bestaat uit achtentwintig verzen. Ik kende ze allemaal.'

Mevrouw Reed begon 'Dem Bones' te zingen. Aaron viel in en keek over zijn schouder om te zien waarom ik niet meezong. Nooit eerder was het uitzicht op een overvol parkeerterrein van een kerk zo interessant geweest. Nooit eerder had de wolk der getuigen een kletterende verzameling botten geleken. Aaron kreeg de baard al in de keel. Zijn bas ging muzikaal omlaag, een trappenhuis dat naar beneden voerde, ver naar beneden, ver onder mevrouw Reeds sopraan, alsof die tekst en dat lied het laagste peil konden bereiken van alles wat ik wist. 'Hear the word of the Lord!'

Ik wist dat ik nooit een hechte band met Aaron zou krijgen, maar er was een moment in mijn adolescentie dat ik dacht dat Caleb en ik misschien vrienden zouden kunnen worden. Caleb was vijftien maanden jonger dan ik. Zijn status van gek klein broertje ten spijt was hij al op jonge leeftijd lang en zat hij goed in z'n vel. Het moet hem geraakt hebben dat ik zo klunzig was, want op een dag bood hij aan me te leren squashen. Squash is relatief makkelijk onder de knie te krijgen. Je kan in een paar dagen tijd snel vooruitgang boeken. Maar je moet je voorstellen dat ik zo'n ongelooflijk slungelig verstandsmens was dat ik nog nooit een bal had weten te raken – niet met een slaghout, niet met een stick en niet met een racket. In mijn tijd moedigden mennonietenouders meisjes niet aan om te gaan sporten, en ik was gewend geraakt aan het schaamtegevoel tijdens de gymles.

Ik kreeg al de zenuwen bij de gedachte dat ik een sport zou gaan leren, zoals iemand al in paniek raakt als hij alleen nog maar op weg is naar de tandarts. Daarbij kwam dat Caleb en ik helemaal geen band hadden. Hij deed natuurwetenschappen, ik deed Engels. Hij doodde padden, ik bakte taart. Hij kwam in de problemen omdat hij Donny Dorko's broek had verstopt tijdens het Heartland Christian Camp, ik kwam in de problemen omdat ik van mijn oppasgeld een zwarte strapless beha had gekocht.

Dus was ik nerveus toen ik voor het eerst achter Caleb aan de squashbaan op liep. Ik verwachtte dezelfde neerbuigendheid die Aaron altijd aan de dag legde. Maar nee. Vanaf het eerste moment dat Caleb me liet zien hoe ik mijn racket moest vasthouden, was hij het toonbeeld van vriendelijkheid. Zachtaardig en geduldig kweet hij zich van zijn taak mij te leren hoe het moest. Ik was verbaasder over zijn grootmoedigheid dan over het feit dat ik steeds beter in staat was om de bal te raken. Hij deed niet alleen aardig als ik behoefte had aan aardigheid. Hij strooide gewoon kwistig met een mysterieus ingrediënt dat me zelfvertrouwen gaf. Hij was een briljant instructeur, misschien wel de beste die ik ooit gehad heb. Tijdens mijn vele studiejaren heb ik een aantal fantastische mentoren gehad – intellectuelen op de top van hun kunnen, professoren en winnaars van de Pulitzer Prize die me uitdaagden. Maar Caleb was de enige die ervoor zorgde dat ik volledig op mijn eigen kunnen durfde te vertrouwen. Hij liet me niet geloven dat ik beter speelde dan het geval was. Maar hij zorgde ervoor dat ik het heerlijk vond dat ik zo kon spelen als ik al deed. Wat was dat een gave!

Zodra we van de squashbaan afkwamen, werd Caleb weer de neuspeuteraar en sciencefictionliefhebber die hij altijd al geweest was. Maar op de baan verafgoodde ik hem. Groot en standvastig als een berg stond hij bewegingloos in het midden en stak zijn lange arm uit om de bal vol te raken. 'Hé,' zei hij dan. 'Deze gaat naar de linkerhoek. Zie je wat er gebeurt als ik mijn racket in deze hoek hou? Probeer jij het nu eens.' Caleb schopte het tot gelauwerd leraar natuurwetenschappen en daarna hoofd beoordeling van de sectie natuurwetenschappen van het middelbaar onderwijs. Hij verdient een goede boterham door leraren te vertellen hoe ze beter les kunnen geven. Die middagen op de squashbaan lang geleden, toen hij nog sukkelig was en ik nog bang, maken heel goed duidelijk waarom hij zo succesvol is op zijn vakgebied.

Toen ik een keer in de stad was voor de 4-julifeesten, gingen mijn moeder en ik op een dag naar Caleb en Staci om hun nieuwe zwembad te bewonderen. Het was een super-de-luxe zwembad met verschillende niveaus, lichtjes, fonteinen, watervallen en nissen, echt zo'n zwembad dat vroeg: 'Een mennoniet – wie, ik?' Alle kleinkinderen waren erin aan het spetteren en aan het gillen. Dat zwembad was een ware hommage aan de Amerikaanse overdaad. Het was in alle opzichten het tegenovergestelde van waar mijn broers en zussen en ik mee waren opgegroeid, namelijk een tuinsproeier die via een door de zon verschroeide tuinslang een zwakke nevel verspreidde. Toen mijn moeder de Gatsby-achtige afmetingen van het zwembad zag, greep ze me bij de elleboog en zei: 'Hemeltjelief! Dat ziet er duur uit!'

Staci gebaarde om hulp, dus zei Hannah: 'Heb jij nooit leren zwemmen, mam?' Die vraag stelde de discussie over christelijke gematigdheid een goed halfuur uit. Maar mama bewees maar weer dat er vele wegen naar Rome leiden: 'Die duikplank ziet eruit of hij een flinke smak geld heeft gekost!'

Ditmaal schoot ik te hulp. 'Over geld gesproken, weet je nog die keer dat je me voor een dubbeltje omkocht om in het gemeentezwembad van de hoge te springen?'

'Ben jij voor een dubbeltje van de hoge gesprongen?' zei Al, die met chlooroogjes bij ons kwam staan. Ze hield haar duim en wijsvinger en een l-vorm tegen haar voorhoofd. 'Loser!'

Mennonitische ontberingen zijn niet meer wat ze waren. Mijn generatie mennonieten heeft er verandering in aangebracht, want mijn broers vinden allerlei manieren om hun kinderen te geven wat wij niet mochten. Dat dacht ik allemaal toen ik weer eens zat te peinzen over het taboe van mennonitische dans. Ik had afscheid genomen van Hannah en Phil en was weer op weg naar Californië, waar mijn ouders en ik naar een dansopvoering gingen.

Op mennonitische middelbare scholen is dansen nog steeds verboden. Mennonitische leraren moeten ook nu nog vaak een contract tekenen waarin ze beloven nooit te zullen drinken of dansen, noch seks voor het huwelijk te hebben zolang ze verbonden zijn aan een mennonitische instelling. Maar nu laten sommige van die strenge, rigide mennonieten hun kinderen tóch dansen. Sterker nog, soms schijnen ze hen zelfs aan te moedigen om te gaan dansen. Mijn knappe nichtje Phoebe, de dochter van mijn broer Aaron, doet zeven dagen per week aan tap, jazzdans, ballet en hiphop. Op haar veertiende schittert ze al in gemeenschapsvoorstellingen als *De notenkraker* en *Pinokkio*. Zulke danslessen zijn niet goedkoop en ik wist dat Aaron er moeite mee zou hebben ze van zijn lerarensalaris te betalen.

Toen we aankwamen, drong Aarons vrouw Deena er vriendelijk op aan dat ik op haar plek zou gaan zitten, naast Aaron. 'Hij zit daar op de vip-stoelen vooraan,' zei ze, en ze wees ernaar.

'Waar? Ik zie hem niet,' zei ik, en ik liet mijn blik door de volle zaal gaan.

'Daar zit hij, op die stoelen vlak voor het podium,' zei Deena.

'O, daar!' zei ik, maar ik dacht: !!!, want ik had al die tijd naar Aaron staan kijken. Ik had hem alleen niet herkend. Hoewel ik hem een paar weken geleden nog had gezien tijdens ons familiedinertje, bekeek ik Aaron in die zaal vol vreemden toch met andere ogen: hij zag eruit als de gemiddelde man van middelbare leeftijd, met een vierkant gezicht en een helm van keurig geknipt peper-en-zoutkleurig haar. De autoriteit straalde van hem af. Hij zag eruit als een schoolhoofd.

Ik denk dat Deena dacht dat Aaron en ik blij zouden zijn dat we even bij konden praten. We bleven zwijgend naast elkaar zitten. Samen keken mijn broer en ik naar zijn dochter, die het basisbegrip van druppend water uitbeeldde, terwijl haar losse haar als een waterval omlaag golfde, net als het dunne, azuurblauwe chiffon dat strak om haar ranke lijf waaierde. Toen haar partner haar omhooghield in een prachtige hoge lift, hield ze haar kin iets omhoog en leken haar armen meteen tot stilstand te komen. Ik keek naar mijn broer. Hoe zou het voelen om je veertienjarige mennonietendochter opgetild te zien worden door een man die twee keer zo oud is als zij? Waar waren de handen van die man tijdens die soepele lifts – rond Phoebes middel, op haar stevige kontje? Phoebe zag er daar op het podium uit als een professionele danseres; alle kinderlijke zachtheid was strakgetrokken, alle rondingen hadden plaatsgemaakt voor sterke spieren rond haar smalle schoudertjes, en intussen zat Aaron daar roerloos en ondoorgrondelijk als een boeddha. Maar het sprak boekdelen dat die man, die niets van dans af wist en waarschijnlijk zelf nog nooit van zijn leven ook maar één stap had gedanst, bereid was af te zien van een tweede auto, zodat zijn dochter kon druppen als water.

9

Losgaan

Ik stond in de keuken van mijn ouders een tonijnsalade voor mezelf te maken en liet het vocht uit het blikje tonijn in een schaaltje lopen. 'Hé,' zei ik, 'zijn er katten in de buurt die dit tonijnvocht lusten?'

Mijn moeder keek me aan alsof ik het laatste stadium van dementie had bereikt. Ze griste het schaaltje uit mijn handen, dronk het tonijnvocht op en riep: *'Schmeckt gut!* Smaakt naar tonijhijn!'

Toen vroeg ze of ik snel even naar de supermarkt wilde gaan om maïskolven en slagroom te kopen. Ik zeg altijd dat je nooit genoeg maïskolven en slagroom kunt hebben, en het is me een genoegen ze te halen voor een moeder die tonijncocktails dronk.

Toen ik van de groenteafdeling naar de zuivel liep, glimlachte ik toen ik bij de delicatessen zag hoe een man zich vooroverboog en in het oor van een bejaarde man riep: 'WIL JE STUDENTENHAVER, PAP?'

'Wat?' vroeg de vader. 'Wat is dat?'

'NOTEN, PAP. GEMENGDE NOTEN.'

'Ik ben dol op noten!' riep de oude man.

'PAP, IK PAK WAT GEZOUTEN NOTEN VOOR JE.'

'Neem wel de zoute!' zei de vader.

De man gooide een bakje gezouten noten in zijn winkelwagentje. De vader greep zijn zoon bij de mouw en opperde: 'Ik vond die gezouten noten lekker die je laatst had meegenomen!'

'MEER DAN GENOEG NOTEN, PAP!' brulde de zoon.

Het had iets liefs dat een stoere, kaalgeschoren rocker op donderdagmiddag de tijd nam om boodschappen te gaan doen met zijn bejaarde vader.

Even later stonden die man en zijn dove, oude vader in de rij naast die van mij. De zoon was iemand tegengekomen die hij van de kerk kende en zei iets over bidden – aha, de rocker was gelovig. Dat maakte hem meteen minder interessant. Ik vond het nog steeds lief dat hij tegen zijn vader iets over gemengde noten schreeuwde, maar nu stond mijn rocker ineens op mijn lijstje van sexy mannen met wie ik niet uit zou willen.

Bij het notenschap hadden de man en ik elkaar betekenisvol aangekeken, alsof we wilden zeggen: *Studentenhaver, $4,99. Acht keer hetzelfde in het oor van je oude vader schreeuwen – geweldig.* De rocker en ik hadden een paar seconden van dat heerlijke, onuitgesproken bewustzijn gedeeld dat soms opborrelt tussen vreemden. Dus was ik niet zo heel verbaasd toen ik iemand aan hoorde komen terwijl ik de boodschappen in de achterbak van de Camry van mijn ouders laadde. De rocker zette zijn auto vlak achter me.

'Neem me niet kwalijk.'

Ik draaide me om in de wetenschap dat hij het was.

'Mevrouw,' zei de rocker, en hij stak zijn gespierde arm uit zijn autoraampje. Hij gaf me een stukje papier. 'Als u een ongehuwde, godgelovige vrouw bent, zou ik graag willen dat u me mailde. Dit is mijn e-mailadres. U mag het weggooien. Maar ik hoop dat u dat niet doet.'

'O!' zei ik, verbijsterd vanwege dat 'ongehuwde, godgelovige vrouw'. Ik stopte het briefje in mijn zak.

Hij ging verder. 'Ik zag u in de winkel. En ik had sterk het gevoel dat ik u moest aanspreken. Het was net of ik hoorde: *Ga met haar praten*, heel duidelijk, drie keer. Dus dwong ik mezelf de stap te wagen, en hier sta ik dan.'

De oude vader boog zich naar de chauffeurskant. 'Is dat het meisje? Is ze knap?'

De rocker leunde opzij en klopte zijn vader op de schouder. 'Dit is mijn vader, Albert. Hij is blind. En ik ben Mitch.'

We schudden elkaar de hand. 'Ik ben Rhoda.'

'Rhonda,' zei Mitch. 'Ik hoop echt dat je me mailt. Als je ongetrouwd bent, dan.'

Hij reed weg met zijn vader en zijn noten.

Het briefje was in haastige blokletters geschreven op papier van

Twilight Shores. Twilight Shores was het bejaardenhuis aan de overkant bij mijn ouders. Dat deed het hem. Wie gaat er nou op een vrouw af terwijl hij zijn blinde, oude vader op sleeptouw heeft? Ik mailde Mitch nog de volgende dag en stelde voor om samen koffie te gaan drinken. Ik was niet echt een ongetrouwde, godgelovige vrouw, maar goed, ik kende de Heilige Schrift. Die man had wel echt iets, alsof het zo moest zijn. Hoewel ik nooit zou durven beweren dat een goddelijke stem me naar hem toe leidde, snapte ik wel wat het betekende om je onderbuikgevoel te volgen. En mijn onderbuikgevoel fluisterde: 'Gemengde noten!'

De week daarop zonk de moed me in de schoenen toen ik het koffiehuis naderde waar Mitch aan een tafeltje buiten op me zat te wachten. Zelfs vanaf de overkant van de straat kon ik zien wat er om zijn hals hing. Een enorme vierkante spijker van een centimeter of acht aan een leren touwtje.

Voor niet-ingewijden is een spijkerketting misschien niet zo erg voor een grote vent met een geitensikje en een stoer uiterlijk; je zou kunnen denken dat het echt iets voor rockers en *metalheads* is. Maar diep in mijn hart wist ik al wat die spijker betekende.

Die enorme spijker was een eerbetoon aan Onze Heer en Verlosser.

Duizenden onopgeleide fanatiekelingen hadden Mel Gibsons filmversie van de kruisiging van Jezus opgehemeld. Bioscoopgangers waren op een holletje naar de winkel gegaan om $16,99 neer te tellen voor een 'authentieke spijkerketting' en geloofden maar al te graag dat de vierkante spijker in alle opschudding rondom de lijkwade van Turijn de goddelijkheid van Christus aantoonde. Dit waren dezelfde lui die mensen tien jaar eerder met hun blik hadden uitgedaagd te vragen wat de tekst op hun armband betekende – wwjd, *What would Jesus do?* Toen ik die spijkerketting zag, vond ik dat zo gênant dat ik mijn nieuwe vriend niet eens aan durfde te kijken. Moest ik teruglopen naar mijn auto en net doen of die hele notenontmoeting nooit had plaatsgevonden? Moest ik verder lopen en hem vertellen dat het een vergissing was? wwjd? Zou Jezus gaan zitten en een koffie verkeerd bestellen?

Dat deed ik uiteindelijk maar. En tjonge, wat vond ik hem leuk. De rocker dan, niet Jezus. Ik vond zijn eenvoudige verklaringen leuk. Hij was twee keer getrouwd geweest; zijn dochter had verkering met een gedetineerde; op 12 maart 2001 had God zijn gebed om nuchterheid verhoord. Hij ging nu naar een kerk die Faith Now heette. Bij Faith Now, vertelde hij, hadden ze een Noodteam van Geestelijken.

Ik moest meteen denken aan de heksenvervolgingen in Salem, waar een groep mannen en vrouwen beweerde dat ze in nood verkeerde en op allerlei manieren door demonen werd belaagd. In de geschiedenisboeken wordt altijd ingegaan op de groep jonge vrouwen die van hekserij werden beschuldigd, maar ik had de mensen die beweerden dat ze in nood verkeerden altijd veel interessanter gevonden.

'Noodteam van Geestelijken? Echt?' Ik leunde iets verder voorover.

'Dat team wordt erbij gehaald als er sprake is van geestelijke nood,' vertelde Mitch.

'Demonen, bedoel je?'

'Demonen, ja,' zei Mitch, 'maar ook noodsituaties waarin sprake is van mishandeling. Of depressie.'

Ik glimlachte bij de gedachte aan het Noodteam van Geestelijken dat, gekleed in overhemden met korte mouwen met stropdassen en met corduroy bijbels met zakken voorop, bij mijn man op de stoep zou staan om zijn depressie uit te drijven. Nick zou nog nooit zo snel met huisraad zijn gaan gooien. En Nick kon vuil spuiten! Persoonlijk had ik nog nooit een ergere reeks vervloekingen gehoord dan die van hem. 'Kutklotejezuschristus op een verdomd toastje met een zachtgekookt ei!' schreeuwde hij dan. Zo'n uitbarsting zou ongetwijfeld genoeg zijn voor het Noodteam; het bewees des te meer dat satans volgelingen wereldwijd actief waren.

'Ik moet wel zeggen, Mitch, dat ik niet in een kwade externe entiteit als satan geloof.'

'Waarom niet?'

'Ik denk dat satan een slimme vinding is,' zei ik. 'Zodat we iemand de schuld kunnen geven van het kwaad dat we creëren.'

'Wie denk je dan dat er achter die ouijaborden zit?'

'Welke ouijaborden?' vroeg ik, en ik keek om me heen in de hoop dat er eentje in de buurt stond.

'Die ouijaborden waar je als tiener geesten mee oproept, bijvoorbeeld bij Frankie Versalini in de kelder.'

Heel fijn. 'Vertel,' zei ik. Als brave mennoniete had ik me aan de vermaning gehouden dat je je niet met bovennatuurlijke zaken mocht bezighouden. Zelfs nu, op mijn drieënveertigste, had ik nog nooit een ouijabord in het echt gezien. Dit is wat ik over ouijaborden te weten ben gekomen uit stukjes die ik toevallig gelezen heb: een ouijabord ziet eruit als een spel met het alfabet en getallen. Er zit een soort wijzer op waar alle spelers hun hand op moeten leggen. Daarna stel ik me zo voor dat het eraan toegaat als bij een negentiende-eeuwse seance: gedimd licht, een griezelig gevoel, een oproep aan bovennatuurlijke krachten of overleden vrienden. De wijzer moet nu een geest kanaliseren die al dan niet een urgente boodschap uit het hiernamaals heeft. Als die bovennatuurlijke entiteit zo'n boodschap heeft, spelt hij die met de letters en getallen op het bord. Waarom hij het niet gewoon hardop zegt, weet ik niet. Misschien is hij verlegen. Misschien is die bovennatuurlijke entiteit een introvert type dat ons een briefje toespeelt, zoals een derdeklasser.

Aangezien de handen van de spelers constant op het ouijabord moeten rusten, is het onmogelijk te zeggen wie die urgente boodschap nu doorgeeft. Een poltergeist? De geest van Houdini? Je maatje aan de andere kant van de tafel? Je eigen psyche? Het volgen van de wijzer, die van de ene letter naar de andere beweegt, moet een intens, langzaam en spannend proces zijn. Een geestesboodschap die letter voor letter gespeld wordt is een goede reflectie van de manier waarop we betekenis willen toekennen aan chaos. Grappig dat er een bordspel bestaat dat eeuwenlang is uitgebannen en gecensureerd, en waarbij alles draait om lezen. Je moet een boodschap uit het hiernamaals decoderen: de volmaakte metafoor van de manier waarop we de aspecten van onszelf die we niet kunnen, of misschien wel niet willen begrijpen toch proberen te interpreteren.

'Het spijt me, maar mijn vriend Frankie en ik speelden vroeger met het ouijabord,' zei Mitch, 'en ik heb altijd gebeden dat ik er niets slechts aan over zou houden. Daar heb ik om gebeden sinds ik op 19 juni 2000 de Heer vond.'

'Wat zou je er dan aan kunnen overhouden?'

'Dat weet ik niet en ik wil het ook niet weten. Een slechte invloed.'

Dat probeerde ik me voor te stellen. 'Een slechte invloed die altijd bij je blijft, zoals een stuk wc-papier dat altijd aan je schoen blijft hangen?'

Hij fronste zijn voorhoofd. 'Alleen is een stuk wc-papier niet slecht. Het is maar wc-papier.'

'Touché,' zei ik. Er ging een verfrissende waarheid schuil achter Mitch' opmerking, en ik vond het zo leuk dat ik het herhaalde. 'Wc-papier is niet slecht.'

'Als volgelingen van Christus horen we de deur naar het kwaad niet eens op een kier te zetten.'

'Omdat het kwaad zijn voet dan tussen de deur zou kunnen wringen, zoals een colporteur?'

'Je vergelijkt dingen graag met andere dingen, hè?'

'Ik ben schrijfster,' zei ik verontschuldigend.

'Ik zal de dag nooit vergeten waarop Frankie Versalini het ouijabord van zijn zus tevoorschijn haalde in de kelder. Dat ding ging helemaal los. Het bewoog heel heftig, in het wilde weg, over dat ding.' Mitch schudde zijn hoofd bij de herinnering over het ding dat losging over het ding.

'Spelde het een boodschap?'

'Nee. Maar het ging echt tekeer. Frankie en ik deden niets, dat zweer ik. Heb je ooit zoiets gedaan?'

Ik zag het wel zitten, zo'n ding dat losging uit een soort dringend verlangen naar communicatie, gekoppeld aan een onontwikkeld onvermogen om dat voor elkaar te krijgen. Het had een boodschap, verdomme! Maar het kon die niet uiten! Of misschien luidde de boodschap wel dat er een onuitsprekelijk verlangen bestaat – een diepgewortelde behoefte of pijn – dat nooit geuit kan worden. Daardoor draait dat ding op het ding en staan we hulpeloos naar zijn wanhoop te kijken.

Dit was misschien wel mijn gekste afspraakje aller tijden. Meestal hebben mensen het over hun carrière, hun familie en hun politieke overtuiging. Maar wij onthulden onze spirituele achilleshiel. Ik was zo van de wijs dat ik, toen Mitch voorstelde naar een cafeetje te wandelen, besefte dat ik onmogelijk níét met hem kon gaan lunchen. Die man en ik waren voorbestemd om samen te gaan lunchen. Eerst de noten, nu de achilleshiel.

Maar nu komt het leukste. Toen we opstonden om de straat door te wandelen, zag ik opeens mijn vrienden Alba en Raoul, die even verderop op een terrasje zaten te lunchen. We moesten vlak langs hen heen lopen, wat inhield dat ik gedwongen was hen aan Mitch voor te stellen. Ik had het stel in de lente van het jaar daarvoor voor het laatst gezien in Bologna, toen ze op bezoek gingen bij Lola. Alba was net als Lola en ik opgegroeid als mennoniete, en hoewel ze haar horizon verbreed had, droeg ze haar oorspronkelijke gemeenschap nog steeds een warm hart toe. Alba en Raoul hadden gehoord dat ik gescheiden was, dus uiteraard wilden ze graag zien welke man ik nu bij me had. Alba was een cognitief therapeute die traumatherapie gaf in ontwikkelingslanden. Raoul was een plastisch chirurg die met Artsen zonder Grenzen meereisde om hazenlippen te corrigeren. Dit zou lastig worden.

We omhelsden elkaar. Ik stelde Mitch aan hen voor en smeekte hem in gedachten niet te informeren naar de verlossing van mijn vrienden. We praatten een minuut of vijf over koetjes en kalfjes. Tot zover ging het goed. Ik haalde al opgelucht adem en dacht dat we ongeschonden uit de strijd zouden komen, toen Alba haar aandacht op de enorme spijker richtte.

'Ik heb ook zo'n spijker,' zei ze. 'Die komt uit de schuur van mijn overgrootvader. Toen we die op ons eigen land zetten, hebben we wat oude spijkers bewaard.'

'We hebben er leuke presse-papiers van gemaakt,' zei Raoul. 'Die schuur is oorspronkelijk in 1850 gebouwd.'

'1860,' verbeterde Alba. 'Vlak nadat Garibaldi Vittorio Emmanuele had ontmoet in Teano.' Ze wendde zich tot Mitch. 'En welk verhaal zit er achter jouw spijker?'

Dit was het moment waarop de demonische kracht die een slechte invloed op Mitch had, aan mijn schoen bleef hangen, om het zo maar eens te zeggen.

'Mijn spijker is de nagel in de handen en voeten van Jezus. Hij werd gekruisigd vanwege onze zonden.'

'O,' zei Alba gegeneerd.

'Maar het is niet de echte spijker,' zei Mitch. 'Dit is een replica.'

'Aha,' zei Raoul.

'Leuk jullie gezien te hebben!' riep ik vrolijk. 'Ik blijf hier nog een paar maanden. Laten we gauw eens gaan lunchen!'

Toen ik bij Alba en Raoul was, maakte ik kennis met een heel andere kant van de Californische cultuur. Meestal trof ik hen in Europa; dit was de eerste keer dat ik hun nieuwe huis in de Verenigde Staten zag. Hun zoon, Holden, was nu een grote jongen van drie, en zat midden in het overgangsproces van Welp naar Draak in zijn dure crèche.

Toen ik arriveerde voor een bezoekje van twee dagen, rende Holden naar me toe en vroeg om een cadeautje. Ik gaf hem een vel dinosaurusstickers, dat hij met plezier aannam. Hij plakte ze vlijtig op de lambrisering van de uit 1912 daterende vakwerkbungalow van Alba en Raoul. Het uur daarna, en elk daaropvolgend uur, stelde Holden me telkens weer dezelfde vraag: 'Rhoda, heb je een cadeautje voor me?' Ik had drie cadeautjes gepland voor mijn tweedaagse bezoekje: de dinosaurusstickers, een potje kneedklei en een magisch washandje. Maar meer cadeautjes had ik niet bij me. En eerlijk gezegd begon dat hele vraag-en-krijggedoe me een beetje de keel uit te hangen. Holden begon altijd te krijsen en te jammeren als ik verontschuldigend zei dat ik helaas geen cadeautjes meer had. Om te geven, dan. Ik kreeg zelf wel een keer een cadeautje van hem. Een schop tegen mijn schenen.

Alba en Raoul, die nu doorgewinterde ouders waren, reageerden onverstoorbaar op het gedrag van hun zoon. Als Holden erg hard begon te blèren, merkten ze op conversatietoon tegen hun zoontje op: 'Lieverd, soms geven mensen je geen cadeautje.' En dan vervolgden ze hun volwassen gesprek gewoon weer.

Zowel Alba als Raoul had Nick erg goed gekend, en ze deden allebei hun best te zorgen dat ik me beter voelde. Ik had voortdurend het gevoel dat ik een slecht beoordelingsvermogen had. Hoe kon het nou, vroeg ik me af, dat een ogenschijnlijk zelfbewuste vrouw vijftien jaar getrouwd was gebleven met een man die niet van haar hield? Had Nick ooit van me gehouden? Zo ja, waarom was hij daar dan mee opgehouden? En waarom was het zo belangrijk om dat te weten? Raoul zei: 'Hé, wij waren er ook bij, weet je nog? Natuurlijk hield Nick van je. Op zijn manier. Bipolariteit kan verdomd charmant zijn. Wij hielden ook van Nick. Maak je er niet zo druk om.'

'Wat jij moet doen,' zei Alba daadkrachtig, 'is weer eens een keertje uitgaan. Het is nu acht maanden geleden. Tenzij je die vent met die Jezusspijker meerekent.'

'Nog geen acht maanden,' zei ik. Ik vertelde over mijn tussendoortje met de wietroker.

'Die wietroker telt niet,' zei ze. 'Dat was alleen maar om te laten zien dat je nog kon zoenen. Ik heb het over echt uitgaan en een kerel ontmoeten met wie je iets gemeen hebt. Je weet wel, een man die jou waardeert. Een man voor wie je de politie niet hoeft te bellen.' Alba herinnerde zich de keer dat ik de politie voor Nick had moeten bellen maar al te goed: 3 januari 2001. Ik klink net als Mitch, dacht ik. Het is toch te erg dat die datum zo stevig in mijn geheugen gegrift staat?

Alba stelde voor dat ik meeging naar een aantal openingen en concerten. Raoul en zij kenden iedereen.

Op een avond gingen we met zijn vieren naar de opening van een kunsttentoonstelling. Alba en Raoul geloofden dat kinderen het niveau van sociale interactie bereiken dat wij hun laten zien; ze hielden vol dat kinderen al van jongs af aan moeten worden blootgesteld aan de schone kunsten. Als dreumesen in hun broek poepen, vervelend doen of in het openbaar een woedeaanval krijgen, dan is dat maar zo. Dus nemen ze Holden overal mee naar toe. Theoretisch mag Holden van Alba één zoet tussendoortje per dag, en hij had eerder die middag al een chocoladekoekje gehad. (Met één bedoel ik vier.) Maar Holden schopte zo'n stennis dat Raoul onderweg naar de galerie stopte om Pop Rock-snoepjes voor hem te kopen.

Bij de opening stond ik met een kunstzinnig slonzige hippe jongen te praten: warrig haar, intrigerend stoppelbaardje, krijtstreeppak van Dries Van Noten, en slippers. De hippe jongen noemde allerlei namen van bands en beroemde muzikanten waarvan de allure me volledig ontging, en wel om twee redenen. De eerste was dat mijn echtgenoot in mijn vijftien jaar durende huwelijk degene was geweest die geobsedeerd was door muziek. Hij had het als zijn taak beschouwd te bepalen waar we van hielden en naar luisterden. Bij elk dinertje was hij degene die bepaalde welke jazz er wanneer gedraaid werd. Ten tweede had ik als geboren mennoniete zo weinig kaas gegeten van de jaren zestig, zeventig en tachtig, dat het voor iedereen makkelijker was als ik me maar helemaal niet met muziek bemoeide.

Ik kwam zelden in de buurt van onze enorme wand vol cd's in al hun zorgvuldig gealfabetiseerde pracht. Meestal gaf ik de voorkeur aan de volle klanken van de stilte. Soms neuriede ik Duitse hymnen tijdens het koken of het schoonmaken, maar dan wel heel zachtjes, want Nick had een hekel aan alles wat met religie te maken had en wilde bovendien dat ik me distantieerde van wat hij mijn Betty Crocker-afkomst noemde. Maar ik hield van koken en schoonmaken, en huishoudelijk werk brengt me soms in de stemming voor een ouderwetse hymne. Een aardige vriendin op school had me eens een cd van Andy Griffith met oude gospelhymnen gegeven. Die had ik in een siliconen-ovenwant verstopt voor langdurige culinaire projecten als Nick niet thuis was. Ligt het aan mij of schenkt het echt zoveel voldoening om jampotten te vullen terwijl je de altstem van 'In the Sweet By and By' meezingt? Arme Nick. Ik voelde me altijd schuldig omdat ik zo weinig belangstelling toonde voor hedendaagse muziek.

Dus al die namen die de hippe jongen noemde, waren niet aan mij besteed. Ik had het gevoel dat hij misschien een hoop gebakken lucht was. Maar goed, hij kon ook een beroemde producent zijn. Wat wist ik ervan? Hoe het ook zij, ik vond hem niet bijster interessant. Mooie mensen schreden in willekeurige patronen voorbij met granaatrode martini's in hun hand. Plotseling keek ik over de schouder van een man en kreeg ik Raoul in het oog, te midden van de glamourtypes. Er kleefde een groot blauw Pop Rock-snoepje aan Raouls mondhoek.

Ik maakte oogcontact en veegde behulpzaam over mijn mond. Raoul vertrok zijn gezicht alsof hij zeggen wilde: 'Huh?' Oké, plan B. Ik bezigde de internationaal herkenbare gezichtsuitdrukking *man, er zit iets op je lip*. Maar ditmaal mimede hij: Wat? Terwijl ik nog steeds net deed of ik luisterde naar wat de bandjongen te vertellen had, fluisterde ik: 'Pop Rock!' tegen Raoul, die eindelijk zijn mond afveegde.

Maar de bandjongen dacht dat ik het tegen hem had. Vol charismatisch zelfvertrouwen zei hij: 'Pop Rock? O ja, die heb ik vorige zomer in de Roxy horen spelen. Ik had een backstage-pasje.'

Begrijp me niet verkeerd: ik ben dol op connaisseurs. Er is altijd wel een blanke geleerde die zich met de zwarten vereenzelvigt. Er is altijd wel een cocktail met een retro-ingrediënt zoals zeewier. Er is altijd wel een conceptueel kunstenares die het liefst haar eigen menstruatiebloed gebruikt om mee te schilderen. Er is altijd wel een witlofschotel waar gemberchutney in moet, en altijd wel een dansgroep die weigert echt te dansen. Er is altijd wel iemand die serieus verkondigt: '*Onderworpen*, evenals *productief*, is in die zin misleidend dat het snel kan worden gedefinieerd, maar dat er niet zo snel over kan worden gediscussieerd vanwege de vele manieren waarop de definitie geïnterpreteerd kan worden.' Er is altijd wel een fashionista in een kastanjebruine jurk die een grote paarse ui als accessoire draagt. En als je weer naar huis gaat, is er altijd wel een oppas die de woorden verhaspelt en zingt: 'Op een slak, op een slak, zat een dikke tak.'

Dat zijn zo van die binnenpretjes. Als ik me niet vermaak tijdens zo'n bijeenkomst, kan ik er in elk geval om lachen. Maar om de een of andere reden lukte het deze keer niet. Ik weet niet waarom. Misschien komt het doordat ik deze wereld te sterk associeer met mijn huwelijk.

Op een middag was ik bij Alba in de achtertuin op Holden aan het passen. Raoul was in China om hazenlippen te opereren, Alba was naar pilates en de oppas zat bij de pedicure. Het was echt zo'n volmaakte Californische namiddag – warm genoeg om in de schaduw van de pergola te gaan zitten, die vol met jasmijnbloesem hing. Holden vermaakte zich met twee trommelstokjes en een elektronisch keyboard dat een keur aan percussieritmes bood. Hij had een technobeat gekozen, die nog steeds op zijn allerhardst stond toen hij het ding op het trapje liet liggen en naar me toe kwam onder de pergola. Ik vreesde voor wat komen ging.

'Rhoda,' zei hij vreselijk bedrukt. 'Heb je een cadeautje voor me?'

'Nee, Holden, het spijt me.'

Zijn gezicht werd rood en hij zette het op een krijsen. Zijn vrolijke bui was op slag verdwenen. Hij begon te huilen en sloeg met zijn trommelstokjes tegen de pergola. 'Je hebt geen cadeautje voor me meegebracht!' brulde hij. Hij kronkelde en sloeg als een Tasmaanse duivel om zich heen, dus kon ik hem niet optillen. 'Ik wil een cadeautje!'

'Ik ook,' zei ik.

Arme Holden! Ritmewoesteling, stoktrommelaar, schenenschopper! Hij ging tekeer en schopte om zich heen, en ik bleef gewoon zitten. Maar ergens herkende ik zijn ontevredenheid wel. Op het trappetje bleef de technobeat maar door tetteren, en ik hoorde het ritme tussen de snikken door. Alba's zware jasmijnstruik verspreidde een honingzoete geur. Hoe kon zo'n fraaie tuin zo vervuld zijn van ontevredenheid, van een gevoel van verlies om wat we nooit gekregen hadden? 'Waar is mijn cadeautje?' gilde hij, en terwijl hij blèrde, balde hij zijn vuistjes en kreeg hij een vuurrode blos op zijn wangen, en zijn verdriet zwol aan tot hij de vleesgeworden pathos zelf werd. Zijn hele lijfje ging tekeer, hij ging helemaal los. Hij was de afgezant van ons allemaal – wij, die het gevoel hadden dat we niet hadden gekregen waar we recht op hadden; wij, die het gevoel hadden dat de namiddag van ons leven doortrokken was van woede en smart.

10

De bazuin zal klinken

Mijn moeder stelde voor op bezoek te gaan bij een zwakke oudere
dame die herstellende was van een longontsteking. Ze opperde dat
we mevrouw Leona Wiebe een schaal verse Zwiebachs zouden brengen en mijn moeders eigen visitekaartje, een minipotje zelfgemaakte aardbeienjam. 'Om te proeven, vandaar dat kleine potje. Dan
heeft ze niet het gevoel dat ze te veel eten in die kleine koelkast
heeft.' In de vriezer in de garage had mijn moeder honderden van
dit soort eenpersoonsjampotjes. Ze stonden in soldateske torens
opgesteld. Ze voorzag eigenhandig in de jamvoorraad van twee be-
jaardentehuizen.

Toen ik voor het eerst de deur van de vriezer in de garage open-
deed en geconfronteerd werd met het bewijs van haar grootsheid,
vroeg ik waarom mijn vader en zij zoveel jam nodig hadden.

'Ach,' zei ze. 'Ik ben diacones.'

'En die positie vraagt om jam?'

'Nou ja, je wilt toch iets meenemen om die oude dames op te vro-
lijken. Zelfgemaakte jam doet hen denken aan vroeger, toen de jam
nog niet namaak was. Wie zou er nog jam uit de winkel willen, als
je het echte spul kunt krijgen? Je moet eens met me meegaan naar
de oude mevrouw Leona Wiebe. Die is zesentachtig,' voegde mama
eraan toe, alsof dat me over de streep zou trekken.

En dat was ook zo. Ik vond het leuk om met de oudjes op te trekken.

'Is ze geestelijk nog bij de tijd?' vroeg ik.

'Jazeker! Ze draagt een pruik.'

Vandaar.

De oude mevrouw Leona Wiebe begroette ons gracieus met haar

witte pruik en zorgvuldig aangebrachte make-up. We hadden haar gebeld voordat we kwamen, zodat ze haar pruik op kon zetten, en mevrouw Leona Wiebe had uitstekend werk verricht. Zag mijn eigen make-up er maar zo mooi uit.

'Leona!' Mijn moeder gaf haar een schaduwknuffel, voorzichtig om die frêle schoudertjes niet fijn te knijpen. 'Je hebt weer kleur op je wangen! Toen ik je in het ziekenhuis zag, was je zo bleek. Ik dacht nog: die maakt het niet lang meer op deze wereld!'

'God is goed voor me,' zei de oude mevrouw Wiebe. 'Ik heb mijn ademhalingsapparaat. Dat moet ik eigenlijk ieder uur doen, maar ik denk er niet altijd aan als ik ergens mee bezig ben.'

'Een incentive spirometer? Kun je het balletje helemaal omhoogkrijgen?' vroeg mijn moeder, de eeuwige verpleegster.

'Nee, ongeveer voor de helft. Maar ik kan hem daar wel zes seconden vasthouden. Stukje bij beetje, loof de Heer! Ik hoop dat ik snel weer op de baan sta.'

Achter Twilight Shores bevond zich de atletiekbaan van de mennonietenuniversiteit, een heerlijke voorziening. Nu ik eindelijk weer genoeg energie had om te sporten, ging ik daar elke ochtend hardlopen. Onder de strakblauwe Californische hemel nodigde die baan uit tot dromerige verten, warme, heldere kilometers. Ik rende als in trance en genoot van de roep van de pauwen op het nabijgelegen Havakian-landgoed. Het was mijn eerste langdurige kennismaking met pauwen. Ze miauwden onheilspellend, als katten uit de onderwereld. Als ik vroeg genoeg was, kwam ik meneer en mevrouw Clarence Penner tegen. Die liepen elke dag twaalf trage rondjes, waarbij ze de hele tijd elkaars hand vasthielden. Het enige wat mijn ervaringen op deze baan nog kon overtreffen, was als ik de oude mevrouw Leona Wiebe als een blonde spin op het gras zou kunnen zien.

We gingen op haar bloemetjesbank zitten.

'Ik ben net zevenentachtig geworden, prijs de Heer,' vertelde ze.

'Nog vele jaren!' zei mijn moeder.

Ik maakte in gedachten wat berekeningen. 'Calvin Coolidge was president toen u geboren werd,' zei ik. 'U moet al een jonge vrouw zijn geweest tijdens de Tweede Wereldoorlog. 'Suikerrantsoenen, jongens in uniform.'

'Nee, liefje,' zei Leona, die haar in een taupe broek gestoken benen elegant over elkaar sloeg. 'Ik woonde destijds in China. Ik herinner me de bange tijden onder generaal Chiang Kai-shek.'

Ik ging rechtop zitten. 'O! Het moet toen voor missionarissen vreselijk gevaarlijk geweest zijn in China!'

'Dat was het ook. We vreesden voor ons leven. Wij kinderen waren allemaal in China geboren en spraken eerder Chinees dan Engels, dus verstonden we wat de mensen in het dorp zeiden. Onze ouders niet, die hadden een tolk nodig, die de dingen altijd mooier maakte dan ze waren. Desondanks waren mijn ouders bang. Mijn ouders zetten eten en water aan één kant van ons huis, en daarna brachten ze een heleboel bakstenen van modder naar binnen, die we hadden gemaakt. Het was mijn vaders idee om een valse muur in het huis te zetten en ons daarachter te verbergen, zodat de soldaten nooit zouden weten dat we er waren. De soldaten die onder Chiang Kai-shek dienden, hadden nooit veel geld of eten gekregen, dus braken ze uit om het land af te struinen. Dan vielen ze een dorp binnen, roofden al het eten en vielen de vrouwen aan. Dat waren bange tijden.'

'Zijn de soldaten ooit bij jullie binnen geweest?' vroeg ik.

'Godzijdank niet. De Heer heeft ons behoed. Maar de soldaten terroriseerden tot twee keer toe het dorp, dus moesten we ons verstoppen. Ik weet nog dat onze bewaker naar onze schuilplaats riep dat we konden ophouden met bidden. We waren veilig.'

'En was dat ook zo?'

'Nou, we hoorden een vreselijk tumult in het dorp, dus we wisten dat de soldaten er nog waren. Mijn oudere zus Rebecca vroeg de bewaker waarom hij dacht dat we in veiligheid waren. Hij zei,' en ze boog zich ernstig met pruik en al naar voren, 'dat er twee engelen op de muur zaten.' Ze dempte haar stem tot een heilige fluistering.

Ik had nog nooit iemand ontmoet die had beweerd een engel gezien te hebben, al was het dan uit de tweede hand. Wat mij betrof was het zien van engelen net zoiets als ontvoeringen door buitenaardse wezens, of ouijakrachten aan je schoen. Natuurlijk schoot ik meteen overeind bij het horen van het verhaal van mevrouw Leona Wiebe. 'Echt?' vroeg ik, en mijn mond viel open. 'Echte, levende engelen? Twee nog wel?' Kwamen ze altijd met zijn tweeën? Partners voor het leven, net als zwanen?

'Twee levende engelen,' beaamde mevrouw Leone Wiebe plechtig. 'Waren ze...'

'Nou, we zullen je niet langer ophouden,' zei mijn moeder, en ze keek me fronsend aan. 'Ik heb wat Zwiebachs en een klein beetje aardbeienjam voor je meegebracht.'

'Dank je, lieverd. Ik kan je niet vertellen hoezeer ik je bezoekjes waardeer. Je bent zelf een engel. Als iemand me dan toch in die toestand in het ziekenhuis moest zien,' en ze tikte op haar pruik, 'dan ben ik blij dat jij het was.'

Toen we terug naar huis liepen, klaagde ik dat mijn moeder me in de rede was gevallen toen het net leuk begon te worden.

'Ik vond het niet aardig dat je die arme Leona belachelijk maakte,' zei mijn moeder streng. 'Ze heeft recht op een stel engelen op de muur.'

'Ik zou er zelf ook wel een paar willen,' zei ik. 'Ik maakte haar niet belachelijk. Ik wilde gewoon weten wat die engelen daar op de muur deden. Waarom waren ze niet in het dorp om de Chinezen te beschermen?'

'Misschien hadden de Chinezen niet gebeden.'

'Mama!' riep ik, en ik bleef vol afschuw abrupt midden op de stoep staan. 'Misschien is er iets mis met een religie die een engel stuurt om de Amerikanen te beschermen, maar de Chinezen het zelf laat uitzoeken! Ik vraag me af wat ze aanhadden.'

'De Chinezen?'

'De engelen.'

'Oude mensen zoals Leona mogen dan wat fantasieloos zijn in hun overtuigingen, maar God doet zijn werk op wonderbaarlijke, grootse wijze.'

'Mam,' zei ik argwanend, 'ga je me nu vertellen dat jij ook engelen ziet?'

Ze lachte. 'Nee. Maar er zijn krachten en overheden. Over kerspruimen gesproken, wil je me helpen Pluma Moos te maken?'

Mijn bezoek was bijna ten einde, maar mijn moeder bleef me verrassen. Een van de grootste verrassingen voor iedereen binnen gehoorsafstand was haar hardnekkige winderigheid. Haar scheten waren luid en verbijsterend, zoals de speeches van Daniel Webster. Die explosies waren inmiddels zo frequent en toch zo achteloos, dat ze zich er niet eens meer voor verontschuldigde. Ze ging er stoïcijns mee om, alsof het er gewoon bij hoorde.

Mijn vriendin Lola, die ook te kampen heeft met gevoelige darmen, vertelde een keer dat ze zich diep had geschaamd tijdens een culturele avond in een villa in Bologna. Twee Italiaanse kunstenaars waren haar naar de keuken gevolgd, waar ze voorafjes op een dienblad zette. Plotseling liet ze duidelijk hoorbaar een wind waar die mannen bij waren. Ze verstijfden en staarden haar aan. De arme Lola improviseerde maar wat. Ze haalde haar schouders op, lachte en zei: *'Che posso dire? Sono americana!'* ('Wat kan ik ervan zeggen? Ik ben Amerikaanse!') Ik vertelde Lola's verhaal aan mijn moeder en stelde voor dat ze elke keer als ze zich in een dergelijke situatie bevond, luchtig haar schouders op zou halen en de schuld op haar geboorteland zou afschuiven. Dan kon ze bijvoorbeeld mompelen: 'Sorry! Ik ben Canadese!' of misschien: 'God save the Queen!'

Tijdens mijn laatste week in Californië stonden we een keer in een winkel bundt-cakevormen te bekijken. Daar, in het bijzijn van talloze winkelende mensen en een blindengeleidehond, liet mijn moeder een klaroengeschal horen waar alle andere scheten bij in het niet vielen: zo vol, zo specifiek, zo donderend dat het bijna profetisch was. Dit was de Mozes van alle scheten, een leider. De bazuin zal klinken! Hij zal ons tot actie aanzetten! Ik kon niet geloven dat mijn eigen moeder zo'n opmerkelijk akoestisch effect had geproduceerd. In het openbaar nog wel.

Mama deed me altijd denken aan de deugdzame huisvrouw in Spreuken 31, wier waardij verre boven de robijnen is. Ze had nog meer gemeen met die vrouw. 'De deugdzame huisvrouw,' merkte ik op, denkend aan Spreuken. 'Zij omgordt haar lendenen met kracht.'

'Ik zou maar niks zeggen,' zei mijn moeder dreigend. 'Je bent half Canadees, weet je nog?' Toen liet ze nog een klein windje, als om het te benadrukken. Ze heeft altijd het laatste woord.

Het incident in de winkel leek gek genoeg iets te maken te hebben met mijn moeders omgang met de frêle, bepruikte mevrouw Leona Wiebe. Mama's stoïcijnse houding ten aanzien van het lichaam en alle bijbehorende functies was bijna christelijk, gezien haar ideeën over openheid en transparantie. Wat iedereen beschouwde als gebreken van het lichaam – de dood, ziekte, darmproblemen – zag zij eerder als normale lichaamsfuncties. Ze sprak net zo over de dood als over het leven, nuchter, met dat goedmoedige enthousiasme dat totaal niet in de huidige wereld past. Ze had tegen mevrouw Leona Wiebe gezegd dat die er in het ziekenhuis vreselijk uit had gezien. 'Niet lang meer op deze wereld,' had ze letterlijk gezegd. Dat zou wel het laatste zijn wat ik tijdens een bezoekje aan een herstellende patiënt zou zeggen, maar uit mijn moeders mond leken die woorden vreemd genoeg troostend, alsof er inderdaad een tijd is voor alles onder de zon. Zo is ook het achterwege laten van een verontschuldiging als je last hebt van darmgassen voor de meeste Amerikanen een choquerende schending van de etiquette. Maar bij mijn moeder maakte dit gedrag duidelijk dat de manieren die we verwachten niet per se de manieren hoeven te zijn die we krijgen. Daar ging een verfrissende eerlijkheid van uit... al zweer ik op een stapel corduroy bijbels dat, hoeveel ik ook van die vrouw hou, ik haar gedrag in die winkel niet zal nadoen.

Ik peinsde er even over door wat het vandaag de dag zou betekenen om een deugdzame huisvrouw te zijn. Mijn moeder, de schat, telde niet echt mee; zij was een deugdzame vrouw uit een ander tijdperk. Mary Loewen Janzen zou de engelachtige negentiende-eeuwse Marmee uit *Onder moeders vleugels* nog iets kunnen leren. Marmee en mijn moeder genazen allebei de zieken, gaven de armen kleding en brachten jam naar de zwakken. Beiden stelden zich gratis aan ploeterende jonge moeders beschikbaar als oppas. Beiden maakten gebruik van hun medische kennis om zorg te verlenen.

Beiden droegen een omslagdoek en een breedgerande hoed, als je de vrijdagochtend meetelde, want dan werkte mijn moeder vrijwillig als docent bij het Meux Home Museum. Beiden naaiden, zongen en dienden de Heer. Misschien liet de strak ingesnoerde Marmee geen knetterende winden die blindengeleidehonden stokstijf stil lieten staan, maar in vele opzichten waren mijn moeder en zij even deugdzaam. Een handige manier om deugdzaamheid te peilen, is kijken hoe deugdzame vrouwen zich gedragen als ze ergens teleurgesteld over zijn. Ik weet zeker dat mijn moeder zou willen – en ervoor bidt! – dat ik een geestelijk thuis zou hebben, zelfs als dat geen mennonietenkerk zou zijn. Ik denk dat ze zelfs de voorkeur zou geven aan een charismatische, praatzieke, gebed-genezende gospelkerk boven helemaal geen kerk. Maar net als Marmee staat ze altijd achter haar dochters, steunt ze ons altijd en verwelkomt ze ons altijd met open armen, welke keuze we ooit gemaakt hebben. En we hebben heel wat vreemde keuzes gemaakt, Hannah en ik. Die loyaliteit lijkt terug te voeren op vroeger eeuwen, of in elk geval op de hagiografische literatuur daarover.

Maar hoe zat het met deugdzaamheid in de eenentwintigste eeuw? Ik vroeg me af of deugdzaamheid, net als maagdelijkheid, zelfs in een conceptuele omgeving niet meer bestond. In de westerse wereld is maagdelijkheid dezelfde kant op gegaan als melkbussen en boterhammen met reuzel. Dat wil zeggen, maagdelijkheid bestaat technisch gesproken nog wel, in de zin van mensen die nog nooit seksueel actief zijn geweest. Maar de oude definitie van een maagd als een reine, jonge vrouw die nog niet bezoedeld is door kennis van seks, bestaat niet meer. Misschien was ik wel de laatste maagd geweest. Tegenwoordig zijn zelfs mensen die nog niet seksueel actief zijn wél bekend met het fenomeen seks. Maagdelijkheid is daarmee een veranderd begrip. Dat geldt ook voor deugdzaamheid. Zouden we met de kennis die we hebben nog terug willen naar de tijd waarin we dachten dat moraliteit simpel was en dat goedheid iets was wat je bij Marmee op schoot leerde?

Stel je bijvoorbeeld eens voor hoe onmogelijk het is om de rol van deugdzame vrouw op je te nemen, terwijl je beroepsmatige verplichtingen je jambezorging aan bejaarden in de weg staan. Stel je voor wat er gebeurt als wetenschap en educatie aantonen dat veel stellingen van de georganiseerde religie intellectueel gezien niet houdbaar zijn. Zo is het geloof in echte engelen iets wat ik niet onderschrijf. Maar ik kan niet voorbijgaan aan de oprechte warmte die mijn moeder uitstraalt – en die alle mennonieten uit lijken te stralen. Het is duidelijk dat deze mennonietengemeenschap het echte werk is. Wat ze prediken, doen ze ook echt.

Ik kom al jaren niet meer in de mennonietenkerk. Ik heb levenskeuzes gemaakt die onverdraaglijk zouden zijn voor deze conservatieve gemeenschap. O god, als ze al moeite hadden met de liposuctie van mevrouw Ollenburger, wat zouden ze er dan wel niet van vinden dat ik met een atheïst getrouwd was! Behalve het feit dat mijn huwelijk alle begrip te boven ging, was het ook schokkend dat ik mezelf, toen ik begin twintig was, vrij had verklaard van lichamelijke schaamte. Dat uitte zich in zwarte minirokjes, een enorme bos haar, knalroze lippenstift en absurd hoge Manolo's. Zo'n ensemble droeg ik eens toen ik een onderscheiding in ontvangst nam op een mennonietenuniversiteit. Destijds leek me dat wel een veelzeggend gebaar.

Toen ik jong was, zouden de mennonieten vol angst en walging zijn teruggedeinsd bij de gedachte aan een vrouwelijke predikant, en zelfs nu nog ken ik een mennonitische provoost die onlangs nog was 'overgehaald' om een vrouwelijke theoloog aan te nemen voor een academische faculteit. Er waren mensen, onder wie mijn vader, die geloofden dat de kerk met de tijd wel vooruit zou gaan. Maar naar mijn mening lag de mennonietenkerk al ruim vijftig jaar achter op de burgerrechtenbeweging, en ik had geen zin om te wachten. Ook kon ik niet leven met de mennonitische houding ten aanzien van homoseksualiteit ('Verwerp de zonde, maar omarm de zondaar!') of abortus ('Veroordeel de moeder, hou van de baby!').

De derde reden – alsof ik er nog een nodig had – was de bekrompen, traditioneel christelijke definitie van verlossing. Verlossing, geïllustreerd met een letterlijk zwart-wit beeld van de hemel en de hel, was net een vliegticket dat je in de maag werd gesplitst als je even niet oplette. Je kon alleen verlost worden als je Jezus in je hart toeliet, het liefst met tranen, een belijdenis, twee weken in het Heartland Christian Camp, en een corduroy bijbel met een zakje waar je, laten we zeggen, reuzenmargrieten op geborduurd had. Met één dramatische stelling werden alle beoefenaars van concurrerende wereldreligies verdoemd. Die waren naar de hoge, dorre vlakten van de hel afgedwaald. (Vandaar de collectieve mennonietenbelangstelling voor Chaco.)

Mijn ouders hadden altijd laten zien wat het inhield om een verplichting aan te gaan – aan elkaar, aan hun woord, aan hun kerk, zelfs aan de rijstrook die ze gekozen hadden. Als het moeilijk werd, trokken volgelingen van Christus zich dan terug en veranderden ze van gedachten? Helemaal niet! Als er meningsverschillen waren binnen de kerk, stonden ze dan op om de kerk te verlaten? Dat had je gedroomd! Ondanks mijn kritiek had ik misschien net zo met mijn kerklidmaatschap om kunnen gaan als met een vijftienjarig probleemhuwelijk waar ik eigenlijk liever niet op in wil gaan. Ik had kunnen blijven, en blijven, en blijven. Ik had mijn ogen kunnen sluiten voor alles wat niet klopte. Maar er gebeurde iets waardoor ik werd weggejaagd.

Ik schreef me in bij het seminarie.

Nu denk je misschien: ben je helemaal gek geworden? Of, als je tactvoller bent: ben je soms een beetje gek geworden? Maar hoor eens, ik was destijds in de twintig en had net mijn eerste masterdiploma op zak. Een inschrijving bij het seminarie lijkt misschien een vreemde keuze voor iemand die later een langdurige, plezierige verbintenis met een potrokende atheïst aanging, maar iets aan het seminarie leek me heel aanlokkelijk. Niet dat ik ooit van plan was predikant of theoloog te worden, zoals mijn vader. Ik zag de goddelijke masterstitel als een luxe, net zoals schrijvers nu vaak een graad halen in creatief schrijven: twee heerlijke jaren lezen en schrijven, zonder garantie dat je daarna werk krijgt, en dat voor de weggeefprijs van veertigduizend dollar! Ik had het bestaan van een god niet uitgesloten. Nog steeds niet, trouwens. Sterker nog, ik kom er rond voor uit dat ik in God geloof. Ik ben altijd dol geweest op de prachtige, mysterieuze kracht van de Bijbel en het dodelijke verleden en de bedwelmende charme ervan. Ik dweepte met het idee dat ik Hebreeuws en Grieks zou leren. Ik verlangde naar een langdurige studie met andere studenten die zich ook nietig voelden door de kracht van de schepping en de onvermijdelijke zoektocht naar een hogere bedoeling in deze geschonden wereld.

Maar goed. Nadat ik mijn huiswerk had gedaan en de verschillende protestantse gezindten had bekeken om te zien hoe die precies dachten over de hermeneutische zaken die voor mij het belangrijkst waren, besloot ik me in te schrijven voor een mennonietenseminarie. Moet je je voorstellen: uiteindelijk kon ik me helemaal vinden in de mennonitische mening over wereldvrede, hoewel ik moet zeggen dat ik me nog steeds ongemakkelijk voelde over hun intentie om Chaco te evangeliseren. Robert Frost zou me geweldig hebben gevonden. Daar stond ik dan, op een kruispunt in mijn leven. Als ik het ene pad zou inslaan, zou ik een heuse, onvervalste mennoniet worden. Dan zou mijn toekomst bestaan uit gebedskettingen, plooirokken, een permanentje, corduroy bijbels en kinderen die ik op de juiste manier zou opvoeden. Ik zou met een man met een stom kapsel trouwen en we zouden bidden voor het eten, en samen zouden we pleiten voor 'liturgisch bewegen' tijdens de gebedsdienst. Als ik het andere pad nam, was er geen weg terug. Ik stond daar maar te treuzelen en te weifelen, als de vrouw van Lot, die triest genoeg nooit de kans had gekregen om het gedicht van Frost uit haar hoofd te leren en zo extra waardering te krijgen.

Seminarie, verdomme! Ik stond op het punt het s-woord los te laten op al mijn vrienden, toen ik een brief kreeg van de enige andere vrouw die op het seminarie was toegelaten. Mennonitisch als het was, liet het seminarie maar weinig vrouwen toe. Hoewel de mennonieten geen regel hadden die een studie theologie door vrouwen verbood, was er voor vrouwen in die tijd nog steeds geen toekomst in de hogere regionen van de kerk. Ik heb de briefschrijfster nooit persoonlijk ontmoet, maar ze heeft mijn leven voorgoed veranderd.

Die vrouw, laten we haar Esther noemen, had gehoord dat er een andere vrouw op het seminarie was toegelaten. Esther was dolgelukkig! Ze beloofde dat ze zusterlijk solidair met me zou samenwerken! We zouden elkaars mentor worden! Zes handgeschreven bladzijden lang deed Esther argeloos een gooi naar het patriarchaat. Ze was net een jong katje dat een aanval doet op je enkels zodra je langs de bank loopt – schattig! Fris en fruitig! Ze zou voor me bidden! Ze ondertekende met een Bijbelvers en een smiley, en daaronder een lief duifje met een olijftak in zijn snavel. Ze gebruikte het woord *agapè*, een vroegchristelijke, Griekse term die broederliefde – of in dit geval zusterliefde – betekende.

De volgende dag schreef ik me in plaats daarvan in voor twaalf andere masterstudies.

Mijn vader vertelde me onlangs een verhaal dat waarschijnlijk in een van zijn preken voorkomt. Hij beschreef twee kameraden uit de Tweede Wereldoorlog die goede vrienden geworden waren. Toen een van hen omkwam in de strijd, riskeerde de ander zijn leven om het lichaam van zijn vriend naar een katholieke priester in een Frans dorp te brengen. Maar nog voordat zijn vriend op het kleine kerkhof begraven kon worden, moest de priester hem een belangrijke vraag stellen. Was de overledene katholiek geweest? De soldaat schudde zijn hoofd. 'Nee, dat wil zeggen, ik weet het niet zeker. Volgens mij was hij niet gelovig.' De soldaat moest weg, maar beloofde dat hij op een dag zou terugkeren om respect te betuigen aan het graf van zijn vriend.

Jaren later keerde de oud-soldaat terug naar het dorpje en vond de oude kerk. Hij was zelf ook geen gelovig man, maar hij had begrepen dat zijn vriend niet in aanmerking gekomen was voor een begrafenis op het kerkhof. Een graf binnen de hekken van het kerkhof was alleen voor katholieken weggelegd. Het hek om het kerkhof had altijd de grenzen van het Hemelse Koninkrijk aangegeven. De oud-soldaat zocht dan ook buiten het kerkhof naar de grafsteen van zijn vriend. Maar hij kon hem niet vinden. Uiteindelijk vond hij de priester aan wiens zorgen hij jaren daarvoor het lichaam van zijn vriend had toevertrouwd. De priester herinnerde zich hem nog en bracht hem tot zijn verrassing naar een graf op het kerkhof zelf.

'Maar mijn vriend was niet katholiek! Ik dacht dat hij dan buiten het hek begraven zou worden!' riep de oud-soldaat uit.

'Ja,' zei de priester. 'Maar ik heb het boek over kerkrecht doorgespit, en er stond nergens dat we het hek niet mochten verplaatsen.'

We gaan allemaal op een andere manier met rouw en verdriet om. We vinden misschien troost in de gedachte aan engelen op een muur, die op moeilijke momenten over ons – speciaal over ons – waken. Misschien putten we troost uit het troosten van anderen, zoals mijn moeder dat doet. Maar stel dat er geen troost bestaat? Stel dat een engel op de muur wel het laatste is dat je je voor kunt stellen? Als er een engel op de muur zat, heeft Nicks broer Flip die in elk geval nooit gezien. Flip ging met zijn rouw en verdriet om door zelfmoord te plegen.

Mijn schoonouders gingen niet naar de begrafenis – ze beschouwden Flips zelfmoord als een roep om medelijden van een solipsistische lapzwans. In hun christelijke logica wisten Nicks ouders niet wat ze met een zoon aan moesten die zelfmoord had gepleegd. Ze geloofden dat zelfmoordenaars net als ongelovigen naar de hel gingen. (Ik was er kort daarvoor achter gekomen dat zelfmoordenaars in sommige Canadese mennonietenkerken nog tot het eind van de jaren vijftig buiten het hek werden begraven.) Nick en ik begrepen nooit waarom zijn ouders zo op de dood van hun zoon reageerden. Hoe kan iemand die zelf nooit de wanhoop die schuilgaat onder een suïcidale depressie heeft ervaren een ander nu zo zelfingenomen veroordelen en verdoemen?

Flip was de broer met wie Nick de beste band had. Flip had fouten gemaakt. Hij was vader geworden terwijl hij heel goed wist dat hij te depressief was om een goede, of zelfs maar adequate ouder te zijn. Hij ging gehuld in zijn eigen ellende en wanhoop en was niet eens in staat tot de simpele aanwezigheid die vereist is om lief te hebben. Flip kon er niet voor een ander zijn. Hij kon niet luisteren. Hij kon de mensen die om hem gaven niet eens laten weten wat hij wilde of nodig had. Zoals zoveel mensen die aan een ernstige depressie lijden, hield hij geen enkele baan vol, want hij slikte zijn medicijnen niet. Hij had het ene baantje na het andere en raakte alles kwijt. Eén keer werd hij ontslagen wegens onprofessioneel gedrag, en we zijn er nooit achter gekomen wat dat nu precies was. Zijn vrouw ging bij hem weg, en de vriendinnen die hij daarna had verlieten hem ook. Op zijn tweeënveertigste slikte hij uiteindelijk een flesje vol antidepressiva en stikte in zijn eigen braaksel terwijl hij voor een toilet in een goedkoop hotel knielde. Het leven van een man in één alinea. Nick en ik waren met afschuw vervuld toen zijn ouders Flip van egoïsme beschuldigden. En we waren verbijsterd toen de christelijke gemeenschap Flip schuldig achtte aan onvoldoende gelovigheid; we hoorden goedbedoelende christenen werkelijk zeggen dat als Flip maar op God had kunnen vertrouwen, de tragedie van zijn dood voorkomen had kunnen worden.

Eén kerkleider ging zelfs zover dat hij suggereerde dat Flip ervoor had gekozen op aarde een hels leven te leiden, en dat hij daarmee ook een hel in het hiernamaals had verkozen. We waren gewoon ontzet dat iemand kon denken dat iemands psychische hel hem tot in het graf kon volgen. Wat Flip ook had gedaan of nagelaten, het minste wat hij verdiende was ons medeleven en onze liefde.

Voor mij was het makkelijk om medeleven en begrip op te brengen voor Flips lijden, aangezien Flip mij nooit persoonlijk gekwetst had. Maar het is veel moeilijker om medeleven en begrip te tonen als je direct gekwetst bent en wordt meegesleurd in iemands ellende.

In de maanden voordat Nick me verliet, toen zijn gedrag steeds wanhopiger werd, toonde ik medeleven noch begrip. Ik was murw van de shock. En het duurde heel lang voordat ik weer bij mijn positieven kwam. De verleiding is groot om stellige, vernietigende uitspraken over Nick te doen. Hij heeft me gebruikt omdat hij nooit van me gehouden heeft. Hij heeft me verlaten omdat hij homo is. Hij heeft me bedrogen omdat hij wreed is. Al die beweringen zouden mijn eigen aandeel in het mislukken van ons huwelijk buiten beschouwing laten. Trouwens, geen van bovenstaande stellingen is waar. Nick hield van me voor zover hij daartoe in staat was, zolang hij daartoe in staat was. Ook heeft hij tegenover mij nooit een geheim gemaakt van zijn biseksualiteit; ik begon aan mijn huwelijk in de volle wetenschap dat Nick verkering had gehad met een man voordat hij bij Julia introk, de vrouw met wie hij acht jaar samen was voordat hij mij ontmoette. En iedereen die een basiscursus psychologie heeft gevolgd weet dat wreed gedrag vaker een symptoom dan een oorzaak is.

Net als Flip deed ook Nick wat hij vond dat hij moest doen. Net als Flip maakte ook Nick een keuze die resulteerde in een eind, maar misschien ook in een nieuw begin. Beide keuzes waren manieren om genezing tot stand te brengen en kwamen voort uit een wanhoop en een droefheid die zo groot waren dat er geen woorden bestonden om de pijn uit te drukken. Ik wil niet zo worden als Nicks ouders, die hun zoon verweten dat hij hen had gekwetst door zelfmoord te plegen. En ik wil al helemaal niet zo worden als die verbitterde vrouwen die hun ex maar niet kunnen vergeven dat hij hen bedrogen heeft. Ik ken een vrouw die zich na tweeëntwintig jaar nog steeds verraden voelt! Haar gezicht is hard geworden door haar zelfmedelijden, en zelfs haar ogen zien er waakzaam uit tussen alle botox, als kinderen die uit een leeg huis koekeloeren. De wereld van die vrouw is steeds kleiner geworden en is nu slechts zo groot als een martiniglas. Na al die jaren wil ze er nog steeds over praten dat haar man haar twintig jaar geleden zo slecht heeft behandeld. Hij hééft haar ook slecht behandeld, dat lijdt geen twijfel. Maar haar exman heeft in die twintig jaar een hoop geleerd; hij is gegroeid en veranderd. Hij is, zij het wat laat, een goede vader en een liefdevolle partner geworden, terwijl zij steeds maar weer die verlammende injectienaald in dezelfde rimpel blijft steken, telkens weer opnieuw. Zijn er dan echt geen andere manieren om je gevoel van verlating te verwerken dan door steeds maar het boze slachtoffer te spelen?

Ik herinner me een triest zelfmoordverhaal uit mijn zondagsschooltijd. Een man die Achitofel heette gaf koning David een wijze raad, die de koning niet opvolgde. Achitofel was een grote naam in de wereld van politieke raadgeving, een soort Condoleezza Rice, maar dan voor de koning. Achitofel had een heel sexy kleindochter, die er naakt nog beter uitzag. De sexy kleindochter heette Batseba. Om een lang verhaal kort te maken: de raad die Achitofel aan de koning gaf, was 'blijf van Batseba af'. En o ja, hoogheid, ga Batseba's man niet vermoorden zodat jij met haar kan wippen. Koning David woog deze raad zorgvuldig af, maar hij was nu eenmaal de koning, dus besloot hij de raad niet op te volgen. Dat is een politiek patroon dat we ook nu soms nog zien bij presidenten van grote kapitalistische landen.

Aan de ene kant was daar het advies van een raadsman die door de jaren heen zeer betrouwbaar was gebleken. Aan de andere kant was daar Batseba's ongelooflijk lekkere kontje. Toen koning David zijn keuze maakte, probeerde Achitofel een wanhopig, maar zwak plan te smeden om hem te vermoorden. Achitofel was zelfs bereid koning David eigenhandig te vermoorden. We kunnen wel raden wat er nu komt: ja hoor, soms werkt een geplande militaire coup averechts. Toen zijn plan om de koning uit te schakelen mislukte, ging Achitofel naar huis, ruimde de rommel op en hing zichzelf op.

Nu komt de clou. We hebben meermalen te horen gekregen dat die arme Achitofel een goddelijke raadsman was. Als hij sprak, 'was het alsof God via hem sprak'. Waarom zou een goddelijke raadsman moord en verraad plannen, ook al had hij daar nog zo'n goede reden voor? Ook al was hij gekwetst en rouwde hij om zijn geliefde kleindochter?

Ik denk dat het antwoord het beste in de vorm van een andere vraag gegoten kan worden, net als bij *Jeopardy*. Wie weet? Wie weet hoe we zowel goed als slecht, zowel gekwetst als kwetsend kunnen zijn? Het antwoord is dat niemand weet hoe. Niemand weet waarom. Het enige waar we het over eens kunnen zijn, is het feit dat de menselijke aard bestaat uit wilde schommelingen tussen altruïsme en schanddaden, tussen vriendelijkheid en wreedheid. Het ene ogenblik stellen we ons hart en onze portemonnee open voor de slachtoffers van een orkaan, en het volgende moment martelen we krijgsgevangenen en lachen we met onze vrienden om de foto's. Natuurlijk, als we met ons slechte gedrag de wet overtreden en mensenrechten schenden, horen we in de gevangenis thuis. Maar onze schandelijkste handelingen zijn vaak niet tegen de wet. Nee, meestal brengen ze gewettigd leed teweeg: teleurstelling, bedrog, ontrouw. En aangezien zelfs de meest deugdzame mensen die dubbele moraal vertonen, kunnen we mensen dan niet gewoon laten zijn wie ze zijn, omdat we hen toch niet kunnen veranderen?

Ik dacht altijd dat deugdzame mensen, zoals nonnen of zelfs mijn moeder, bestonden als darwinistische tegenhanger van kinderverkrachters en seriemoordenaars. Ik vermoedde dat nonnen een mand vol genetische gaven hadden gekregen waarin goedheid overheerste, zoals sommige mensen een natuurlijke gave hebben om houtskooltekeningen te maken. Als aanvulling op die mand vol genetische gaven zorgden de sterren dan voor een toestroom van zaligheid, waardoor er krachten ontstonden die te hulp schoten. Zou mijn moeder ook zo aardig geweest zijn als ze niet in een achtergebleven gemeenschap was beland waar ze onschuldig en zonder invloeden van buitenaf kon leven? God weet dat nonnen maar weinig afleiding hebben in het klooster, waar zuiveringsrituelen de wereld van de verleidingen uitbanden.

Maar ik ben tot de overtuiging gekomen dat deugdzaamheid geen kwestie van karakter is. Het is een verkozen eigenschap. Het is een keuze die we keer op keer maken in de hoop dat we op een dag een gewoonte creëren die zo sterk is dat we ons door perioden van bekrompenheid en wreedheid heen kunnen slaan. Tot voor kort verwierp ik Niccolò Machiavelli's botte filosofische uitspraak dat het doel de middelen heiligt, maar de laatste tijd zet ik daar mijn vraagtekens bij. Als we ons deugdzaam willen gedragen en we moeten daarvoor een oud geloof beoefenen, dan is daar toch niets mis mee? Hebben we niet allemaal onze eigen gewoonten en rituelen? Natuurlijk, vanuit een logisch standpunt lijkt het bedenksel van engelen op de muur een onwaarschijnlijke manier om tot deugdzaamheid te komen. Of neem nou de nonnen. Volhouden dat je Christus' bruid bent is tamelijk maf, als je het mij vraagt. En dat geldt ook voor de bizarre consequentie dat ze vrijwillig afstand doen van seks. Maar hoe vreemd ze ook zijn, die keuzes doen niemand kwaad. Ik denk dat er vele wegen naar deugdzaamheid leiden, dat er vele manieren zijn om de gedragspatronen te creëren die resulteren in de gebruikelijke weerstand tegen de slechtheid van de mens.

En stel dat er engelen op de muur zitten? Jij en ik hebben ze nooit gezien. Maar betekent dat ook dat ze er niet zijn? Ik kan me een tegenargument voorstellen waarbij je zegt: 'Nou ja, we hebben ook nog nooit zombies gezien, en de meeste mensen zijn er vrij zeker van dat de afwezigheid van documentatie over de on-doden toch wel een overtuigend bewijs is dat zombies niet bestaan.' Waar. Toch zou ik graag een belangrijk onderscheid willen maken tussen engelen en zombies. (Hopelijk ben ik niet de enige!) Het bestaan van engelen verwijst naar de persoon Jezus Christus, een echte, levende, ademende historische figuur, terwijl het bestaan van zombies helemaal niets te maken heeft met welke historische figuur dan ook, tenzij je Calvin Coolidge meerekent.

Op dit punt in mijn leven ben ik niet alleen bereid te accepteren dat er vele wegen naar deugdzaamheid leiden, maar dat onze ervaringen op deze verschillende paden ook echt kunnen zijn. We kunnen het bestaan van bovennatuurlijke wezens net zomin meten als we onze partners kunnen sturen. Wat ik wel wil meten, en wat ik kan sturen, is mijn eigen reactie op de uitdagingen die het leven biedt. Als mijn man me zo nodig moet dumpen, prima. Laat hem. Daarom zeg ik: Laat mannen hun vrouw maar aan de kant zetten voor een kerel die Bob heet. Laat Bob onze man maar dumpen om redenen die we nog niet vernomen hebben. Laat de engelen maar op de muur paraderen. Laat hen op de bazuin blazen en roepen: 'Bereidt de weg des Heren.'

11

En dat is prima!

Op een middag voordat ik naar de mennonitische westkust vertrok, stond ik tegelijkertijd te koken en een telefoongesprek met mijn vriendin Alba te voeren. Ik stond op het punt om wat sjalotjes te sauteren en goot een *Schulps* olijfolie in de pan. Omdat mijn sleutelbeen gebroken was, kon ik de telefoon niet onder mijn kin klemmen zoals een normale bellende kok, dus moest ik met mijn rechterhand schenken en de telefoon met mijn linkerhand vasthouden. Toen ik mijn hand uitstak om de fles olijfolie weer bij zijn maatjes te zetten, kon ik niet ver genoeg reiken omdat de telefoon mijn beweging beperkte. Ik moest de olijfolie met het etiket naar de zijkant neerzetten. 'Blijf even hangen,' zei ik automatisch tegen Alba, en ik legde de telefoon neer om de omgedraaide fles recht te zetten.

Toen realiseerde ik me wat ik aan het doen was. Persoonlijk zou het me worst wezen of de fles met het etiket naar voren stond of niet. Nick zou dat belangrijk vinden. Maar Nick was er niet. Bij wijze van experiment draaide ik de fles weer een kwartslag om te kijken hoe het voelde om de overdreven ordelijkheid van mijn man te tarten. Ik keek naar de omgedraaide fles en werd er onrustig van. Krijg nou wat, dacht ik. Ik kon het niet! Vijftien jaren kunnen niet zomaar een kwartslag naar links worden gedraaid. Ik zette de fles weer recht. Het was een verhelderend moment. Voor het eerst zag ik hoe ver ik bereid was geweest te gaan om tegemoet te komen aan Nicks angsten. Omdat ik netjes was, had ik mezelf altijd wijsgemaakt dat we het eens waren en hetzelfde dachten. Maar de muggenzifterige perfectie die hij eiste, was niet wat ik nastreefde. Of Nick zijn kunstenaarsoog had geprojecteerd op de details van zijn omgeving of dat hij zijn angsten gewoon had ingezet om mij onder controle te houden, ik voelde nu slechts een verdwaasde verwarring vanwege mijn behoefte het hem naar de zin te maken. Het was duidelijk dat ik daaraan moest werken.

Zodra mijn vrienden hoorden dat Nick me aan de kant had gezet voor een kerel op gay.com, begonnen de zelfhulpboeken binnen te stromen. Sommige boden wijze raad. Sommige boden zware therapie. Sommige leidden tot nieuwe inzichten. En dan was er nog *De taal van het loslaten*. Het boek was opgedeeld in dagelijkse meditaties voor mensen die herstelden van een te afhankelijke houding of van een verslaving. De schrijfster was helemaal vóór affirmaties en wilde iedereen kennis laten maken met haar methode van zelfacceptatie en positieve verandering. Haar verlangen om vol enthousiasme iedereen toe te laten, mondde uit in passages die ik als volgt kan samenvatten: 'Soms voelen we ons verward en gebroken. Soms kost het ons moeite een punt achter een pijnlijke relatie te zetten. Soms zijn we zelf degenen die pijn veroorzaken. Soms zijn we degenen die er een punt achter zetten. Soms zetten we er een punt achter en voelen we ons daar slecht bij. Soms zetten we er een punt achter en voelen we ons er goed bij. En dat is prima!' Wat onze hypothetische tekortkomingen en zelfvernietigende gedragingen ook mochten zijn, de conclusie was altijd iets in de trant van: 'En dat is prima!' Ik stelde me voor dat dit werd gezegd op de indringende, ernstige toon van Barbara Walters. Ik was dol op dit boek en probeerde de vele lessen in mijn leven door te voeren.

Hoewel ik niet verslaafd ben, ben ik ontegenzeggelijk een idioot. Idioterie was niets nieuws voor me. Het verrassende nieuwtje op zelfhulpgebied was dat ik me daarnaast ook nog eens medeafhankelijk opstelde. Door de jaren heen was ik die term wel eens terloops tegengekomen in vrouwenbladen en bij *Oprah*. Maar ik had hem altijd terzijde geschoven omdat ik hem zo ontzettend nietszeggend vond. Nu zag ik plotseling in dat ik dat woord op waarde moest schatten. Dat ik medeafhankelijk was, verbaasde me zo dat ik gedwongen was een hele bak chocoladedeeg uit te lepelen. En dat was prima! Het leek voor de hand liggend dat ik, nu ik officieel medeafhankelijk was, voordeel zou kunnen putten uit een soort twaalfstappenplan. Alleen had ik slechts een vaag idee van wat een twaalfstap-penplan inhield.

> RHODA: Hoi, ik ben Rhoda en ik ben medeafhanke-
> lijk.
> IEDEREEN: Hallooo, Rhoda!
> RHODA: Ik hou van een man die me heeft verlaten
> voor een kerel op gay.com. Ik heb het grootste deel
> van mijn volwassen leven verspild aan het tegemoet-
> komen aan zijn behoeften, het betalen van zijn reke-
> ningen en het proberen aan zijn onmenselijke maat-
> staven van perfectie te voldoen.
> IEDEREEN, *applaudisserend*: Dat is prima!

In geen van de boeken die mijn vrienden me gegeven hadden, werd het twaalfstappenplan beschreven. Omdat ik ook een passief-agressieve schuldafschuiver bleek te zijn, was ik blij dat ik hun omissie opmerkte en ging ik verder met het opstellen van mijn eigen twaalf stappen.

Stap één: Toegeven dat je een probleem hebt

Nick had botweg verkondigd dat het hem niet langer kon schelen wat ik zei of deed, en dat demonstreerde hij zo vaak dat ik hem uiteindelijk noodgedwongen moest geloven, ondanks mijn heldhaftige pogingen mezelf ervan te overtuigen dat hij toch van me zou blijven houden, als ik maar even volhield. Bob, zijn minnaar van gay.com, belde op elk uur van de dag naar ons huis. Hij belde een keer midden in de nacht, toen Nick en ik lagen te slapen. De telefoon lag aan mijn kant en ik nam slaperig op.

'Hallo?'
'Eh, mag ik Nick even?'
'Spreek ik met Bob?'
'Ja.'

Daar had je het: bevestiging van de man in kwestie. De man van gay.com. In levenden lijve, klaar om zich af te rukken met behulp van mijn echtgenoot. Ik gaf de telefoon zwijgend aan Nick, die gespannen naast me lag. Ik stond op, tilde mijn gewillige kat van het voeteneind van het bed, griste mijn ochtendjas mee en ging beneden in de logeerkamer liggen huilen. Dat was de laatste keer dat we ooit samen in bed lagen.

Stap twee: Met woest Medusa-haar achter de computer gaan zitten

Het is ergens wel een troost dat die man tijdens ons huwelijk wel ontzettend zijn best heeft gedaan van me te houden. Vijftien jaar is een hele tijd om een relatie te hebben als je geen goed gevoel over je partner hebt. Hij moet ooit echt van me gehouden hebben. Ik weet niet wanneer hij daarmee is opgehouden. Dat is moeilijk in te schatten, want zelfs toen hij nog van me hield, had hij door zijn bipolaire stoornis manische uitbarstingen en gedroeg hij zich heel kinderlijk en zei onnadenkend alles wat er in hem opkwam. 'Ik hou niet van je, ik haat je!'

Een van de dingen die ik nooit begrepen heb, was het ruzie zoeken van Nick: een chronische, prikkelbare manier van zeuren. Hij vitte op de kleinste dingen en verontschuldigde zich dan door zijn overdreven reactie af te schuiven op zijn bipolaire stoornis. Hij ontplofte als ik een stel oorbellen de hele nacht op de wastafel had laten liggen; hij was razend als ik 's ochtends met ongekamd haar achter de computer kroop. We waren het er allebei over eens dat dit soort dingen geen reden waren om een relatie te verbreken, maar Nick ergerde zich er toch aan.

Ik had altijd aangenomen dat bipolaire mensen een essentiële zekering misten in de manier waarop ze met woede omgingen – dat hun inwendige thermometer een tikje te hoog stond afgesteld. Nu ik al twee jaar niet meer getrouwd ben, kan ik de dingen in perspectief zien. Nadat Nick me had verlaten, kreeg ik iets met een man die ik leuk vond maar van wie ik niet hield, en ervoer ik eindelijk uit de eerste hand hoe kleine ergernissen tot ongeduld kunnen leiden. Ik had de kleine tekortkomingen in Nicks gedrag nooit erg gevonden; ze waren me zelfs nooit opgevallen. Pas toen Nick me had verlaten, leerde ik mijn lesje: als je niet van iemand houdt, vallen die kleine dingetjes je op. Dan kunnen ze je wel iets schelen. Heel veel zelfs.

Stap drie: Verstop het fietsje

Stel dat je iets krijgt met een nieuwe man en dat jullie op het punt staan je eerste dinertje te organiseren. De man met wie je iets hebt is een warrige sloddervos, dus haal je de rommel van zijn tafel en dekt die met de mooiste spullen die je in de antieke buffetkast kunt vinden. Je vouwt de servetten tot elegante tentjes. Je schikt een vaas prachtige forsythia's op het dressoir. Je zet kaarsen neer. Dan ga je naar boven om je te verkleden, want die man, een serieuze kok, heeft de blanc-manger al afgemaakt met honing en geitenkaas. Als je weer beneden komt, zie je dat je nieuwe vriend een plastic miniatuur-fietsje midden op het tafelkleed heeft gezet. Je zou niet weten waar-om. Het plastic fietsje is een centimeter of drie lang en ziet eruit als een speeltje uit een doos cornflakes.

Als je een niet-confronterende mennonietenvrouw bent, die erin getraind is haar behoeften en vragen op een bedekte, passief-agres-sieve manier te uiten, vraag je misschien: 'Lieverd, hoe zit het met dat kleine plastic fietsje?' Ben je daarentegen een mennonieten-vrouw die hard aan haar assertiviteit heeft gewerkt, dan ga je mis-schien een stapje verder: 'Zeg meneer, dit plastic fietsje moet hier weg, en het kan me niet schelen dat je het twaalf jaar geleden op een feestje van kantoor hebt gekregen.' Maar wat je ook tegen je nieuwe vriend zegt, helaas komt het bij lange na niet in de buurt van het volgende: 'Zeg meneer, ik wil graag van je houden, want je bent lief en aardig en je speelt fantastisch piano. Maar ik blijf een jaar bij je en dan maak ik het uit.'

Stap vier: Verstop het, zei ik!

Als ik van die geweldige man gehouden zou hebben, zou ik dan ook zo fel tegen dat fietsje zijn geweest? Waarschijnlijk wel. Maar dat fietsje zou geen tsunami van verontwaardiging hebben ontketend en het zou evenmin de indruk hebben gewekt dat alle basisregels van de etiquette erdoor werden geschonden. Nu weet ik hoe die arme Nick zich gevoeld moest hebben als ik om zes uur 's ochtends klaarwakker achter de computer neerplofte met een lekkere kop koffie. Ik had de moeite genomen om een lekkere pot koffie te zetten; ik was opgewekt op de irritante manier van een ochtendmens – waarom had ik dan niet de moeite genomen mijn haar te kammen? Hoe kon ik zo weinig respect tonen voor de esthetische kant van huiselijk samenzijn? Het kwam niet omdat ik niet had geprobeerd mijn haar te kammen. Het kwam omdat Nick niet had geprobeerd van me te houden.

Stap vijf: Haal wat gekleurd papier

Toen Nick me kort na Bobs nachtelijke telefoontje verliet, was een van de eerste dingen die ik deed mijn makelaar bellen. Ik wist dat ik de hypotheek niet in mijn eentje kon opbrengen en moest mijn huis te koop zetten. Ik was van streek, maar te verkild om te kunnen huilen, en zat als verdoofd in de ontvangstruimte van mijn makelaar, aan wie ik de situatie uitlegde. Annike en ik waren vriendinnen geworden – niet bepaald heel hechte vriendinnen, maar onze relatie was warmer dan die tussen zakelijke kennissen. Haar assistente bracht ons een dienblad met gemberthee.

Toen ik de recente gebeurtenissen voor haar had geschetst, sprak Annike langzaam, met die prachtige kalmte die altijd als een jas om haar heen leek te hangen. 'Laten we ons nu even niet druk maken om het huis. De winter komt eraan en tot het voorjaar is er toch niemand op zoek naar een huis aan het meer. Blijf gewoon even zitten. Heb je een advocaat?'

Ik knikte. Ik had de dag ervoor de scheiding aangevraagd.

'Hoe heet die?'

'Cora Rypma.'

Annike knikte. 'Dan ben je in goede handen.'

'Ik wil hem geen poot uitdraaien,' zei ik ter verduidelijking. 'Het is niet zo dat...'

'Ik begrijp het,' zei Annike. 'Natuurlijk niet.' Ze haalde sereen adem. 'Rhoda, er is iets wat je moet lezen.' Ze stond op en verontschuldigde zich. 'Ik ben zo terug.'

Ik verwachtte een wettelijk document of een folder waarin werd uitgelegd dat je niet dom moest doen als je een scheiding aanvroeg. Maar toen ze een paar minuten later terugkwam, drukte ze me een boek over feng shui in de hand.

Plichtmatig las ik het boek en volgde de adviezen op. Waarom niet? Het kon geen kwaad. Als Nick daar was geweest – de oude Nick, bedoel ik – zou ik hem passages hebben voorgelezen waar we allebei om gegierd zouden hebben. Maar nu richtte ik mijn kamers gehoorzaam in volgens het schema van het boek: ik verdeelde het huis aan het meer op basis van de kleurcodes van de *baguas*, die allemaal hun eigen vormen en symbolen hadden. Ik kon ofwel mijn huis opnieuw inrichten, ofwel met mijn kat op schoot naar het haardvuur zitten staren.

Het feng-shuiboek spoorde me aan briefjes aan mezelf te schrijven op gekleurd tekenpapier. 'Ik omring mezelf met helende vibraties!' 'Ik heb Nick niet meer nodig en laat mijn liefde voor hem nu los!' Dit ging de weken na mijn auto-ongeluk zo door, terwijl ik bont en blauw op mijn bureaustoel door mijn lege huis rolde. 'Ik heb dit ellendige littekenweefsel op mijn benen niet meer nodig en laat het nu los!' 'Ik heb die stekende pijn in mijn sleutelbeen niet meer nodig en laat hem nu los!' Het duurde nog heel lang voor ik mezelf hoorde zeggen: 'Ik heb dit feng-shuiboek niet meer nodig en laat het nu los!'

Stap zes: Cijferinflatie

De eerste zondag na het ongeluk belde mijn vriendin Carla en zei effen: 'Oké, blijf zitten waar je zit. Ik rij naar je toe. We gaan gewoon samen werkstukken nakijken. Moet ik nog iets voor je meenemen uit de stad?'

'*The New York Times*. En wat paars tekenpapier.'

Carla bracht haar breiwerk en haar eigen nakijkwerk mee en bleef die middag drie uur samen met mij bij het haardvuur zitten. Ze maakte duidelijk dat ze haar werk opzij zou leggen als ik wilde praten. Maar dat wilde ik niet. Ik wilde voor eeuwig zwijgen. Ik zat op de bank met mijn gebroken botten, mijn kat en een grote stapel werkstukken om na te kijken, en ik keek ze na alsof mijn leven niet onlangs was ingestort. Maar ik voorzag alle werkstukken van hoge cijfers en positieve opmerkingen. 'Geweldige onderwerpkeuze! Ik ben het met je eens!' 'Ligt het aan mij, of is dit het beste werkstuk dat je ooit geschreven hebt?' 'Ik was verkocht bij je zin *Sinds het begin der tijden*!'

Stap zeven: Poets de vloer met je billen

Omdat het huis aan het meer drie kwartier rijden van de stad was, kreeg ik weinig bezoek. Gek genoeg kon die geïsoleerde positie me niets schelen. Mijn hele volwassen leven was ik een stadsmeisje geweest en het verbaasde me dat ik niet bang was in dat grote, afgelegen huis aan het meer. Dat jaar was de eerste sneeuwval hevig en dwarrelden grote sneeuwvlokken in het meer als woorden in het geheugen – zwaar en niet meer terug te draaien. Zelfs toen mijn gebroken botten voldoende waren geheeld om op mijn billen de trap af te hupsen, hadden mijn voorzichtige bewegingen door het huis iets rustgevends. Ik vond het prettig om zo behoedzaam de trap af te komen en me erop te concentreren niet te diep adem te halen en mijn schouder voorover te houden om mijn sleutelbeen niet te veel te belasten. Roscoe, mijn kat, volgde me stilletjes overal, alsof ik een getuige nodig had.

Stap acht: Doe ondoordachte aankopen

Nog steeds met het feng-shuiboek in mijn achterhoofd verbrandde ik al Nicks brieven en kaarten. Ik wiste al zijn bestanden van mijn computer, vooral de foto's van mannelijke genitaliën die volop op gay.com waren gezet. Die, lieve lezers, kon ik makkelijk loslaten. Ik bladerde door alle oude fotoalbums en haalde alle foto's waar hij op stond eruit. Die stopte ik snel in een envelop en stuurde ze naar een adres in Chicago voor ik van gedachten kon veranderen.

Nick was er altijd op tegen geweest dat ik ingelijste foto's van dierbaren in huis neerzette, omdat zulke foto's volgens hem goedkoop, waardeloos en sentimenteel waren. De enige foto die ik mocht ophangen was een stom fotootje van Lola en mij als kind. Nu zag ik mijn kans schoon om mijn onafhankelijkheid te bewijzen. Ik schreef Hannah en mijn moeder en vroeg afdrukken van oude foto's.

Rond die tijd had ik net wat gedichten gepubliceerd in *Poetry*. In tegenstelling tot de meeste bladen over schone kunsten betaalt *Poetry* daarvoor. Ik wist dat ik het geld meteen op mijn spaarrekening moest zetten of het moest gebruiken voor de ziekenhuisrekeningen die de verzekering niet vergoedde. Maar dat deed ik niet. In plaats daarvan liet ik een vergroting maken van een van de oude foto's, die ik daarna voor veel geld liet inlijsten. Het is een oud zwart-witkiekje uit 1949 waarop mijn moeder en haar zussen op een lange rij staan, gekleed in identieke witte mennonietenblouses en donkere rokken, hun armen om elkaars middel geslagen. Ze zagen er alle zeven uit als echte Loewens, met hun ronde, alledaagse gezicht en hun brede, frisse glimlach. Ze staan op volgorde van leeftijd. Mijn moeder, de jongste, staat uiterst links naast een bloeiende stokroos.

Te midden van al die mennonitische soberheid had mijn moeder een witte strik in haar haar. Geen van haar oudere zussen had een strik. Alleen mijn moeder. Ik bestudeerde de foto langdurig en vroeg me af of de essentie van die strik in genetische vorm op mij was overgegaan. Ik had een platte kont, een dikke bos haar en sterke botten geërfd, dus waarom dan niet het verlangen om mooi te zijn? Die strik was veelzeggend: er was een tijd geweest dat uiterlijk belangrijk was voor mijn moeder. Ze had ooit zwierig en anders willen zijn, al was het maar voor een dag. Met de jaren hadden mijn broers en zus en ik de onvermijdelijke rolverdeling binnen het gezin geaccepteerd. Aaron was de slimmerik, Caleb de sportieveling, Hannah de verstandige en ik de ijdeltuit. Ik was degene die uitblonk in kleine dingen. Ik was degene die tijd stak in belachelijke details. Als kind had ik er geen idee van dat Flaubert en Van der Rohe al hadden beargumenteerd wat ik heimelijk voelde: God zat in de details. Ik had mijn verplichting aan Flaubert allang erkend, maar nu suggereerde die witte strik ook een verplichting aan mijn moeder. Ik vond het leuk haar als een pionierster van esthetica te zien. Ze was mennoniete, maar ze was wel van mij.

Stap negen: Denk aan de autoharp

Tijdens de eerste moeilijke weken stuurde Lola me elke dag, en soms wel twee keer per dag, een e-mail vanuit haar zeventiende-eeuwse appartement in Bologna. Omdat mijn vingers zo'n beetje het enige deel van mijn lichaam waren dat geen pijn deed, typte ik opgewekt het hele verhaal van het eind van de relatie tussen Nick en mij en liet geen detail achterwege. Mijn werkkamer keek uit over een winters landschap – een vredig uitzicht. Het meer was nog niet helemaal bevroren, en ijsschotsen verdwenen in staalgrijze gaten midden in het meer. In de schemering bliezen de lichtjes van de dam aan de overkant de opkomende duisternis plotseling leven in, en die kleine speldenprikjes van licht werden me dierbaar. Ze behelsden een belofte van steun en troost, zoals Portia's kaars in *De koopman van Venetië*. 'Wat reikt zo'n kaars toch ver! Zó schittert een goede daad in een boze wereld.' Ik zorgde ervoor dat ik tegen de schemering in mijn werkkamer was, zodat ik Lola kon schrijven en kon wachten tot de boze wereld ging schitteren. Soms fluisterde ik hardop een stukje uit de eucharistie, waarbij ik de naam van God de Almachtige verving door die van Lola. 'Almachtige Lola, voor jou liggen alle harten open, alle verlangens zijn je bekend en geen geheim is voor jou verborgen.'

Toen ik klaar was met alles wat ik over Nick te zeggen had, vroeg ik Lola wat ze at, aanhad, las en zong. 'Vertel eens over je onzichtbare snor,' drong ik aan. Of: 'Wat doe je als je in Bologna zin hebt in Chinese pasteitjes?' Ze beantwoordde al mijn vragen, hoe suf ze ook waren. Ze bracht verslag uit van pukkels, meubelwas, en de dinertjes van de zus van haar man. Ze had het over deodorant, strijkplanken en dubbelzijdig plakband. Ze gaf een gedetailleerde beschrijving van het wel en wee van de tweedehands autoharp die mijn moeder in 1971 had gekocht. Mama was teleurgesteld geweest toen Hannah en ik categorisch hadden geweigerd op die autoharp te spelen. In 1971 wisten we zeker dat de autoharp en alles wat daarmee samenhing het toppunt van stom was. Mijn moeder tokkelde er in haar eentje op en zong erbij, tot het ding in de garage belandde en ze teruggreep naar de piano uit onze jeugd. Op een dag verraste Lola mijn moeder door te vragen of ze diezelfde autoharp mocht hebben. Dat was de laatste keer dat Lola in Californië was, en mijn moeder gaf hem vrolijk aan haar door. Lola nam de vergeten autoharp mee naar Italië, waar hij voor vele verbijsterde Italianen een wonderding was. In dit soort verhalen was Lola zo voelbaar aanwezig dat ik nauwelijks kon geloven dat ze achtduizend kilometer verderop zat. 'Hé, kleine Lola, speel eens op je harp!' zong ik.

Stap tien: Neem borsjtsj als uitgangspunt

Mijn lokale vriendinnen, die merendeels zelf drukbezette hoogleraren waren, betuigden hun steun door traktaties in mijn postvak te leggen toen ik weer aan het werk ging. Dan vond ik de stapel grammatica-examens waar ik om gevraagd had, maar ook een bak met *baba ghanoush*. Een artikel over Amerikaanse seksuologie rond 1912 kwam precies op tijd, maar daarbovenop trof ik een stapel tupperwarebakjes met verschillende soorten zelfgemaakte soep. Ik vond vreemde recepten, flesjes azijn in allerlei smaken, en verschillende Marokkaanse kruiden. Nieuwe bestsellers, oude lievelingstitels. Kaartjes voor evenementen waar ik geen belangstelling voor had. Kaarsen in geuren die ik zelf nooit zou hebben gekozen. Dankbaar las ik alles, stak ik alles aan en ging ik overal naartoe.

Stap elf: Interpreteer studentenmedeleven op een andere manier

Mijn studenten wisten van het ongeluk, maar niet van Nick. Ik had mijn vriendinnen gezegd dat ze moesten wachten tot ik veilig de stad uit was voor mijn verlofperiode voor ze het zouden vertellen. Maar de studenten voelden waarschijnlijk wel aan dat er meer met me aan de hand was dan alleen wat gebroken botten, want ze sloofden zich extra uit. Jonge vrouwen bakten brood waarmee ik wel vijfduizend mensen had kunnen voeden, jonge mannen brachten me koffie verkeerd en poëzie. Als ik mijn kantoor verliet om aan de langzame tocht naar mijn lokaal te beginnen, verscheen er altijd wel een galante student die me bij de elleboog pakte en mijn koffertje en mijn handtas van me overnam. Wekenlang dreef ik rond als een losgeslagen boei: ik kon niet eens mijn eigen tas dragen, laat staan een koffertje vol boeken en papieren. Gek, hoe die vertrouwde attributen ons definiëren en ons anker vormen! Omdat ik mijn rechterarm niet kon optillen, sprongen studenten op om aantekeningen op het bord te schrijven. Als ik niet te murw was geweest om te huilen, had ik emmers vol tranen vergoten vanwege die hartelijke steunbetuigingen. Ik wist dat mijn studenten gewoon aardig deden tegen hun gehandicapte hoogleraar, maar ik kon hun hoffelijke gebaren heel makkelijk interpreteren als blijken van medeleven voor een gebroken hart.

Stap twaalf: Visualiseer Patty Lee

Omdat ik Nick financieel had onderhouden, had hij alimentatie van me kunnen eisen. Ik weet niet of zijn gevoel voor rechtvaardigheid hem daarvan weerhield of dat hij gewoon niet aan de wettelijke mogelijkheid had gedacht. Ergens moest hij er spijt van hebben gehad dat hij geen stabiele factor was en dat hij niet in staat was een baan te hebben, omdat hij die tijd liever besteedde aan de dingen die hem na aan het hart lagen. Hij maakte me vaak belachelijk omdat ik wel werkte, en hij beweerde dat ik een mennonitisch werkpaard was, waaruit bleek hoe laf en conformistisch ik was. Als ik ballen had, zei hij, zou ik de academische wereld de rug toekeren en aan de slag gaan als freelanceschrijver! Onder zijn verachting ging blijkbaar toch een soort schuldgevoel schuil, want hij herinnerde me er regelmatig aan dat hij dan misschien geen geld of stabiliteit in onze relatie inbracht, maar dat hij juist zorgde voor de dingen waarvan ik nooit had geweten dat ik ze nodig had: talent, inzicht, een onverwachte invalshoek en een nieuw hart voor de mensen die hij liefdevol 'de prutsers en de knoeiers' noemde. En dat was ook zo: Nicks niet-aflatende liefde voor de ernstig geestelijk gehandicapten, de mensen met een ontwikkelingsachterstand, de daklozen die zes jassen droegen en op straat direct naar hem toe kwamen, veranderden mijn wereldbeeld. Ik bewonderde zijn toewijding aan deze bevolkingsgroep, wat ook een van de redenen is dat ik akkoord was gegaan met mijn rol als kostwinner. In de beginjaren werd hij nog slechter betaald voor zijn baantjes als welzijnswerker dan ik als docent-assistent verdiende.

Toen hij eindelijk een baan kreeg die veel beter betaald werd dan de mijne, was hij zo blij als een kind in een snoepwinkel. Hij gaf zijn geld uit aan mooie dingen: een sportauto, een fiets, mannenspul. Voor het eerst in zijn leven was hij echt onafhankelijk. Ik vond dat hij zijn nieuwe speeltjes wel verdiend had en redeneerde dat hij, als hij eenmaal gewend was aan zijn hogere inkomen, wel prioriteit zou geven aan onze financiële toekomst samen. Ik dacht dat hij uiteindelijk wel in ons huis en ons pensioen zou investeren – dingen waar we allebei van zouden profiteren, niet alleen hij. Wat ik toen natuurlijk nog niet inzag, was dat de financiële doelen die ik belangrijk vond in zijn ogen banaal waren. En dan was er nog het offer dat hij zes jaar daarvoor had gebracht. Als grotestadsjongen in hart en nieren had hij nog steeds het gevoel dat hij een wereldprestatie had geleverd door met mij naar het Midden-Westen te gaan zodat ik de baan die ik wilde kon aannemen. Hij zag zijn salarisverhoging als een langverwachte, welverdiende tegenprestatie. Wat het dan ook was.

Ik was dol op het huis aan het meer, waar we waren gaan wonen omdat het dichter bij zijn werk was, maar de hypotheek was precies het dubbele van wat ik voor onze oude ranch had moeten ophoesten. Dat kon ik in mijn eentje nooit betalen. Dat wist ik. Dat wist hij. En we waren hier gaan wonen onder de expliciete overeenkomst dat hij ditmaal zijn deel van de rekeningen en de hypotheek moest betalen. In die laatste absurde dagen voordat hij me verliet voor Bob, spraken we af dat hij drie jaar lang zijn helft van de rekeningen zou betalen en dat ik intussen het huis te koop zou zetten en zou bidden dat er een koper zou komen.

Ik zei tegen mijn advocate dat Nick bereid was het netjes af te handelen. Ze trok haar wenkbrauwen op en zei: 'Nou, laten we dan maar zorgen dat hij daarvoor tekent, voordat hij je laat zitten!'

Ik wist dat Nick me niet zomaar zou laten zitten. Hij was niet zo'n lapzwans die zijn verantwoordelijkheden als een kater van zich afschudde – ach ja, ik kan er niks aan doen, nu is het te laat, jammer dan, relax, man. Zo zat hij niet in elkaar. Maar tegelijkertijd werd mijn geloof in zijn rechtvaardigheidsgevoel aan het wankelen gebracht door een spoortje twijfel: hoe kon hij zijn rekeningen betalen als hij zijn baan zou kwijtraken? Zijn werk in het ziekenhuis was geweldig, maar ik wist diep vanbinnen dat hij in een vloek en een zucht ontslag zou kunnen nemen om er met Bob tussenuit te piepen. Nick stopte altijd overal mee, stoppen was zijn specialiteit, de uiting van zijn bipolaire stoornis. Hij stopte met werken, met vriendschappen, met karate, met het verzorgen van zijn huisdieren. Hij kocht een gloednieuwe fiets en verkocht hem twee maanden later weer. Hij schilderde met olieverf en stapte opeens over op fotografie. Zodra hij iets had, wilde hij het al niet meer, een filosofie die terugkomt in het platonische concept van verlangen, alleen had Plato voor zover ik weet geen bipolaire stoornis. Verlangen is per definitie iets wat je graag wilt, maar niet hebt; dus als je het eenmaal hebt, wil je het niet meer. In vijftien jaar huwelijk heeft Nick nog nooit langer dan een jaar dezelfde baan gehad. Als gedrag in het verleden de beste indicator is van gedrag in de toekomst, zat ik in de penarie. De moed zonk me in de schoenen toen ik een week nadat hij er met Bob vandoor was gegaan een e-mail van Nick kreeg. Hij was gestopt met zijn baan in het ziekenhuis. Er klonk zoals gebruikelijk paniek door in zijn virtuele stem.

Nerveus vroeg ik mijn advocate wat ik moest doen als Nick niet langer de helft van de rekeningen zou betalen. Ze stuurde me een sms'je vanuit de rechtbank en slaagde erin elektronisch haar wenkbrauwen op te trekken. 'Lt hij je nu al zttn? Zk uit waar hij wrkt. Lg beslag op zijn ln.'

Ze begreep de situatie niet helemaal. Je kunt geen beslag leggen op iemands loon als er geen loon is om beslag op te leggen. Nick zou meteen weer met een nieuwe baan stoppen als hij Bob had gedumpt, en wat dan? Als hij weer in een spiraal van depressie terecht zou komen, zou hij geen baan kunnen houden. Stik, hij zou niet eens een baan kunnen zóéken.

Rond die tijd gaf Lola me een streng lesje positief denken. 'Laat me even uitpraten,' zei ze. 'Ik weet dat je de koningin van oorzaak en gevolg bent, maar als je de zaak nu eens omdraait? We weten niet hoe het universum werkt. Misschien zie je de logica wel verkeerd om. Aan de ene kant kun je zeggen dat hij altijd overal mee kapt. Maar stel dat het andersom is? Stel dat hij altijd overal mee kapt omdat mensen dat nu eenmaal van hem verwachten?'

'Is dit een soort new-ageflauwekul?' vroeg ik.

'Heb je iets beters?'

'Nee,' gaf ik toe. 'Ga verder.'

'Nou, heeft Nick je al met die betalingen laten zitten?'

'Nog niet. Maar hij heeft er wel mee gedreigd. Hij heeft paniekerige e-mails gestuurd waarin hij zegt dat hij dit niet kan. Hij zegt dat het hem niet kan schelen wat er met mij of met mijn krediet gebeurt. Hij wil dat ik het huis vrijwillig aan de bank teruggeef, zoals hij een tijdje geleden met die truck heeft gedaan. Hij belde me twee weken geleden op om te zeggen dat de rekening van oktober de laatste is die hij kan ophoesten.'

'Maar je zegt dus eigenlijk dat hij je nog niet heeft laten zitten?'

'Lieverd, luister je wel?' vroeg ik. 'Oktober wordt de laatste betaling. Dat zei hij. In mijn oor. Ik heb het zelf gehoord.'

'Jíj bent degene die niet luistert. Geef gewoon eens antwoord op mijn vraag. Heeft hij je al laten zitten? Nu, op dit moment, vandaag?'

'Nee,' zei ik met mijn meest neerbuigende stem. 'Nee, oké, hij heeft me nog niet laten zitten.'

'Volgens mij moet je het volgende doen. Bekijk dat hele financiële gedoe met het huis van dag tot dag. Maak je geen zorgen of Nick er voor je zal zijn. Wees blij dat hij tot nu toe alle betalingen heeft verricht. Haal diep adem en richt je op het heden.'

Daar dacht ik even over na. 'Lola,' zei ik beschuldigend. 'Heb jij soms *De taal van het loslaten* gelezen?'

'Inderdaad,' gaf ze toe. 'En weet je? Het is prima!'

Lola zei dat ik nummerherkenning moest inschakelen en niet moest opnemen als Nick belde – nooit, onder geen enkele voorwaarde. Ik kon geen rustige houding aannemen en tegelijkertijd luisteren hoe hij als een razende spin zijn idiote web van negativiteit aan het spinnen was.

'Maar ik maak me zorgen om hem!'

'Ja, nou, laat iemand anders zich dan maar eens om hem bekommeren. Het laatste wat jij nu nodig hebt is angst,' zei ze. 'Niet die van jou, niet die van hem, niet die van wie dan ook.' Ze stelde voor dat ik beleefde mailtjes van één zin zou terugsturen. En dat ik elke dag de volgende boodschap op een notitiekaartje zou schrijven: 'Nick is betrouwbaar en stort altijd op tijd het geld op mijn rekening!'

Dat deed ik, al voelde ik me er idioot bij. Ik schaamde me dood als ik die boodschap op een kaartje schreef, net als wanneer je dramadocent zegt dat je naar voren moet komen en een stuk gebakken spek na moet doen – en dan kun je kiezen: of je wiebelt en sist wat, of je krijgt een onvoldoende.

Op de ochtend van 10 november, de dag waarop Nicks geld op mijn rekening gestort moest worden, schreef ik: 'Nick is betrouwbaar en stort altijd op tijd het geld op mijn rekening!' net als op alle andere dagen. Ik liep met de kaart naar de plek in huis die volgens de *feng-shuibagua* voor welvaart stond, en legde hem op de groeiende stapel kaartjes die daar al lagen. Toen stopte ik de stapel weer onder de lattenbodem van mijn boxspring, waar ik hem verstopte vanwege mijn new-ageschaamte.

Die dag kwam ik thuis en zag dat alle kaarten op de grond onder mijn bed lagen. Dat vond ik nogal eng, want ik had ze echt stevig klemgezet en snapte niet hoe ze gevallen konden zijn. Maar ze lagen verspreid over de grond, een koor van notitiekaartjes die riepen: 'Nick is betrouwbaar en stort altijd op tijd het geld op mijn rekening! Op tijd! Betrouwbaar! Mijn rekening! Nick!'

'Roscoe,' vroeg ik voorzichtig aan mijn kat, 'heb jij dit gedaan?'

Hij keek me aan of hij wilde zeggen: 'Ik ben dol op tonijn.'

Het was zes uur geweest. Ik kon bellen. 'Ik ben opgewekt en kalm,' beweerde ik hardop, en mijn vingers trilden. Ik typte de cijfers van mijn rekeningnummer en de pincode in. 'Toets één als u uw saldo wilt controleren.' Ik toetste de één in. Heel opgewekt! 'Vrijdag, 10 november,' zei de monotone stem. 'Een storting van...'

Het stond erop.

Betrouwbaar. Op tijd. Nick. Ik bracht de telefoon langzaam bij mijn oor vandaan en de paniek die ik even daarvoor gevoeld had, maakte plaats voor tranen van dankbaarheid.

Dit hele ritueel, behalve dan de uitgewaaide notitiekaartjes, zou de twee jaar daarna tweemaal per maand herhaald worden. Drie maanden later hoorde ik dat Nick zijn sportwagen verkocht had zodat hij nog een paar betalingen kon doen. Daarna mailde hij me helemaal niet meer, zodat ik geen idee had waar hij werkte, als hij dat al deed. Hij was verhuisd van dat eerste adres in Chicago. Het enige wat ik wist, was dat hij ergens in Chicago woonde en dat hij op tijd en betrouwbaar geld op mijn rekening stortte.

Ongeveer een jaar nadat de scheiding was uitgesproken kreeg ik een pak juridische papieren waarin ik werd gedagvaard om in de rechtszaal te verschijnen. Nick vocht de rechterlijke uitspraak aan dat hij drie jaar lang de helft van de hypotheek en de vaste lasten moest betalen, omdat hij geestelijk te ziek was om te kunnen werken.

Ik had geen zin om hem te zien, maar ik had geen keus. Hij kwam de hoek om toen ik met mijn advocate in de gang buiten de rechtszaal stond te wachten.

Cora, mijn advocate, zag hem. Ik voelde haar verstijven en wist dat hij ergens achter me moest staan. Ze had hem nooit ontmoet, maar ik had hem beschreven, en zijn stadse manier van doen zou flink opvallen in dit kleine stadje. 'Jezus, Rhoda.' Cora boog zich naar me toe en fluisterde in mijn oor. 'Je hebt niets te veel gezegd over zijn uiterlijk. Wauw. Hij is pissig. Niet omdraaien.'

Ik moest naast hem zitten, een paar centimeter bij hem vandaan, terwijl we wachtten tot we werden opgeroepen. Hij ziedde van woede. Net toen we allemaal opstonden voor rechter Perkowsky siste Nick me het enige toe wat hij zou zeggen: 'Ik had kunnen weten dat je hier zou zijn,' alsof het een verrassing was dat hij me hier zag. Geschrokken keek ik hem aan. *O, nee. O, neeeee.* Hij was zichzelf niet, hij kon niet helder denken. 'Je hebt me gedagvaard,' fluisterde ik. 'Jíj hebt gezorgd dat ik hierheen moest komen.' Hij was zo boos dat hij ervan trilde.

Rechter Perkowsky wees Nicks zaak binnen een minuut af en wees erop dat Nick geen alimentatie betaalde, maar dat het hier om een betalingsregeling ging waar wederzijdse overeenstemming was bereikt. Het vonnis kon dus niet ongedaan worden gemaakt. Het was bindend. Toen rechter Perkowsky de uitspraak met een tik van de hamer bekrachtigde, wierp Nick me een blik vol intense haat toe, draaide zich om en beende de rechtszaal uit. Ik greep Cora bij haar mouw en haalde een paar keer diep adem.

'Zie je?' zei ze. 'Ik zei toch dat hij geen poot om op te staan had. Maar ik wil dat je iets voor me doet.'

'Wat dan?'

'Ik moet hier blijven, want ik heb nog een cliënt. Ik wil dat je deze zaal verlaat, direct naar de damestoiletten gaat en daar een halfuur blijft wachten.'

Haar implicatie bezorgde me kippenvel. 'O, maar Nick zou nooit...'

'We nemen geen enkel risico,' zei ze bruusk. 'Je blijft daar een halfuur en dan mag je overal naartoe, behalve naar huis. Begrepen?'

Ik zocht in mijn tas naar een zakdoekje. Ze gaf me er eentje en ik veegde mijn ogen af in de wetenschap dat mijn mascara er niet uitzag.

'Rhoda. Begrepen? Niet naar huis gaan.'

'Beloofd,' zei ik zwakjes, en ik snelde met mijn koffertje naar het damestoilet. Daar sloot ik mezelf op, ging op de wc zitten, zette mijn leesbril op en haalde een stapel toetsen tevoorschijn die ik moest nakijken. Maar ik keek ze niet na. In plaats daarvan zat ik daar vol afschuw, omdat Nicks ijskoude minachting mijn advocate ervan had overtuigd dat hij me iets zou kunnen aandoen. De man die me haatte, me verafschuwde, was Nick – mijn Nick, dezelfde man die ooit had beloofd van me te houden, in goede en in slechte tijden, tot de dood ons scheidde. Ik legde mijn rode wang tegen de metalen wand, waar iemand op had gekrabbeld: 'Patty Lee kan goed pijpen!' Ik zag de onoverwinnelijke Patty Lee voor me, pijpend als de beste, alleen denkend aan het heden terwijl ze deed wat ze het beste kon. De rest van het halfuur klampte ik me aan dat beeld vast, half huilend, half omdat ik behoefte had aan dat beeld van volharding en plezier. 'Zet hem op, Patty Lee!'

Dat was het laatste wat ik ooit van Nick heb gehoord of gezien, maar het was niet de laatste indruk die ik van hem heb. Sinds die dag heb ik nooit aan Nick gedacht als hatelijk of gestoord, maar als punctueel en betrouwbaar.

En dat is hij ook gebleven.

De drie jaren waarin hij van het hof moet blijven betalen zijn nog niet om, en mijn huis is nog niet verkocht. Ik weet dat het logischerwijs te verwachten valt dat Nick het niet volhoudt en dat het, zoals mijn cynischer vrienden fijntjes hebben opgemerkt, zeer waar-schijnlijk is dat hij me alsnog laat zitten, zodat ik het huis kwijtraak waarin ik zoveel geïnvesteerd heb. Maar ik zie de waarde van die lo-gica niet meer. Sommige dingen zijn beter dan rede. Sterker nog, sommige dingen tarten de rede. Vertrouwen, bijvoorbeeld.

En weet je? Dat is prima.

12

Een rozijnenbommetje

Ik zat te naaien toen mijn moeder binnenkwam en voorstelde om een muziekje op te zetten. Behalve tijdens autoritten was ze zelden in de stemming voor andere muziek dan haar eigen gezang, dus ik vond het best.

'Wat dacht je van de panfluit?'

Dat wees ik af.

'Wat mooie klassieke muziek dan?'

Ik knikte met spelden in mijn mond.

Even later hoorde ik de beginklanken van Tsjaikovski's finale van *Capriccio Italien*. Niet mijn eerste keuze, maar goed. Plotseling verstijfde ik.

Was dat... de verre roep van een fuut?

Die boven de muziek uit kwam alsof hij van essentieel belang was voor het Capriccio?

O, ik wilde nog veel meer van deze beminnelijke fuut horen in sussende, opgewekte, kalme en krijgshaftige liederen. Mijn hart liep over van medelijden met die arme, kortzichtige Strauss, Mozart, Wagner en Grieg, die collectief niet hadden weten te voorspellen wat in toekomstige eeuwen vereist zou zijn voor hun easy-listening-muziek. Wie had kunnen denken dat het publiek tweehonderd jaar later de grootse roep van de fuut zou willen? Ik kan niets beters bedenken dan het cd-hoesje te citeren dat ik haastig bestudeerde: '*Classical Loon II* – 'Klassieke Fuut II' – neemt je in klassieke stijl mee naar de wildernis van de futen. Je hoort het gefluit, de trillers, de roep en het jodelen van de gewone fuut in de volgende selectie...'

Het drong tot me door dat de productie van *Classical Loon II* impliceerde dat er ook een geweldige voorganger moest zijn, *Classical*

Loon I: de vroege vogel. Misschien was er zelfs wel een hele familie van Klassieke Futen, om nog maar te zwijgen van R&B-Futen, Reggae-Futen, Hiphop-Futen en Country-Futen. En – denk even mee – kunnen we dan in de toekomst niet vervolgen met Struikgaaien-blues, Pauwenmeditatie en Adelaarstechno? En waarom zou het daarbij moeten blijven? Wat te denken van Futen-luisterboeken? Ik weet niet hoe jij erover denkt, maar ik zou de woorden van onze Heer en Verlosser graag willen horen met de trillers van een fuut eronder. Die lange hoofdstukken in Leviticus smeken gewoon om een paar futenroepen.

Maar ik sloot vrede met de futen. Ik ben zo iemand die het boek altijd uitleest, hoezeer het me ook tegenstaat, en die de slechtste film aller tijden nog uitzit. Ik denk altijd maar: zo erg is het niet, ik hou het wel vol! Nu ik hier in de naaikamer naar *Classical Loon II* zat te luisteren, dat mijn moeder zo attent op *repeat* had gezet, kwam het zelfs zover dat ik het een goed idee vond om af en toe mijn eigen trillers uit te proberen. Ik ben geen begenadigd futenimitator. Maar ik vind wel dat ik punten verdien voor mijn pogingen.

Terwijl ik experimenteerde met de meest flatteuze manier om de zakken op mijn platte kont te positioneren, belde de oude mevrouw Cornelius Friesen op.

'Mary?' vroeg ze toen ik opnam.

Ik herkende haar stem. 'Nee, mevrouw Friesen, ik ben Mary's dochter Rhoda.' Toen schoot me te binnen dat mevrouw Cornelius Friesen hardhorend was, dus verhief ik mijn stem. 'Mary is naar Bijbelstudie. Kan ik iets doorgeven?'

'Bijbelstudie, hè? God zegene haar,' zei mevrouw Friesen. 'Wil je een boodschap doorgeven? Zeg maar dat ik me afvroeg of ze *De kat die een bommetje maakte* al uit heeft. Ik wil het aan Cici geven.'

Uit respect voor mevrouw Friesens hoge leeftijd had mijn moeder beloofd dat ze dat boek zou lezen. De hoofdpersoon was een kat, een poezenrechercheur die op lollige wijze misdaden oploste. Mijn moeder was absoluut geen literaire snob, maar er waren grenzen. Juridische thrillers, oké. Mysterieverhalen, alla. Maar een kat die bommetjes maakte ging te ver. Mijn moeder vroeg zich bezorgd af hoe ze de andere delen van de reeks moest weigeren, vooral als er een was met als titel *De kat die een bommetje maakte en dat in klonterende kattenbakkorrels begroef.* Mama had het teruggeven van de paperback zo lang mogelijk uitgesteld om onder de resterende kattentitels uit te komen.

'Mevrouw Friesen,' zei ik. 'Toevallig weet ik dat mijn moeder uw boek uit heeft. Zal ik het even langsbrengen?'

'Wat?'

'IK BRENG U HET BOEK WEL EVEN,' zei ik luid.

'God zegene je, liefje.'

Een paar minuten later zat ik in de woonkamer van mevrouw Friesen in Twilight Shores. Haar knusse appartementje rook sterk naar kattenbak, ammoniak en patchouli.

'Liefje,' zei ze, en ze bood me een ouderwetse boterbabbelaar in een cellofaantje aan. 'Je ziet eruit alsof je net twintig bent.' Grappig dat hoe ouder we worden, hoe jonger alle anderen lijken. 'Maak je geen zorgen over je scheiding. Je bent goedgevormd en je moeder heeft me verteld dat je gestudeerd hebt. Veel mannen vinden dat leuk.'

'Hier is uw boek,' zei ik.

'Je man was niet zo goed voor je, hoorde ik.'

O-oh. Ik had wel gedacht dat mijn moeder met haar Bijbelgroepje over mijn scheiding zou roddelen, maar ik had niet verwacht dat de details zelfs mevrouw Cornelius Friesen zouden bereiken, die nota bene bijna negentig was.

'Mijn man heeft me verlaten,' zei ik.

'Wat?'

'MIJN MAN HEEFT ME VERLATEN!'

'Nou, ik weet zeker dat het allemaal zijn schuld was.' Ze boog zich voorover en klopte op mijn knie.

Tja, wat kon ik daarop zeggen? Ik sneed een ander onderwerp aan. 'HOE LANG BENT U GETROUWD GEWEEST, MEVROUW FRIESEN?'

'Vierenzestig jaar. Wil je een van deze boeken lenen? Je moeder heeft er een gelezen. Dit is een leuk boek. Het gaat over een kattenrechercheur.'

'NEE, DANK U,' schreeuwde ik beleefd. 'IK GA OP REIS.'

'Op reis, hè? Laat me je iets geven voor onderweg.'

Ze schuifelde de kamer uit. Toen ze weg was, verscheen er een magere, sterk ruikende kat. Hij was wit en wilde op mijn bruine schoot liggen spinnen. Hij liet zich niet wegschoppen.

Mevrouw Friesen kwam binnen en duwde me een doosje rozijnen in mijn hand. 'Voor onderweg,' zei ze.

'DANK U WEL! ROZIJNEN ZIJN EEN GEZOND TUSSENDOORTJE!'

'Nou,' zei mevrouw Friesen. 'Ik heb een kleinzoon die gestudeerd heeft. Die is misschien wel wat voor jou. Het is een betrouwbare jongen. Hij heeft een goede baan en zo. Hij is zevenentwintig. Hoe oud ben jij ook alweer?'

'IK BEN VIERENVEERTIG.'

'Hè, wat jammer,' zei ze. 'Hij vindt je waarschijnlijk te oud. Maar je ziet er wel goed uit.'

Ik stond op om te gaan en veegde wat kattenharen van mijn rok.

'DOE CICI DE GROETEN VAN ME. EN BEDANKT VOOR DE ROZIJNEN!'

'Nou, ik zal mijn kleinzoon over je vertellen,' zei ze stellig bij de deur. Met haar voet hield ze de kat binnen. 'Maar ik denk dat hij je te oud zal vinden. Ik zal zeggen dat je goedgevormd bent.'

'DAT ZOU FIJN ZIJN!'

Toen ik naar huis liep, gaf ik mezelf een complimentje omdat ik had weten te ontkomen aan meer katten die bommetjes maakten. Ik had al met al aardig wat werk verricht tijdens mijn verlof. En ik was ook een heel eind gekomen met de broek die ik aan het naaien was. En dan de rozijnen. Die had ik ook nog. Dat was mooi meegenomen.

De volgende ochtend zat ik riemlusjes te stikken en keek fronsend door mijn leesbril. Als je een sterkere leesbril nodig hebt, heb je pas echt het gevoel dat je van middelbare leeftijd bent. Daar wilde ik het met mijn vriendin Eva over hebben, die straks zou bellen en die onlangs haar eigen waslijst van couperose, ouderdomsvlekken en rugklachten had besproken. Kleinerend commentaar leveren op je eigen lijf is echt een meidending, zo simpel is het. Dan voelen we ons geweldig.

De telefoon ging. 'Rhoda?' Het was een mannenstem die ik niet kende. Maar mijn hart sloeg een slag over; het timbre was net zo laag en innemend als dat van Nick.

'Ja?'

'Ik ben Soren Friesen. Ik ben de kleinzoon van Emmaline Friesen...'

'Jeetje,' riep ik uit. 'Dat noem ik nog eens gehoorzaam plichtsbesef!'

Er klonk een vrolijke twinkeling in zijn stem. 'Ik hoorde dat je goedgevormd bent.'

'En ik hoorde dat jij een heel goede baan hebt. Laat je je oma altijd als koppelaarster optreden?'

'Ze is de Yentl van onze stam,' zei Soren. 'Maar eigenlijk wist ik al wie je was. Ik heb je boek gelezen. We hebben gemeenschappelijke kennissen.' Hij noemde de naam van een schrijver die verbonden was aan een uitstekende masteropleiding in New England. Dat leidde tot een echt gesprek: Soren bleek college te hebben gehad van mijn vriend en had een master scenarioschrijven voltooid. Toen we een tijdje hadden zitten kletsen vroeg Soren: 'Hoe lang blijf je in de stad? Zullen we een keer koffie gaan drinken?'

'Soren,' zei ik, 'ik weet dat ik goedgevormd ben, maar ik ben vierenveertig, dus dat is wel heel raar.'

'Ik vind het helemaal niet raar om op je vierenveertigste goedgevormd te zijn,' zei hij ernstig. 'Ik vind het getuigen van een positief zelfbeeld en goede eetgewoonten. Je eet vast veel vezels.'

Ik giechelde. 'Ik bedoel dat het raar is om op je vierenveertigste uit te gaan met iemand van zevenentwintig.'

'Ja,' zei hij, 'maar nu ga je voorbij aan het feit dat ik echt een goede baan heb. Oma adviseerde me om dat meteen te zeggen. Kom op,' drong hij aan, 'het is maar koffie, hoor. We gaan niet echt uit. Als je wilt, kunnen we het de hele tijd over ons vak hebben.'

'Hmm,' wauwelde ik. 'Ik ga koffie met je drinken, maar op één voorwaarde.'

'Zeg het maar.'

'Dat je je niet bewonderend uitlaat over *De kat die een bommetje maakte.*'

'Maar dat bommetje is goedgevormd!' protesteerde hij.

Gek om te bedenken wat een man sexy kan maken, vind je niet? Het verbaast me altijd als vrouwen beginnen over dingen als borsthaar of aftershave of wat voor auto een man heeft. Ik heb een vriendin die een man met een lekker kontje wil. Dat snap ik niet. Als een man een kont heeft als een lege hangmat, dan is dat maar zo. Als zijn kont net een worst op een cracker is, laat God me dan de sereniteit geven om te accepteren wat ik niet kan veranderen. Als er haar op zijn kont zit, en misschien een flinke moedervlek en wat pukkeltjes, richt ik me in plaats daarvan op zijn lekker stoppelige kin. Een oplettende lezer kan nu misschien aandragen dat het voor mij wel verdacht makkelijk is om over een minder volmaakt achterwerk te praten, gezien het feit dat Nicks kont een schitterend exemplaar was, vooral zoals die voor het laatst in het openbaar getoond werd op gay.com. Maar ik blijf erbij dat een kont niet hetgeen is waar het allemaal om draait.

Naar mijn mening komt sexy zijn op drie dingen neer: chemie, gevoel voor humor en de manier waarop iemand restaurantpersoneel behandelt. Als er niet meteen een klik is, komt die er ook nooit. Als hij je grapjes in het eerste gesprek al niet begrijpt, ga je altijd stiekem op zoek naar iemand die je humor wel snapt. En als een man restaurantpersoneel niet als echte mensen ziet, met hun eigen behoeften, dromen en bijbaantjes, dan wil ik niet bij hem zijn, al heeft hij de Pulitzerprijs gewonnen.

Met mijn buitengewoon milde criteria voor wat sexy is, zou je denken dat Soren Friesen een goede kans maakte. Laten we eerlijk zijn: mijn eisen waren niet al te hoog. De on-sexy eigenschappen van de gemiddelde mennonietenman waren in theorie geen obstakels voor me. Volgens de maatstaven die ik zelf had opgebiecht zou ik geen problemen hebben met een man met een vlezig roze huid of een driedubbele kin waar je steentjes op kon keilen als op een vijver: één, twee, drie, poink. Ik zou zelfs voor een vent kunnen vallen die een verlopen kortingsbon van tien dollar voor een slecht steakhouse in zijn portefeuille had, die de ober weigerde in te wisselen omdat de einddatum al zes jaar verstreken was.

Toch hadden Lola en ik lange tijd een speciale vrijstellingsclausule voor mennonieten ingesteld. We hadden nog nooit een mennonietenman ontmoet die in aanmerking kwam om verkering mee te hebben. Er bestonden mennonieten die knap, grappig, aardig en sexy waren voor de buitenwereld. Zulke mannen had ik ontmoet. Ik was mennonieten tegengekomen die een lekkere aftershave op hadden en kasjmieren jasjes droegen. Ik kende persoonlijk zelfs mennonieten die een Bacon van een De Kooning konden onderscheiden. Maar Lola en ik voelden dat er ergens een niet te omschrijven, angstaanjagend addertje onder het gras school. Waarom kregen we de kriebels van het idee om iets met een mennonietenman te beginnen? Dat konden we niet precies zeggen. Maar mennonitische mannen waren te vertrouwd. Het kwam niet alleen doordat we het gevoel hadden dat ze onze broers waren, maar op de een of andere merkwaardige manier walgden we van hen.

Mijn verwachtingen waren dan ook niet bepaald hooggespannen toen ik naar het café reed voor een ontmoeting met de zevenentwintigjarige kleinzoon van een oma die bommetjes uitdeelde alsof het snoepjes waren. Soren zat aan een tafeltje de boekenbijlage van *The New York Times* te lezen. Zodra ik hem zag, wist ik dat hij het was, ook al zaten er nog een paar mannen van een jaar of dertig in hun eentje aan een tafeltje. Soren had het steile, zandkleurige haar van ons volk, plus een bijbehorend sikje. Hij zag er vrolijk en aantrekkelijk uit toen hij opstond om me te begroeten. Hij was lang. En ik vond zijn bril leuk.

We schudden elkaar de hand. 'Goedgevormd,' zei hij.

'Denk maar niet dat ik geen bommetje onder je kont leg,' waarschuwde ik. 'Ik kan maar niet geloven dat ik een blind date heb met een mennoniet die zeventien jaar jonger is dan ik.'

Hij had pretoogjes, die oplichtten in een waaier van lachrimpeltjes als hij glimlachte.

'Wat is erger,' vroeg hij, 'het feit dat ik mennoniet ben, of het feit dat ik zeventien jaar jonger ben dan jij?'

Ik ging peinzend zitten. 'Wil je een eerlijk antwoord? Het mennonitische aspect weegt zwaarder.'

Ik keek naar hem toen hij koffie voor me haalde. Hij had iets internationaals, naast het feit dat hij duidelijk vaak naar de sportschool ging. Hij zag er niet uit als een mennoniet.

'Heb je ooit iets met een mennoniete gehad?' vroeg ik.

'In mijn studententijd. Misschien ken je haar wel. Sheri Wiebe-Penner. Haar man en zij gaan naar dezelfde kerk als jouw ouders.'

'Sheri Wiebe?' vroeg ik. 'Ik was haar oppas! Ze keek me altijd zo vuil aan als ze om acht uur naar bed moest. Ze had twee saaie broers die in het mennonitische kinderkoor zongen.'

Soren knikte. 'Daar zong ik ook.' Hij zong een stukje van een liedje uit een kindermusical uit de jaren zeventig die gebaseerd was op het verhaal 'Daniël in de leeuwenkuil' uit het Oude Testament.

Het is niet heet in deze oven, man!
(herhaal)
Man, deze oven is koel, koel, koeoeoeoel, yeah!

Ik kende de tekst en viel in bij het laatste gedeelte. Soren likte aan zijn vinger en maakte het *muy caliente*-gebaar. 'Tsssss!'

We lachten allebei bij de herinnering, alsof dat pas echt een leuke tijd was geweest.

'Heb je Sheri Wiebe daar ontmoet? Bij het kinderkoor?'

'Nee, Sheri en ik kennen elkaar al heel lang. We speelden al met elkaar toen we nog een baby waren. Ik woonde als kind in dezelfde straat als de familie Wiebe en de familie Petcur. Sheri en ik gingen ieder naar een andere middelbare school en kwamen elkaar op de universiteit weer tegen. We hebben een jaar iets gehad toen ik in Goshen zat.'

Ik knikte. Ik had Sheri Wiebe altijd graag gemogen. 'Toen ik een keer oppaste, maakte Sheri een heksenbrouwseltje van boombast, hondenpoep en een eierdoos.'

'Dat hebben we toch allemaal wel eens gedaan?' zei Soren. 'Wat heb je eigenlijk tegen de mennonieten?'

'Ik heb niets tegen ze. Ik ben dol op ze. Ik weet alleen niet of ik wel verkering met ze zou willen.'

Soren ging verzitten, en onder tafel kwam zijn been tegen het mijne aan.

'Jij hebt liever...?'

'Ik heb liever een atheïst die me niet aan de kant zet voor een kerel die hij op gay.com heeft leren kennen.'

Hij zette zijn koffiekopje neer. 'Zullen we een stukje gaan rijden?' vroeg hij. 'Ik heb een motor. En een extra helm.'

Ik keek omlaag naar mijn flatjes met open teen, en naar mijn zonnejurk. Die waren volslagen ongeschikt voor een motorritje. 'Oké.'

'Laat je tas in de kofferbak van je auto liggen.'

'Maar stel dat we een ongeluk krijgen en bewusteloos raken en niemand weet wie we zijn?'

'Schatje,' zei hij grinnikend, 'daar hebben ze gebitsgegevens voor.'

Mennonietenmannen reden meestal als conservatieve opa's, maar Soren ging er als een speer vandoor. Achter op de motor drukte ik mezelf tegen hem aan, en mijn rok bolde zwierig op alsof hij een eigen wil had, ondanks mijn pogingen hem omlaag te houden. Tijdens het rijden hield ik een arm losjes om zijn middel en liet ik de andere achteloos op de tank tussen zijn benen rusten. Als hij een scherpe bocht maakte, verstevigde ik mijn greep rond zijn buik en voelde ik zijn buikspieren aanspannen. Zijn torso was één bonk spieren. Op kruispunten ging hij even rechtop zitten en leunde tegen me aan met zijn handen tegen mijn dijen, alsof ik hem daartoe had uitgenodigd. Het was een warme dag en we begonnen te transpireren. Toen we op het open stuk voor de heuvels aan de rand van de stad kwamen, gaf Soren gas tot hij honderdzestig reed. Ik sloeg allebei mijn armen om zijn middel, klampte me aan hem vast en wist op de een of andere manier dat we zouden komen waar we zijn moesten.

13
De therapeutische waarde van lavendel

Ik plande nog een laatste avond met mijn vriendin Eva. Ik kende Eva Wiebe-Martens al van kleins af aan. Toen onze vaders nog lesgaven aan hetzelfde seminarie, was ik beter bevriend geweest met haar oudere zus, die even oud was als ik. Door de jaren heen was het contact met beide zussen verwaterd. Zij hadden het prima gevonden om op het mennonitische platteland te blijven wonen, terwijl ik niet kon wachten om er weg te gaan. Bij mijn terugkeer naar de gemeente waar mijn ouders woonden, was ik tot mijn vreugde Eva weer tegengekomen, en was ik nog verheugder toen ik hoorde dat ze mijn leven leidde – mijn ándere leven, het leven dat ik gehad zou hebben als ik mijn vaders geloof niet verworpen had.

Eva was afgestudeerd aan het seminarie, was doctor in de theologie en had het tot hoofd van de afdeling religie van de plaatselijke mennonietenuniversiteit geschopt. Zij was degene die mijn vaders plaats had ingenomen na zijn pensioen. Eva was getrouwd met een man die ze tijdens haar studie aan het seminarie ontmoet had, en ze had twee kinderen, Matea en Hazel. Terwijl ik fantaseerde over Eva's leven, was zij grappig genoeg heel geïnteresseerd in het mijne. Ze zei dat ze, als ze lang geleden haar hart had gevolgd, voor literatuur, kunst en reizen gekozen zou hebben.

We bliezen onze vriendschap nieuw leven in. Dat wil zeggen, tijdens de maanden die ik in Californië doorbracht hadden we elkaar leren kennen en was er een klik geweest. Elke donderdagavond gingen we iets drinken bij het plaatselijke jazzcafé en stortten we ons hart bij elkaar uit, zelfs als we niets zeiden. Die vrouw had iets heel sympathieks over zich. Ik was dol op haar kalmte, die leek op te wellen uit een diep boeddhistisch gevoel dat we het leven leiden dat we verkiezen.

Eva maakte een moeilijke tijd door. Bij haar vader, die ook predikant en kerkleider was, was kortgeleden alzheimer geconstateerd. Zijn ziekte had een verregaand effect gehad op de traditionele mennonietenfamilie. Ik zal er niet veel over zeggen, want het is Eva's verhaal en niet het mijne, maar sommige details waren hartverscheurend. Hoe kunnen twee mennonitische dochters bijvoorbeeld bemiddelen voor een vader die zich zijn eigen overhaaste financiële beslissingen niet meer kan herinneren, en een moeder bijstaan die niet in staat of bereid is het roer over te nemen? Tijdens het langzame aftakelingsproces van haar vader had Eva's verdriet zijn tentakels uitgestoken en was steeds verder gegroeid. Haar vaders toestand was nu zo slecht dat er elke dag weer iets verloren ging. Maar ondanks – of misschien wel dankzij – haar verdriet zag ik de rust in haar opbloeien alsof ze honderd jaar zou gaan slapen. Ze deed me altijd aan Doornroosje denken, met haar ogen die elk moment open of dicht konden gaan.

Eva was de enige vriendin die haar hart niet vasthield omdat ik iets had met een zeventien jaar jongere man. De arme Lola kreeg in Italië bijna een beroerte toen ze het hoorde, maar vooral omdat Soren een mennoniet was. 'Ben je niet goed bij je hoofd? Vlucht, voordat hij je schort aan de bedstijl hangt en je een preek geeft over het belang van vervelende voortplantingsseks! En hoe denk je over moeder worden?'

Ondanks alle adviezen die ik over Soren en aanverwante hartsaangelegenheden kreeg, had ik nog alle tijd om ware vriendschap te waarderen en dankbaar te zijn voor rijke, langdurige, zeg-waar-het-op-staat-vriendschappen met vrouwen als Lola en Eva. Ik had gelukkig nooit te maken gehad met wat soms voor vriendschap door moest gaan. Stel dat mijn beste vrouwenvriendschappen bestonden uit het soort relatie dat ik vaak op de universiteit zag, waar ik fungeerde als faculteitsadviseur bij een meisjesstudentenclub?

Hoewel ik zelf nooit bij een studentenvereniging had gezeten, zag ik geen reden me er als hoogleraar niet aan te verbinden, vooral omdat ik er zelf geen ervaring mee had. Mijn vooroordelen over een toevluchtsoord voor aantrekkelijke, maar niet al te intellectuele jonge vrouwen was strikt op geruchten gebaseerd. Het concept studentenvereniging, dat vaak als typisch Amerikaans wordt gezien, was geheel in strijd met mijn opvoeding. Mennonieten zagen dat frivole systeem niet als een optie voor hun maagdelijke dochters; de meisjesstudentenvereniging als opvoedingsinstituut bestond eenvoudigweg niet in de mennonitische wereld. Mennonieten zouden geen goedkeuring of begrip kunnen opbrengen voor een netwerk dat ruimte bood voor sociale wellustigheden als verkering, populariteit of institutionele loyaliteit. Dat laatste leek wel erg op gedachteloos nationalisme, en met hun neiging tot vredelievendheid hadden mennonieten moeite met het beloven van loyaliteit, puur omwille van de loyaliteit. Ze geloofden in het liefhebben en dienen van hun land, maar behielden zich het recht voor vraagtekens te zetten bij elke instelling die in staat was tot het bij wet regelen van oorlogen. Of lingerieparty's.

Academici kleineren het frivole studentenleven maar al te graag. We rollen met onze ogen als we tijdens een borrel naar elkaars verhalen luisteren, waardoor we al net zo kinderachtig overkomen als de studentenverenigingen die we bekritiseren. Academici stellen vaak dat studentenverenigingen een hopeloos anti-intellectueel fenomeen zijn. Of het nu waar is of niet, we zien ze als een sociale organisatie, een datingnetwerk voor vrouwen en een ouwelullenclub voor de mannen. Veel studentenverenigingen stellen als eis wel een minimumstudieresultaat, maar dat leidt veelal eerder tot snel afgeraffelde werkstukken dan tot studeren. We zien allemaal regelmatig studenten die zich druk maken om hun cijfers, terwijl we liever studenten zien die intellectueel vooruit willen gaan.

Toen ik pas was afgestudeerd, ging ik ermee akkoord faculteitsadviseur te worden van een meisjesstudentenvereniging waarvan de leden vaak werden aangeduid als de 'lekkere wijven van de campus', of ook wel 'de meiden die weer eens in de shit zitten omdat ze vier hotelkamers hebben uitgewoond'. Het verbaasde me niets dat deze jongedames verschrikkelijk mooie studentes bleken te zijn, die voor belangrijke gelegenheden de kleur van hun outfit op elkaar afstemden.

Toen het op een avond in februari elf graden vroor en het ijzelde terwijl er twintig centimeter sneeuw lag, vierden de meisjes van mijn studentenclub hun lidmaatschap van de vereniging in minispijkerrokjes en roze panty's en op stilettohakken. Als faculteitsadviseur was ik officieel uitgenodigd voor een evenement met de titel 'Het doorgeven van de baksteen', dat op een vrijdagavond om elf uur zou plaatsvinden. Het doorgeven van de baksteen was een sentimentele ceremonie bij kaarslicht, waarbij de zusters elkaar hun eeuwige liefde verklaarden, terwijl ze in een Kring van Solidariteit een in kant gewikkelde baksteen doorgaven. Ik tikte met mijn vinger op de baksteen, maar zag er niets vreemds aan, behalve dan dat hij in kant gehuld was, als Anna Boleyn. Als een van de zusters de baksteen aanpakte, nam ze hem ernstig in haar armen en dreunde uitgelaten een boodschap van vertrouwen en hoop op. De boodschap, die gepaard ging met veel gesnik en verontschuldigingen vanwege uitgelopen mascara, luidde telkens weer: 'Meiden, jullie staan voor altijd achter me! Bedankt, dames!'

Zou deze oprechte belofte van eeuwige vriendschap na hun afstuderen langer dan tien minuten standhouden? Deze vrouwen leken vriendschap alleen te bekijken in termen van wat er voor hen in zou zitten. Ik had nog nooit een zuster ook maar één unieke eigenschap horen noemen van een vrouw die deel uitmaakte van de Kring van Solidariteit. Ik had nog nooit iemand horen zeggen: 'Jij bent de belichaming van gratie en tact.' 'Jouw vriendelijkheid inspireert me.' 'Door jouw passie voor geologie heb ik een ander hoofdvak gekozen.' Nee hoor, de zusters verklaarden dat ze elkaar waardeerden omdat ze elkaar nooit een mes in de rug zouden steken. 'Deze meid zou mijn vriendje nooit van me afpakken. Jezus, wat hou ik van haar!' 'Deze meid leent me haar Jimmy Choo-schoenen! Dat is pas vriendschap!'

Ik had me nooit geroepen gevoeld om een baksteen door te geven of er eentje in kant te hullen, of om mijn panty en schoenen af te stemmen op die van mijn collega's, maar al met al stond ik sympathieker tegenover dat studentenclubgedoe dan ik had verwacht. Ik ben mijn studentes ook dankbaar voor het ter discussie stellen van

de kwestie 'wat hoor je als baksteen niet te dragen'. Ik had er nooit
zo over nagedacht hoe je een baksteen moet kleden om hem er op
zijn best uit te laten zien.

> – *Ja, ik vind dat een baksteen er prachtig uit-*
> *ziet in kant, misschien met een mutsje op.*
> – *Nee, ik hul mijn baksteen liever in iets an-*
> *drogyners, zoals een jumpsuit.*

Mijn nieuwe oude vriendin Eva, die ik al in mijn studententijd kende
maar nu pas echt begon te waarderen, is zo iemand met een diepe
ziel, zo'n heldere, koele bron die dieper is dan je denkt, zoals Lake
Louise. Ze heeft iets waardoor ik me thuis voel en tot rust kom. Ze
kan je aankijken met zo'n slaperige, lome blik die doet denken aan
een kat die lui in de zon ligt. Die kattenmetafoor past eigenlijk veel
beter bij Eva dan mijn eerdere vergelijking met Doornroosje – die
laatste suggereert vergetelheid, terwijl de eerste een rusteloze alert-
heid impliceert, en dat is echt Eva. Ze ziet alles. Toen ik haar over
Soren vertelde, vroeg ze of ik een keer met hem wilde komen eten.
'Eh,' zei ik aarzelend. 'Komen eten? Bij jou thuis? Nee.'

Ze knikte met een glimlach, haar oogleden zwaar. Door die ene,
onschuldige vraag over Soren wist ik precies hoe ik er echt over
dacht dat ik iets met een jonge mennonietenman had. Hij was grappig en sexy, maar ik zou hem absoluut niet meenemen naar een dinertje bij iemand thuis. Dat kon ik gewoon niet. Trouwens, ik wilde
Eva voor mezelf. We hadden het stadium bereikt waarin we het interessanter vonden om bij elkaar te gaan zitten om over theologie
te praten dan om bij elkaar te gaan zitten en over mannen te praten.

Het was leuk om te zien dat haar dochters bruisten van energie
terwijl zij zelf zo rustig overkwam. Eva liet Matea en Hazel grotendeels hun eigen gang gaan. Ze raasden, in april verkleed in kerstversiering en aluminiumfolie, door het huis; ze swingden op het ritme
van een mennonitische mandoline; ze zongen liedjes uit de opera
des levens ('Lalala, ik snij die worm doormidden, lalaaa! Er zit een

haar op mijn tandenborstel, lalalaaa!'). Eva bleef meestal op de achtergrond toekijken zonder zich ermee te bemoeien. Heel veel ouders hebben de neiging op elk woord van hun kind te reageren, zelfs als die kinderen slechts hardop een ongefilterde innerlijke monoloog weergeven. Eva's bereidheid om haar dochters in hun eentje te laten spelen kwam verfrissend over, alsof ze vertrouwen in hen had. Ze negeerde ze niet en ging ze ook absoluut niet uit de weg. Ze vond hun aanwezigheid heerlijk. Maar ze liet vertrouwen zien door er alleen maar te zijn. Mijn andere vriendinnen hadden meertalige kinderen, paardrijkinderen of klassiekegitaarkinderen. Eva's kinderen renden gewoon rond en deden van alles.

Eva had me gebeld om te vragen of ik zin had om gegrilde groenten en kip te komen eten. Toen ik er rond zes uur aankwam, negeerde Matea me zorgvuldig en beeldde alle letters van het alfabet uit met behulp van haar armen en benen. Ze had een roze bloemetjesbikini aan. 'Toen ik zei dat je kwam eten, ging ze haar zwemkleding aantrekken,' merkte Eva op.

'Ik snap het. Hé, Matty!' riep ik, en ik stak mijn hoofd om de hoek van de woonkamer. 'Gave bikini!'

Matea had op mijn compliment gewacht. Nu voelde ze zich erkend, alsof ze er mocht zijn. Een van de raadsels van de jeugd is dat de mening van mensen die ze nauwelijks kennen van doorslaggevend belang is. Ik heb het altijd leuk gevonden om te zien hoe kinderen geheimen verklappen aan vreemden, of hoe ze gespannen wachten op het oordeel van een vreemde over een roze bikini. Nadat ik de bikini had goedgekeurd, ging Matty zich omkleden en kwam terug in de kleren die ze eerder aan had gehad: een spijkerbroek, een tutu en een boernoes.

Tijdens het eten praatten Eva en ik met haar man Jonathan over een les over spionageromans die Jonathan aan het voorbereiden was voor zijn lesprogramma op de middelbare school. Plotseling werd er aan mijn mouw getrokken. De kleine Hazel van vier had een dringende mededeling, haar amberkleurige ogen schitterden van trots. 'Rhoda! Rhoda!'

'Wat is er, Hazel?'

Ze barstte van de energie en haar recht afgeknipte *bob*-lijn raakte haar kin als een rode vlag. 'Rhoda!' Ze keek me recht aan en verkondigde: 'Ik zou er niet aan moeten dénken om in mijn broek te poepen!'

'Ik ook niet,' zei ik. Ik vond Hazels opmerking net zoiets als mijn moeder zou kunnen zeggen tijdens een dinertje, dus ik was niet van mijn stuk gebracht.

'Ik zou nooit in mijn broek poepen,' zei Eva op conversatietoon. Ze knipperde niet eens met haar ogen. Ze schepte nog wat courgettes op.

'Dan zijn we het unaniem eens,' zei Jonathan. 'Er is hier niemand die eraan moet dénken om in zijn broek te poepen.'

De kleine Hazel knikte triomfantelijk en verdween naar de woonkamer, waar ze haar zus meedeelde dat haar broek nu voor eeuwig poepvrij was.

Die avond keek ik toe hoe Eva en Jonathan de meisjes naar bed brachten. Daar hoorden twee verhaaltjes bij, twee liedjes, en een uitgebreide kus- en knuffelpartij tussen de zusjes, de ouders en de speelgoedbeesten. Toen Eva en Jonathan in de donkere slaapkamer een zelfbedacht liedje zongen, moest ik mijn tranen wegknipperen. Dat kwam niet omdat ik dit zelf nooit zou meemaken. Op dat front had ik geen spijt; ik had mijn beslissing genomen en daar had ik vrede mee. Het kwam eerder omdat ik plotseling het gevoel had dat het lot een machtige, verbijsterende kracht is, een onverbiddelijke stroming die ons naar nieuwe kanalen stuurt. Hier hadden we Eva, die ook heel andere keuzes had kunnen maken op het gebied van opleiding en carrière. En hier hadden we mij, met mijn tientallen jaren van rusteloos reizen, en mijn briljante, maar gekwelde ex-man. Wat leek het ineens triest om heen en weer geslingerd te worden door de krachtige stromingen waaraan we ons leven hadden overgedragen. Er waren zoveel jaren verstreken. Mijn kindertijd, mijn eerste vriendschappen en mijn lange huwelijk leken allemaal aan een onzichtbare draad te hangen, net als het papierachtige wespennest buiten mijn werkkamerraam. Ik had gezien hoe de wind die vanaf het meer kwam ertegenaan blies en het deed kantelen, en ik verwachtte dat het zou vallen, maar dat gebeurde niet. Herinneringen zwaaiden heen en weer zoals dat nest – verborgen maar aanwezig, fragiel maar sterk, door een ongeziene kracht vastgehecht aan een voortdurende beweging.

Soms vraag ik aan mijn studenten of ze denken dat een dertigplusser sprongsgewijze ideologische veranderingen kan ervaren. Ik vertel erbij dat ik niet doel op de geleidelijke mildheid die met de jaren komt. Ik heb het ook niet over de abrupte karakterverschuiving als gevolg van trauma of lijden. Ik wil weten of ze het mogelijk achten dat er een diepgaande, aanhoudende verandering kan ontstaan vanuit een weloverwogen, bewust gekozen daad. Ik wil weten of ze denken dat we onze diepste, wezenlijke overtuigingen kunnen veranderen. De manier waarop we geloven.

Ja, zeggen mijn studenten. *Absoluut. Natuurlijk kunnen we veranderen!* En dan sta ik versteld van hun hoop. Mijn studenten dragen optimisme in hun rugzak met zich mee alsof het heldere flessen designwater zijn.

Kan een scepticus ooit iets anders zijn dan een scepticus? Kan een eenling ooit worden verleid tot groepsdenken? Het was ontnuchterend om te bedenken dat de levens van Eva en mij, met zo op elkaar lijkende mogelijkheden en interesses, zo verschillend waren verlopen en dat ze elkaar alleen kruisten in de liminale fase van de kindertijd of in het theoretische niemandsland van de verandering. Ik sloot mijn ogen en probeerde me Eva in mijn wereld voor te stellen; Eva in een sexy jurk bij de opening van een kunsttentoonstelling; Eva lachend om een van Nicks scherpe opmerkingen, die hard was aangekomen en had gestoken als een horzel. Het beeld klopte niet. Eva hield van gezondheidssandalen en een zakdoek. Eva zou nooit, nog geen minuut, hebben kunnen leven met Nicks buien. Eva, het toonbeeld van geestelijke gezondheid en evenwichtig zelfrespect, zou al in de eerste huwelijksmaand tegen Nick hebben gezegd: 'Als je de manier waarop je met je ziekte omgaat niet kunt veranderen, zal ik een paar veranderingen aanbrengen in de manier waarop ik met deze verbintenis omga.'

Maar goed, Eva zou sowieso nooit voor Nick gevallen zijn. Zijn vernietigende ellende, zijn woede jegens God, en zijn creatieve broeierigheid waren in mijn ogen ergens wel aantrekkelijk. Die eigenschappen omringden mij ook, als de schimmige manen rondom Jupiter. Nicks duistere leed weerspiegelde mijn eigen voortdurende gemekker: mijn vragen omtrent georganiseerde religie, mijn chronische twijfels, mijn cynische schouderophalen als mannen hun vrouw verlieten voor een kerel die ze hadden ontmoet op gay.com. Ik geloofde in het slechtste en het beste van de mens. Mijn ouders namen de mythe over Eden letterlijk en geloofden dat God ons geschapen had en we daarna tot de zonde vervielen. Ik geloofde dat die zonde een metafoor was voor het feit dat het onvermijdelijk is dat we niet al onze mogelijkheden benutten. En als we geschapen zouden zijn, hadden we dan ook God niet geschapen?

Mijn moeder en ik zouden de dag doorbrengen met de Mennonite Senior Professionals, een groep gepensioneerde geleerden, predikanten en goed opgeleide ouderen van allerlei pluimage. Ze kwamen tweemaal per maand bij elkaar voor een prettig intellectuele activiteit. Op de dag in kwestie kon mijn vader niet mee, dus vroeg mijn moeder of ik haar gezelschap wilde houden. Het werd een uitstapje van een dag, waarbij we naar de lokale boerderijen in het dal zouden gaan om meer te weten te komen over het agrarische verleden van de mennonieten. Enkele senioren waren voormalige universiteitsdocenten van me, en ik herinnerde me de meesten van hen als behoorlijk conservatief. Ik had voor de gelegenheid een bruine broek, Diesel-gympen en een hoog gesloten topje aangetrokken.

'Het zou later op de dag koeler worden, dus ik snap waarom je vandaag geen korte broek aantrekt,' zei mijn moeder. 'Maar gisteravond bij de barbecue had je die ook niet aan. Staci en Deena droegen wel een korte broek.'

'Mam, alsjeblieft, ik ben vierenveertig. Er komt een tijd dat je je erbij neerlegt dat je geen korte broek meer aan kunt.'

'Ik ben zeventig en ik draag nog steeds een korte broek in de tuin.'

'Er is een tijd dat het kan, en die gaat weer weg, en dan komt hij weer terug,' stelde ik beleefd. 'Maar ik ben nog niet in die derde fase aanbeland.

'Je hebt anders mooie, gezonde benen.'

'Niet meer,' zei ik resoluut. 'Mensen hebben geen zin om naar een verzameling littekens te kijken.'

'Nonsens,' zei de mennonietenmatriarch. 'Ik mag graag naar een stel gezonde benen in een korte broek kijken.'

Mama's nieuwe uitspraken op het gebied van kleding waren een tikkeltje verrassend voor een mennoniet. Zo had ze bijvoorbeeld onlangs nog geopperd dat de zakenwereld er een stuk beter op zou worden als effectenmakelaars en directieleden allemaal zouden afspreken om een tanktop aan te trekken naar hun werk. Haar pro-kortebroekenstandpunt was al net zo verrassend, gezien het feit dat ik in mijn jeugd nooit een spijkerbroek aan mocht omdat spijkerbroeken in de schuur thuishoorden en God anders niet geloofd zou zijn. Ik zou denken dat een God die op lof uit was liever een spijkerbroek dan een korte broek zou zien. In een spijkerbroek werden onvolkomenheden tenminste nog verhuld. Cellulitis, spataderen en littekens boden God slechts beperkte lof. Maar ach, wie was ik om te bepalen wat de kledingvoorkeuren van de Almachtige waren? Ik deed maar een gooi. Misschien hield God ook wel van korte broeken. Dat soort speculaties liet ik meestal aan mensen als mijn moeder over, die er verstand van leken te hebben.

Nu keek mama fronsend naar mijn broek, die ik de vorige avond ook had aan gehad bij de barbecue. 'Ik denk dat iedereen je benen wil zien. Gisteren was het drieëndertig graden. Ik kreeg het al warm als ik naar je keek.'

Ik stroopte een broekspijp op. Met al die littekens en schitterende pukkeltjes op mijn doorschijnende vel bood mijn scheenbeen geen prettige aanblik. Bovendien had ik zeven jaar als geleerde in een noordelijk klimaat geleefd en had mijn scheenbeen de kleur van pas gevallen sneeuw – nee, van opgelost mager melkpoeder. Als ik 's ochtends ging hardlopen, trok ik mijn karatebroek aan. Zelfs op de atletiekbaan kon ik het niet opbrengen een korte broek te dragen.

'Waarom wil je opeens je benen verbergen?' drong mama aan.

'Dat slaat nergens op. Komt het door de littekens? Je draagt wel heupbroeken, net als alle tienermeisjes.'

'Dat is iets anders.'

'Niet waar,' zei ze koppig. 'Toen we naar de rijtoer van de kerk gingen en op die lage hooibalen zaten, zat je broek van achteren zo laag dat ik je onderbroek kon zien.'

'Goeie god,' zei ik, onaangenaam getroffen. 'Denk je dat Elsie-Lynn en Walter mijn onderbroek gezien hebben?' Elsie-Lynn en Walter hadden op de hooibaal achter me gezeten.

Ze knikte rustig. 'Hij was knaloranje met roze. De onderbroek, niet Walter.'

O! Wat een vernedering! 'Ik heb voor Walter nog eens een werkstuk over de *Münstereich* geschreven! Ik zou hem nog liever mijn benen laten zien dan mijn onderbroek! Ik durf te wedden dat ze er vandaag allebei zijn en me veroordelen vanwege mijn ongepaste onderbroek!'

'Doe niet zo opgefokt. Op jouw leeftijd is vrijwel alles interessanter dan de kleur van je onderbroek,' zei mijn moeder namens Elsie-Lynn en Walter Hoeffer. 'Walter en Elsie-Lynn hebben kleinkinderen. Ze hebben het allemaal wel eens eerder gezien.'

Hoewel we een dik kwartier te vroeg waren voor de Agrarische Historische Dag van de mennonieten, waren mama en ik de laatsten die in de bus stapten. Ik keek naar de zilverkleurige, golvende kapsels en grijze baarden; de mennonitische stiptheid getuigde van onze Duitse afkomst.

Toen we ons een weg naar het achterste deel van de overvolle bus baanden, ging er een plezierige scheut van opwinding door me heen toen ik zag dat ik tegenover Abe en Arlene Kroeker zou zitten. Mijn moeder liet mij aan de kant van het gangpad zitten, omdat ik beenruimte nodig had. Dus zat ik nog geen dertig centimeter bij Abe Kroeker vandaan. Abe Kroeker was de vader van een jongen waar ik op de middelbare school een tijdje verkering mee had gehad.

Nu neem ik het risico om mezelf bloot te geven. Ik zal iets opbiechten. De afgelopen vijfentwintig jaar heb ik een steeds terugkerende droom gehad: een lichte nachtmerrie over mijn klasgenoot

Karl Kroeker. Het nachtmerrieachtige aspect zit hem telkens weer in het ijskoude paniekmoment: O, neeee, ik heet mevrouw Kroeker! Stik, ik heb verkering met Karl Kroeker! Verdomme, ik schrijd naar het altaar en de bruidegom is... wacht! Nee! Karl Kroeker! Ik wil duidelijk stellen dat Karl Kroeker en ik in het echt nooit samen geslapen hebben, nooit volwassen pleziertjes en zorgen gedeeld hebben, en nooit vis-à-vis informatie hebben uitgewisseld over onze doelstellingen, ideologieën, vrienden of buitenschoolse activiteiten. Ik weet niet eens of we ooit wel een gesprek gevoerd hebben. We hebben één keer onhandig zitten zoenen in de schoolbus.

Het is me dan ook een raadsel waarom Karl Kroeker jarenlang in mijn dromen is opgedoken. Ik zie Karl Kroeker als een knagende boodschap uit het onderbewustzijn. Het is net als met Glenn Close in *Fatal Attraction*: ik kan niet om Karl Kroeker heen. Het is nou ook weer niet zo dat ik elke nacht over Karl Kroeker droom. Het is niet zo dat mijn bed nat wordt zodra ik over Karl Kroeker droom! Ik ben niet gek! Ik kan je verzekeren dat ik net vaak genoeg over Karl Kroeker droom om blij te zijn dat Karl en ik elkaar nooit als volwassenen hebben gekend.

Ik word altijd badend in het zweet wakker, in gedachten trappelend en gillend vanwege de kosmische impuls die me ertoe dwingt met de op één na oudste zoon van Abe en Arlene Kroeker te trouwen. Het gekke is: als ik twee mensen zou mogen uitkiezen die ik het liefst als schoonouders zou hebben, zijn het wel Abe en Arlene. Ik ben altijd dol op ze geweest.

Ik ben geen psychotherapeut, maar ik heb altijd aangenomen dat Karl Kroeker om de een of andere mysterieuze reden de optelsom van mijn mennonietenervaringen is – de essentie van de mennonitische man. Hij is de oermennoniet die symbool staat voor de reden dat ik geen waardering kan opbrengen voor 'liturgisch bewegen'. Hij is het Abromtje, het berijpte hart van de watermeloen – bedoeld als schat, maar om de een of andere reden een beetje eng, als een tumor met haar en tanden. De meeste meisjes denken dat ze een mijlpaal hebben bereikt als ze voor het eerst ongesteld zijn. Bij mij was dat toen ik over Karl Kroeker begon te dromen. Dat was lang voordat ik in de schoolbus met hem zoende. Hoewel ik pas in de onderbouw van de middelbare school zat toen de nachtmerries begonnen, voelde ik dat er in mijn psyche iets belangrijks veranderde; ze stonden voor het breken met tradities. Mijn nachtmerries vertelden me dat ik gillend bij Chaco vandaan moest rennen.

Het is allemaal heel vreemd, want Karl Kroeker is (na mij) wel de laatste persoon die in Chaco het evangelie zou willen prediken. Karl Kroeker heeft keuzes gemaakt die hem ver bij de mennonieten vandaan hebben gehouden. Karl, die nu een succesvol cardioloog in Boston is, begon nog eerder dan ik een normaal leven. Terwijl wij, de andere mennonietenkinderen, nog verlegen en in zelfgemaakte kleren gehuld de muurbloempjes van de middelbare school waren, was de schrandere Karl Kroeker een van de beste sporters van de school, een ster in tennissen en de voorzitter van het studentenorgaan. Daarom is Karl Kroeker niet bepaald een onheilsprofeet. In werkelijkheid is Karl – als ik Abe en Arlene mag geloven – intelligent, aardig, grappig, aantrekkelijk en rijk.

Maar goed, ik was dus tamelijk opgewonden toen ik naast Abe en Arlene ging zitten, die me gedetailleerd op de hoogte brachten van het wel en wee van Karl en zijn broers. Ik hoorde dat Karl getrouwd was met een Armeense die een hechte band had met haar familie in Des Moines. Dat nieuws verheugde me zeer. Heel kinderachtig hoopte ik dat Karls Armeense vrouw haar bovenlip moest harsen of, net als Yvonne, veel tijd kwijt was met het in bedwang houden van haar ruige bikinilijn.

Abe Kroeker was een hoogleraar geschiedenis wiens verheven opvoeding hem vaak buiten mennonitische kringen had geplaatst. Als kind had dat veel indruk op me gemaakt. Evenals mijn vader was Abe nu gepensioneerd. Hij leek iets milder geworden en keek zelfs een klein beetje trots toen Arlene vertelde over hun succesvolle zoons. Altijd als ik hem en Arlene samen in het openbaar zag, kwamen de huwelijksverhoudingen die in onze kringen vaak te zien zijn duidelijk naar voren. Net als bij mijn eigen ouders het geval was, was hij streng en zwijgzaam en zij warm en hartelijk.

Vijf jaar eerder had Arlene gehoord dat ik belangstelling had voor de mennonitische geschiedenis en was ze zo attent geweest me drie bijzondere tulpenbollen te geven, die afstamden van dezelfde tulpen die gekweekt waren door Menno Simons, de zestiende-eeuwse grondlegger van het mennonitische geloof. Ik vertelde haar dat ik die mennonitische bollen had opgegraven en meegenomen toen ik naar het huis aan het meer verhuisde. Ze knikte slechts, alsof dat het minste was wat ik had kunnen doen.

Er was een wc in de grote bus. Mijn oudere reisgenoten maakten er geen gebruik van. Mennonieten willen niet dat andere mennonieten hen door een gangpad zien lopen om te gaan plassen, maar ik was te zeer een dochter van mijn moeder om me daarom te bekommeren. Toen ik weer terugliep vanaf de wc, wankelde ik toen de bus een scherpe bocht maakte. Daardoor werd ik met een ruk richting Abe geslingerd. Ik slaagde er net in te voorkomen dat ik helemaal tegen hem aan viel, en belandde hardhandig op mijn eigen plek. Abe reageerde snel. Hij spreidde zijn armen en zei plagend: 'Kom maar, hoor!' alsof ik mezelf opzettelijk op hem geworpen had. Arlene vond het heel vermakelijk. Ze klapte verheugd in haar handen en maakte de rest van de dag grapjes over de onweerstaanbare persoonlijkheid van haar man.

Nu komt het. Ik weet niet of het door de vreemde connectie met mijn droomwereld kwam, maar op het moment dat Abe Kroekers ruim zeventigjarige ogen me twinkelend aankeken, voelde ik plotseling een sterke aantrekkingskracht. Sterker nog, het leek wel of ik mezelf in zijn armen wílde werpen. Getsie. Ik overwoog zelfs nog even of ik me al die tijd niet aangetrokken had gevoeld tot de vader in plaats van de zoon. Lag het aan mij, of had het echt iets, zo'n kalende mennonietenman van in de zeventig met gemakkelijke schoenen en een degelijk vest?

De laatste halte van die dag was bij een kruidenboerderij van een voormalige hippieboerin. Ze was de mennonitische gemeenschap zelf decennia eerder ontvlucht en kende en begreep onze cultuur. Als onderdeel van haar inleiding over de grootsheid van kruiden deelde ze de ritmische instrumenten uit waar je op de kleuterschool op speelt: stokjes, tamboerijnen, belletjes. Toen nodigde ze alle senioren uit erop te spelen terwijl zij een volksliedje over de helende krachten van salie en tijm zong. Mijn moeder, die er per ongeluk stijlvol uitzag in haar geborduurde spijkerbroek en slangenleren jasje, wiegde met haar heupen en mepte als een gek op haar tamboerijn. (Een van de onopgeloste mysteries van onze familie was mijn moeders zwak voor dierenprints. Misschien was die voorliefde het resultaat van een recessief gen. Ze heeft een keer een jurk voor me gemaakt van een stof die bedrukt was met realistisch ogende giraffen, leeuwen en antilopen die op de steppen rondrenden en stilstonden. Mama wist te weinig van mode om dierenprints met smaak te combineren, dus vond ik het heerlijk haar in zoiets chics als een slangenleren jasje te zien verschijnen.)

Om me heen stonden al die prachtige mensen goedhartig met belletjes te rinkelen en met stokjes te tikken – een oude, maar enthousiaste percussieband. Ze zagen er de lol wel van in; mennonieten doen niet aan dansen, maar ze hadden allemaal de levensfase bereikt waarin God mild genoeg was geworden om een paar rinkelende belletjes door de vingers te zien. Ik zag de oude Herman Froese, een gepensioneerde organist, met zijn voet op de maat stampen. En daar stond die lieve Dorien Hiebert heen en weer te wiegen, met Arthurs armen om haar heen. Arlene Kroeker zong mee met haar melodieuze altstem en sloeg de maat op een triangel, terwijl Abe de gekke tasjes uit het souvenirwinkeltje voor haar vasthield. Hij zag eruit als een uilachtige geleerde die niet van plan was rozemarijnsachets of kruidnagelthee te kopen, maar het uit liefde voor zijn vrouw, met wie hij vijftig jaar getrouwd was, toch gedaan had.

Uit het dal steeg de geur van lavendel op. Toen ik klein was had mijn juf van de zondagsschool – dezelfde die ons die koekjes vol met rozijnen gaf – me ooit een prijs gegeven omdat ik de Bergrede uit mijn hoofd had geleerd. De prijs was waarschijnlijk iets wat ze zelf een keer had gekregen, want ik was pas acht en het was duidelijk iets wat voor een volwassen vrouw bestemd was.

'Wat is het?' vroeg ik eerbiedig toen ik na de kerk thuiskwam en mijn prijs uitpakte.

'Ik weet het niet precies,' zei mijn moeder, 'maar ik denk dat je er nog een beetje te klein voor bent.'

Het was een lichtblauw zijden zakje voor dameskousen, elegant bedekt met licht satijn en strikjes. Op mijn achtste had ik geen dameskousen. Dit lichtblauwe satijnen ding had niet echt een doel; je zou je panty net zo goed kunnen beschermen door hem in een onderjurk te rollen. Maar het zakje was mooi en frivool. Als er íéts was dat een tegenhanger van de mennonitische cultuur vormde, was dit het wel. We wisten niet eens hoe het heette. Dit blauwe ding was het tegendeel van alles waar we voor stonden. Het lichtblauwe zakje riep de essentie van een jongedamesleven op, en ik stelde me een tijd voor waarin ik witte handschoenen zou dragen en thee zou drinken en mijn kousen recht zou trekken. (Omdat mennonieten buiten de gewone wereld leefden, had ik geen idee dat jongedames allang niet meer de vrouwelijke attributen hadden die geportretteerd werden in de boeken die mijn kant op kwamen.)

Ik hield met hart en ziel, én geest, van dit satijnen voorwerp. Mijn moeder vond dat we het beter weg konden leggen tot ik ouder was, maar ik smeekte zo hard of ik het mocht houden dat ze zwichtte. Ik stopte er een kanten zakdoekje in met kleine, lila bloemetjes erop. Een van mijn tantes had me dat bloemetjeszakdoekje gestuurd, misschien in de veronderstelling dat kinderen van mijn generatie nog steeds gesteven zakdoekjes in hun schorten hadden. En Lola gaf me dat jaar voor mijn verjaardag een flesje talkpoeder dat naar lavendel rook. Haar mennonietenouders waren liberaler dan de mijne en stonden dat soort cadeaus toe. Elke maandagavond bestoof ik in een vaag schoonheidsritueel het zakdoekje met het geheime poeder. Ik wist niet precies wat elegante dames met gebloemde zakdoekjes deden, dus maakte ik mijn vlechten los, borstelde mijn haar langzaam en elegant en drukte het geparfumeerde zakdoekje tegen mijn voorhoofd. 'Jeetje, dank je wel!' fluisterde ik tegen de spiegel. 'Ik voel me zo zwakjes!' Dan stopte ik het zakdoekje weer in het lichtblauwe satijnen ding, waar het geurig bleef zitten tot de volgende maandagavond.

Sindsdien deed lavendel me altijd denken aan het prachtig bewerkte blauwe ding waarin ik ooit alle prille verlangens van mijn kindertijd wegstopte. Dat lavendelzakdoekje was mijn stille smeek- bede om te leren hoe de wereld in elkaar stak, om de quadrille te dansen en kanten onderdingetjes te dragen. Onder het mysterieuze flapje was net genoeg plek om alles te verbergen waar ik naar ver- langde, maar wat ik niet kon benoemen.

Nu ruisten er wat bamboetakken in het lentebriesje, en terwijl ik mijn belletjes liet rinkelen, sloeg ik mijn trui over mijn schouders. Mijn ogen gleden omfloerst over deze mensen heen, die hier ston- den te trommelen, te heupwiegen en te zingen. Zonder mijn man was ik op de een of andere manier teruggegaan naar mijn oorsprong, alsof mijn turbulente huwelijk een lange reis over donker water was geweest die me had weggeslingerd van alles wat veilig en vertrouwd was. Plotseling kreeg ik het gevoel dat je hebt als je lang in zee ge- zwommen hebt en je, als je weer grond onder je voeten hebt, een zucht van verlichting slaakt: je hebt het gered, je bent aan land, het is hoogst onwaarschijnlijk dat hier nog haaien zijn. De oudjes ston- den glimlachend te zingen en huiverden door het plotseling opko- mende briesje, dat nu sterk naar lavendel geurde. Harmonie steeg als een gebed op in de koelte van de namiddag, en de muziek duwde me, als een hand op mijn rug, zachtjes vooruit – de klanken van mijn erfgoed, mijn toekomst.

Appendix

Inleiding in de mennonietengeschiedenis

Als je net zo bent als de meeste mensen, heb je misschien nog wat prangende vragen over de mennonieten. Dat soort vragen krijg ik de hele tijd. Aan het begin van dit boek dacht je waarschijnlijk: Aargh! Mennonieten? Die rijden toch nog met paard en wagen en dragen van die kanten doekjes op hun hoofd? Of misschien, als je een heteroman bent: Hé, die mennonietenmeiden kleden zich toch als semisexy Franse dienstmeisjes, met zwarte jurkjes en schortjes? Wat hebben ze eigenlijk aan onder al die lagen? Of, als je altijd van die woontijdschriften leest: Zijn mennonieten niet die mensen die quilts maken die nu vaak niet te betalen zijn op eBay?

Dat zijn heel redelijke vragen, en als mennonietenschrijver zou ik geen knip voor de neus waard zijn als ik ze onbeantwoord zou laten. Dus hier volgen de respectieve antwoorden op bovenstaande vragen:

– Soms, afhankelijk van de congregatie waartoe je behoort.
– Hou je perverse piemel maar in je broek, meneertje. Mennonietenmeisjes doen het niet met Jan en alleman, hoe verlokkelijk we er ook uitzien met onze kapjes en schortjes.
– Oma-onderbroeken. Wit als een vlag, maar dan zonder overgave.
– Ik heb gehoord dat er een is verkocht voor 15.500 dollar – een quilt, geen onderbroek. Al ben ik er vrij zeker van dat de kerel die vraag vier stelde ook bereid zou zijn op eBay op een mennonietenonderbroek te bieden, of zelfs zo ondernemend zou zijn er een webwinkel voor te beginnen, mijnmennonietenonderbroek.com of zoiets. Ach, wat kan mij het schelen, ik wil die

vent ook nog wel op weg helpen. Ik stel gratis een van mijn onderbroeken ter beschikking. Mits ik zelf mag bepalen welke.

In de overheersende Amerikaanse cultuur worden mennonieten klaarblijkelijk vaak verward met de amish, die eigenlijk zijn begonnen als een rebels groepje dat zich afzette tegen de mennonieten. Het is best logisch dat de Amerikanen die twee door elkaar halen, want de geschiedenis laat zien dat de levensstijl van de mennonieten en die van de amish elkaar in vele opzichten overlappen. Maar de amish hebben zich in 1693 afgescheiden van de mennonieten, omdat wij te liberaal waren. Hilarisch, toch? Een liberale mennoniet – een groter oxymoron is niet denkbaar. Er zijn zoveel mennonitische overtuigingen en gebruiken dat mensen perplex staan van wat zij zien als een merkwaardige dichotomie. Enerzijds verzetten de mennonieten zich tegen veranderingen, met hun kortzichtige geloofsovertuiging en hun ouderwetse hang naar familiewaarden. Anderzijds hebben diezelfde mennonieten zich in de loop van hun bijna vijfhonderdjarige geschiedenis met een aantal linkse opvattingen vereenzelvigd. Omdat ze pro-vrede zijn, zijn ze anti-oorlog. Omdat ze niet gewelddadig zijn, zijn ze tegen de doodstraf. Omdat ze tegen de consumptiemaatschappij zijn, staan ze een eenvoudige levensstijl voor, die weer milieubewust is. Deze merkwaardige botsing van tegengestelde krachten resulteert tot op de dag van vandaag in gespleten politieke voorkeuren onder de Amerikaanse mennonietenkerken: sommige zijn republikeins georiënteerd, andere hangen de democraten aan.

Hoewel het in eerste instantie lachwekkend lijkt dat de amish met de mennonieten hebben gebroken omdat we te liberaal zouden zijn, zit er theologisch gezien wel wat in. Desondanks werkt het op mijn lachspieren als ik eraan denk dat de amish moeite hadden met de enorm losbandige levensstijl van de mennonieten. 'Nee, bedankt, we hoeven jullie wereldlijke schnitzels niet! Kom mee, Esther! Vanaf nu gaan we alleen nog naar samenzangavonden van onze eigen soort!' Mennonitische jongeren, hoe enthousiast ook, zouden er niet eens aan dénken om tijdens hun bijeenkomsten flesje draaien te spelen. Als je denkt dat mennonieten op een samenzangavond alles doen behalve zingen, heb je het helaas mis! Mennonieten feesten niet. Voor ons geen voetjes van de vloer, we blijven met beide benen op het tapijt staan. Sterker nog, we máken het tapijt: dat vlechten we vrolijk van oude lappen, net als die oude tapijten die je soms in musea ziet die gewijd zijn aan het leven van Laura Ingalls Wilder.

Ik weet dan ook niet wat de amishrebel Jacob Amman nou zo verwerpelijk vond aan ons bescheiden religietje. Wij mennonieten waren in de beginjaren toch verdomd heilig. We waren bijvoorbeeld die lui die op de brandstapel gegooid werden; net als heksen, maar dan zonder het opwindende element van seksueel mysterie. Bij heksen was er een rechtszitting waarbij er visitaties werden verricht, op zoek naar een 'heksentiet', een duivelsteken waar satan aan kwam sabbelen. In de praktijk was die heksentiet vaak gewoon een moedervlek of een sproet, maar het kwam erop neer dat die heks met haar vrijwillige, maar onnatuurlijke sabbelactiviteiten een kouwe kikker was en dat je daarom met een naald in haar heksentiet kon prikken zonder dat ze een krimp gaf. Amerikanen kennen nog steeds de uitdrukking 'zo koud als een heksentiet'.

Niet dat mennonieten ooit 'zo koud als een heksentiet' zouden zeggen. We moeten niets van heksen hebben. Let wel, we hebben ze niet afgewezen. Als in een normaal gesprek satan, seances, heksen of heksentieten te berde worden gebracht, wat onvermijdelijk het geval is, zal een mennoniet knikken en duister iets mompelen als: 'Er zijn overheden en machten!' Deze bekrachtiging, een cliché dat peripatetisch is afgeleid van Romeinen 8:38, heb ik altijd begrepen als iets in de trant van: 'Als gehoorzaam mennoniet geloof ik wel in een externe kwade entiteit en ook in een letterlijke hel, en in verdoemenis en eeuwige straf enzovoort, maar al met al neem ik het woord "satan" liever niet in de mond, want alles welbeschouwd wil ik niet als een halvegare overkomen.' Na zo'n mennonitische opmerking over overheden en machten wordt er ongetwijfeld overgeschakeld op een gezonder, niet-satanisch onderwerp. 'Er zijn overheden en machten' is de mennonietenversie van 'het is nu eenmaal zo' – een beleefde manier om te laten merken dat je luistert, maar tegelijkertijd om aan te geven dat je het liever ergens anders over wilt hebben.

Een oplettende lezer zou naar aanleiding hiervan kunnen vragen: 'Maar wat is dan eigenlijk het mennonietenstandpunt over tieten?' Goeie vraag! Deze lezer heeft goed opgelet! Eigenlijk komt het erop neer dat mennonieten geen 'tieten' zeggen en ze ook niet hebben. Bij de ketterprocessen in de zeventiende eeuw waren er dan ook geen mennonietenvisitaties. Geen geprik in tieten. Bij de anabaptistenprocessen ging het eerder zo:

> BURGER OF MAGISTRAAT: Aganetha Janzen, bekent u hierbij dat u kinderdoop weigert?
> AGANETHA JANZEN: Ja.
> BURGER OF MAGISTRAAT: Dan veroordeel ik u hierbij tot dood door verbranding. En als u Gods glorie bezingt, zal ik deze ijzeren staaf door uw tong moeten steken.
> AGANETHA JANZEN: Oké.

Ik kan niet voor de heksen spreken, maar de anabaptisten wilden zo graag voor hun geloof sterven dat ze pertinent het kleine zakje buskruit weigerden dat de meeste martelaars als aardig gebaar werd aangeboden. Je bond het zakje aan de bovenkant van je scheenbeen zodat het sterven in een vloek en een zucht gebeurd was. Zodra de vlammen tot je knie kwamen, was het: kaboem. Maar de mennonietenmartelaars wuifden het buskruit weg. Ze wílden die langdurige pijn juist, vanuit de theorie dat het aanhoudende lijden van Jezus Christus aan het kruis een schitterend voorbeeld voor ons allen was.

Voordat alle mennonieten in West-Europa hun Schepper op deze tamelijk spectaculaire manier konden ontmoeten, redde Catharina de Grote van Rusland hen in 1789 door hen op te roepen zich op haar zwakste grensplaats te vestigen, het land dat op een dag Oekraïne zou worden. Ze kwamen, ze zagen en ze vestigden zich. In

1817 gingen ze aan de slag onder leiding van mijn favoriete tsaristische dictator Johann Cornies. Ik heb met eigen ogen het ruim tienduizend hectare grote pachtgoed van die man gezien, en ook zijn Oekraïense landgoed, Juschanlee. Hoewel hij al honderdzestig jaar dood is, leeft zijn passie voor micromanagement voort. Johann Cornies wilde per se een groot aantal verschillende landbouwkundige vernieuwingen doorvoeren en huiveringwekkend specifieke wetten instellen. Zo bepaalde hij een wettelijk juiste verfkleur; niet alleen die voor openbare gebouwen als scholen en kerken, maar ook voor de huizen van mensen. Sommigen noemen hem een pionier en een visionair. Of nou ja, misschien ben ik wel de enige. Wat een innovaties! Het was aantrekkelijke, duurzame verf! Merinoschapen, veeteelt, zijderupsen voor iedereen! En hij was ook degene die aardappelen introduceerde in het Russische klimaat.

Johann Cornies zwaaide met een ijzeren vuist in een zweterige handschoen de scepter over de mennonieten-*Kolonien*. Van 1830 tot 1848 werd de manier waarop die ouwe Johann regeerde wat praktischer en hadden de door hem ingevoerde wetten steeds meer te maken met levensstijl, volksgezondheid en rituelen. Hij zette 'modeldorpen' op voor probleemwijken, bijvoorbeeld voor de Russen en de joden. Hij vond zijn *Judenplan* – het joodse model-*schtetl* – zo geweldig dat hij het idee ook toepaste op de mennonitische dorpen, die algauw starre utopieën van gelijkvormigheid en hygiëne werden. Cornies stelde voortdurend decreten op waarin werd bepaald wat de dorpelingen wel en niet mochten eten. Uiteindelijk legde hij zelfs dagmenu's op en dreigde iedereen die zich daar niet aan hield te geselen. Maandag: gekookte aardappelknoedels! Dinsdag: kliekjes van aardappelknoedels! Woensdag: opgebakken aardappelknoedels! Enzovoort. Wee je gebeente als je trek hebt in een taco.

Johann Cornies' bijnaam was 'Boomduivel', omdat hij – met zijn sterke visie op een nieuw, beter Oekraïne – de mennonieten meedogenloos dwong fruitbomen op het achterste deel van hun terrein te planten. Ook voor elk huis, in elke straat, in elk dorp, moest negen meter naast elke voordeur een fruitboom worden geplant.

Natuurlijk begonnen sommige mennonitische dorpelingen te zeuren over de lange arm van de regering-Cornies. De opstandelingen kwamen op de proppen met een onfeilbare manier om hun mening over fruitbomenwetten te demonstreren. Ze deden het volgende bij wijze van protest, en je zult het ongetwijfeld met me eens zijn dat dit sprekende gebaar een sterk staaltje mennonietenprotest is: ze besloten de bomen *ondersteboven* te planten. Aangezien er destijds op de Oekraïense steppes niet al te veel bomen te vinden waren, konden deze boeren – als ze ondervraagd zouden worden door de Johann Cornies-maffia – altijd nog net doen alsof ze niet beter wisten. 'Zeg, vriend,' zouden ze dan schouderophalend zeggen, met een blik op de abrikozenboom met zijn wortels in de lucht, 'we hebben dat ding precies zo geplant als jullie wilden. Negen meter van de voordeur. Meet maar na.'

Ik vind dit prachtige negentiende-eeuwse ondermijnende gebaar echt dapper, slim en ontzettend effectief. Het doet me denken aan soortgelijke opstandige gebaren, bijvoorbeeld als in *American Idol* een afgewezen zangeres in een prinses Leia-kostuum een bombastisch vogeldansje doet terwijl ze 'Je moeder!' schreeuwt tegen Simon Cowell.

Kortom: mennonieten. Geen amish.

Gedurende de hele bezetting van Oekraïne dachten mennonieten dat ze van Godswege waren opgeroepen om de plaatselijke Russen en joden uit de duisternis naar het licht te leiden. Het was net of de mennonieten dachten dat de inheemse bevolking bestond uit een stelletje achtergebleven lieden die het allemaal niet alleen afkonden. Honderden jaren lang hadden mennonieten een minuscuul egoprobleempje. Tja, wie zou dat niet hebben? Laten we eerlijk zijn: hun hygiëne was uitmuntend, hun ovens werden goed geventileerd, hun soep zat vol smakelijke pruimen. Ze hadden heel wat om trots op te zijn. Woonden ze in lemen hutjes, zoals de Russische boeren? Nee, mevrouw. Trouwden ze buiten de familie? Geen sprake van. Steunden ze het idee van het Judenplan voor het ideale joodse dorp? Jazeker! Wat voor problemen met dorpsplanning je ook had, de mennonieten hadden er een oplossing voor, vooral als je probleem te maken had met joden, Russen of Nogai! Mennonieten zijn een slag apart. De mennonieten genoten drie eeuwen lang autoritaire superioriteit. Is een beetje zelfingenomenheid niet vergeeflijk, gezien de werkelijk heerlijke smaak van mennonitische worst?

Het is niet zo dat de mennonieten de Russische boeren en de joden met alle geweld wilden bekeren; theologisch gezien zijn de mennonieten in hun vierhonderdjarige geschiedenis juist tamelijk op zichzelf geweest. Ze zijn niet evangelisch bezig geweest in de zin dat ze als fris geschoren jongemannen in een overhemd met korte mouwen en bijbel in een corduroy omslag bij je kwamen aanbellen en je ernstig vroegen of je ooit wel eens aan de hel dacht. Mennonitische superioriteit draaide niet om wat we geloofden. Het draaide om wat we deden. Het ging om aantoonbare zaken als arbeidsgewoonten en hygiëne. Het was niet onze schuld dat de gehele inheemse bevolking lui en ongemotiveerd was, en dat het erbarmelijk gesteld was met hun financiële inzicht, maar wij zouden dat varkentje wel eens even wassen!

Laat me even illustreren wat ik bedoel. Ik las een boeiende tekst met de titel *Heritage Remembered: A Pictorial Survey of Mennonites in Prussia and Russia (Erfgoed in herinneringen: mennonieten in Pruisen en Rusland in woord en beeld).* Na tachtig bladzijden vol oude foto's van mennonitische boeren, predikanten en molenaars stond er in het boek opeens een tekening van een Russische wagen. Die Charlie Brown-kar zag eruit als het treurige fort dat mijn broers in de achtertuin bouwden toen ze acht en vijf waren – daarvoor gebruikten ze het krakkemikkige houten krat waarin de koelkast van de familie Nachtigall was bezorgd. Onder de tekening had de mennonitische auteur, Gerhard Lohrenz, laconiek geschreven: *Russische wagen, vergelijk de mennonitische wagen op pagina 249.* Ik moet zeggen dat ik enigszins verrast was door de snoeverige toon van dat onderschrift. Eerwaarde Gerhard Lohrenz impliceerde dat de mennonietenwagen een Porsche Boxster was die het moest afleggen tegen de roestige Russische Pinto.

Russische wagen, vergelijk de mennonitische wagen op pagina 249.

Eerwaarde Gerhard Lohrenz ging vroeger vast prat op zijn eigen wagen, als hij die op zijn oprit stond te wassen. Maar tegen de tijd dat *Heritage Remembered* uitkwam was eerwaarde Gerhard Lohrenz zesenzeventig, volwassen genoeg om dat hele wagengedoe naast zich neer te leggen. Kerel, dacht ik, mennonieten worden niet geacht op te scheppen over hun wagen. Ze worden geacht een eenvoudig, bescheiden leven te leiden en God oprecht dankbaar zijn dat ze verder zijn gekomen dan alleen een paardenrug.

Maar goed, ik bladerde gehoorzaam naar pagina 249, waar ik niet één, niet twee, maar wel drie mennonietenwagens tegenkwam, die stuk voor stuk duidelijk de veel mindere Russische wagen in het stof deden bijten. Hier volgen de onderschriften. Het eerste luidde: *Overdekte mennonietenwagen, onbekend bij de Russen.* ('Hé, Russen! Jullie mochten willen dat jullie zo'n wagen hadden!') Het tweede was: *Mennonitische droschke. Elke mennonietenboer had er een. Bij de Russen was de droschke niet bekend totdat een welgestelde Russische burger er een van de mennonieten kocht.* ('Toch jammer dat jullie rijkste Rus te vergelijken is met de armste mennoniet!') Het derde en laatste onderschrift schraapte trots zijn keel en zei: *Een mennonitische goederenwagen. Ook deze was niet bekend bij de Russen, maar wel zeer gewild door hen. De rijkere Russische boeren kochten zulke wagens zodra ze de kans kregen.* ('Steek die maar in je zak, stelletje miezerige wagensukkels!')

Overdekte mennonietenwagen, onbekend bij de Russen.

Mennonitische droschke. Elke mennonietenboer had er een.
Bij de Russen was de droschke niet bekend totdat een welgestelde
Russische burger er een van de mennonieten kocht.

Een mennonitische goederenwagen.
Ook deze was niet bekend bij de Russen, maar wel zeer gewild door hen.
De rijkere Russische boeren kochten zulke wagens zodra ze de kans kregen.

De reden dat ik dit allemaal te berde breng, is dat er in historisch perspectief sprake is van een schokkende omgekeerde wereld: dezelfde mennonieten die ooit de stoerste jongens van de klas waren, werden nog geen vijftig jaar later de grootste pispaaltjes van het universum, en wel net op tijd voor mijn jeugd. De geschiedenis wijst ons erop dat elke etnische reis zo zijn hoogte- en dieptepunten kent.

Om met de profeet Jesaja te spreken: 'Alle bergen zullen verhoogd worden, en alle bergen en heuvelen zullen vernederd worden.' Dus draaide het rad van fortuin en was het de beurt aan de mennonieten om in het hondenhok te zitten. Voorbij was de tijd van triomfantelijke Judenplannen. Het was gedaan met de tsaristische onderdrukking, gedaan met de knechten die je familie drie generaties lang trouw dienden. Hallo lange rokken, strakke vlechten, en borsjtsj in je thermosfles. Terwijl de Beatles opkwamen en de rest van het land 'Here Comes the Sun' zong, viel het mij op de een of andere manier op dat de mennonieten, aangevoerd door Connie Isaac, halleluja zongen.

Dit is nou echt het stimulerende van mennonieten, het goeie spul dat je niet terugvindt in academische werken van mennonitische geleerden. Uit respect voor je tijd, lezer, heb ik al dat materiaal georganiseerd in een lijst met handige subkopjes. Mennonieten hebben een hoge vervelingsdrempel. Zoals ik al eerder heb gezegd, kunnen we uren achtereen in de kerk zitten, op een houten bankje, met een platte kont in een kriebeljurk; het wordt ons met de paplepel ingegoten. Maar ik ben me ervan bewust dat niet iedereen over mennonitisch *Sitzfleisch* beschikt. Dus bied ik je de verkorte versie; een samenvatting voor drukbezette mensen die het graag kort houden.

Cannabis sativa

Het eerste en belangrijkste dat je moet weten is dat de meeste mennonieten niet weten wat drugs zijn.

Ten tweede: als je het hun zou vertellen, zouden ze niet weten wat ze ermee aan moesten.

Ten derde: ze zouden het niet alleen niet inhaleren, maar het bovendien als peterselie fijnhakken en over een kom borsjtsj strooien. Toen ik op mijn drieënveertigste eindelijk mijn mennonitische aarzeling overwon, kwam ik erachter dat ik, net als Bill Clinton, niet kon inhaleren. In tegenstelling tot Bill Clinton wílde ik dat wel. Maar er klapte gewoon iets dicht in mijn longen. God weet dat ik het geprobeerd heb. Ik liet zelfs een vriendin een rookwolk in mijn mond blazen terwijl ik diep inademde, zoals bij yoga. Maar niks hoor. Wat me op de voorzichtige werkhypothese brengt dat mennonieten wellicht *genetisch niet in staat zijn* om high te worden.

Vrijstelling van militaire dienstplicht

In de Verenigde Staten geldt 'actief lidmaatschap' van de mennonietenkerk als gerechtvaardigde grond om vrijstelling van dienstplicht aan te vragen. Mennoniet zijn is net zoiets als een briefje van je moeder mee krijgen. Die vrijstelling is te danken aan het feit dat mennonieten zichzelf altijd hebben geprofileerd als tegenstanders van geweld. Noem een oorlog, maakt niet uit welke, en mennonieten hebben zich ertegen verzet. In de mennonitische doctrine bestaat er niet zoiets als een gerechtvaardigde oorlog. Bovendien geloven we dat geweld onvermijdelijk tot nog meer geweld leidt. We zouden dus kunnen zeggen dat mennonieten op het gebied van vredestichten gelijkenis vertonen met Mahatma Gandhi. Maar daar houdt de gelijkenis meteen op. Misschien is het slechts mijn persoonlijke mening, maar ik denk niet dat een hongerstaking in Gandhi-stijl iets voor de mennonieten zou zijn. Hun wapens neerleggen? Tuurlijk, geen probleem. Hun eetpatroon van aardappelknoedels neerleggen? Ik dacht het niet.

Kanttekening voor cynici en afvalligen: in de achttiende eeuw stonden de vredelievende mennonieten van Nieder Chortitza in zuidelijk Oekraïne bekend als *Cherkessy met aufjebroakne Tjniefs* (mannen met afgeplatte messen). De mennonieten moesten met zakmessen vechten, omdat ze als pacifisten geen vuurwapens mochten hebben. Dat doet me weer denken aan een ander punt, namelijk dat ironie niet de sterkste kant van mennonieten is.

Mennonieten noemden zichzelf traditioneel *Die Stillen im Lande* (de stillen van het land), wat betekende dat burgerverzet bereikt kon worden door goed doordachte, actieve non-participatie te koppelen aan het bedrijven van landbouw. Voor beide activiteiten is praktische actie vereist. Als het de moeite waard is om het te geloven, is het de moeite waard om het te doen. Mennonieten zijn doeners. In zekere zin lijken mennonieten op Henry David Thoreau, die demonstratief naar de gevangenis ging in plaats van de in zijn ogen onrechtvaardige belasting te betalen. Mennonieten hebben een zwak voor dit soort gedrag: het zijn heel praktisch ingestelde mensen die graag een demonstratie zien van wat ze geloven. Stel bijvoorbeeld dat je zes bent en tegen je broertje zegt dat hij een dwaas is. In het evangelie van Matteüs staat een vers dat luidt: 'Doch Ik zeg u: [...] wie zegt: Gij dwaas! die zal strafbaar zijn door het helse vuur'. Je moeder kan daarom proberen je een belangrijk lesje te leren, namelijk: wij zeggen geen onchristelijke woorden, vooral niet tegen ons broertje, ook al heeft die net min of meer opzettelijk een drol in de badkuip laten drijven. Misschien vindt je moeder dat je dit lesje het beste kunt leren door je mond met zelfgemaakte loogzeep te spoelen. Wat er met de drol gebeurt, is iets tussen je broer en God. Intussen is de loogzeep zowel doeltreffend als praktisch.

Mennonieten verkiezen alles boven deelnemen aan fysiek geweld: een oorlog verliezen, naar de gevangenis gaan, zes jaar taakstraf vervullen in de bossen, noem maar op. Militaire conflicten zijn voor brute neanderthalers en uilskuikens. Stak Jezus ook maar één vinger uit toen ze hem kruisigden? Welnee! Jezus was voorstander van homosociale omgang en van maaltijden waarbij iedereen zelf iets meebracht! Dus als je overweegt karatelessen te nemen of uit te gaan met iemand met de zwarte band, vergeet het dan maar. Je kunt niet in vrede geloven als je oorlog voert.

Mennonitische dans

Wie houden we hier nu eigenlijk voor de gek? Mennonieten dánsen niet echt! Duh!

Endogamie en/of genetisch bepaalde roze huidjes

Mennonieten trouwen met hun neven en nichten. Mennonieten herkennen elkaar allemaal meteen aan hun uiterlijk en hun geur. Onze achternamen zijn hetzelfde. We hebben bijna een geheime handdruk. Als je mennoniet ben, kan ik je denk ik probleemloos garanderen dat je met een neefje of nichtje van mijn moeder getrouwd bent. We zijn allemaal aan elkaar verwant en de genenpoel is ondiep. Spring erin als je wilt, en spetter wat rond, maar verwacht niet dat je bruin wordt. We zijn rossige Teutoonse reuzen met badpakken in grote maten.

Geintje! We dragen helemaal geen badpakken! Als we badpakken droegen, zou dat betekenen dat we ons eerst hadden moeten uitkleden. We hebben wel wat beters te doen. Zoals aandachtig in de kerk zitten bidden dat God ons niet oproept om als missionaris naar Chaco te gaan!

Multitasken

Noord-Amerikaanse mennonieten waren vroeger allemaal gewend om Plautdietsch te spreken, naar een buiten-wc te gaan en erwten te doppen, en dat soms allemaal tegelijkertijd. Daardoor zijn we geboren multitaskers. Mijn moeder, die uit een gezin van zeventien kinderen komt, is opgegroeid met een tweepersoonstoilet, zodat niemand op zijn beurt hoefde te wachten; ze konden paarsgewijs naar binnen, hun gang gaan en dan hup, weer aan het werk. Samen poepen schept een band.

De buiten-wc achter de kerk waar mijn vader predikant was, had alleen eenpersoonstoiletten, maar dat vond ik prima. Ik ging graag in mijn eentje naar de buiten-wc. Dan nam ik een flinke teug buitenlucht en keek of ik de hele tijd mijn adem kon inhouden. Dat lukte nooit, dus ademde ik uiteindelijk toch weer die doordringende stank in. Na een seconde of tien raakte je eraan gewend: een eenvoudige, ongecompliceerde geur. Ik vond het ergens wel lekker. En ik vond het leuk om door het gat omlaag te kijken naar de huiveringwekkende uitwerpselen en de grote, vochtige vliegen. Er lagen flinke drollen, enigszins misvormd door de val, en er lagen interessante, donkere kledders die het besmeurde papier absorbeerden. Ik zag een keer een rat als een schaduw in de rottende schemering scharrelen. Ik bleef vaak langer dan nodig op de buiten-wc.

Ik kan het niet uitleggen, maar de confrontatie met het smerigste dat de mens kan voortbrengen had iets bevredigends. Wat er daar onder de houten bril lag, vormde een collage die me ervan verzekerde dat al die keurige kerkdames – mevrouw Franz Redekopp, mevrouw Heinrich Braun en mevrouw Jakob Liebelt – onder hun degelijke rokken helemaal niet zo keurig waren.

Maar ik dwaal af. Misschien ben je, als je het zeventiende kind bent, wel gewoon blij dat er een wc-bril voor je is en dat jouw stront deel uitmaakt van een grotere berg stront. Je leert hard te werken en aandacht te schenken aan de vele gelijktijdige gesprekken om je heen. Zelfs als je met zijn vieren in één bed slaapt, beheers je de kunst van meerdere dingen tegelijk doen. Vijf verschillende taken uitvoeren voor vijf oudere zussen die ieder zelf ook al aan het multitasken zijn, geeft je een heerlijk gevoel van anonimiteit. Noem ons maar Talrijk, want we zijn met velen!

De meezinger

Mennonieten mogen dan niet bekend zijn met de geneugten van het naakt-zijn, maar we kunnen wel a capella, in verrukkelijke harmonie, de eerbiedige hymnen van onze jeugd zingen. Dat is een van de redenen dat mennonieten zulke grote gezinnen hebben. De ouders proberen het familiekoor te completeren. Als ze verdorie geen tenor hebben, blijven ze het net zolang proberen tot die er is. Ik ben helemaal niet behept met muzikaal talent, maar ik kan natuurlijk wel wijs houden en een acceptabele alt laten horen. Toen ik voor het eerst naar de openbare school ging, stond ik versteld toen mijn klasgenoten in het koor van de Easterby Elementary School de klassieker 'Jimmy Crack Corn' vertolkten. Ze zongen eerder enthousiast dan zuiver, en er was amper een leerling die kon harmoniseren – behalve Lola, die als kind al een prachtige stem had. De arme Lola keek alsof ze elk moment in tranen uit kon barsten.

Toen ik volwassen was, maakte ik een keer een rondreis met mennonitische wetenschappers en brachten we een bezoek aan de Byzantijnse Sofia-kathedraal van Kiev. Onze gids vertelde dat de akoestiek er spectaculair was. De krasse Klaus Quiring, een gepensioneerde muziekleraar, draaide zich vlug naar ons toe met een opgewonden blik in zijn ogen. Hij probeerde de beginregels van 'Grosser Gott wir loben Dich'. Er werd geen ogenblik geaarzeld. Plotseling was de kerk vervuld van schitterende harmonie. Ieder van ons kende elk woord van elk couplet, en de hymne klonk zo prachtig dat de kerkmedewerkers wachtten tot we de laatste noot hadden laten horen, voordat ze ons eruit schopten en ons beleefd verzochten niet meer terug te komen.

Misschien vraag je je nu af: Hoe kan ik me aansluiten bij deze geweldige religieuze groepering? Dan is het wel zo eerlijk om het nu te hebben over de sociale wellustigheden die de mennonieten om zorgvuldig afgewogen theologische redenen verwerpen. De volgende lijst met verboden zaken is verre van volledig:

- Drinken
- Dansen (maar laten we 'liturgisch bewegen' niet vergeten – dat is min of meer toegestaan)
- Roken
- Seks buiten het huwelijk
- Seks binnen het huwelijk
- Seks op tv
- Seks in films
- Seks in de klas
- Homoseks
- Heteroseks
- Seks in Chaco

- Hoger onderwijs
- Het Walt Disney-verhaal over menstrueren
- Gokken
- Kaarten
- Obsceen taalgebruik (bijvoorbeeld het woord 'dwaas')
- Ouija-borden
- Pyjamafeestjes
- Cafélunches
- Scheiden
- Prada
- Atheïstische echtgenoten die je na vijftien jaar huwelijk verlaten voor een kerel die Bob heet.

Aan de andere kant zijn mennonieten zeer te spreken over onderstaande lijst:

- Bidden in het openbaar, hardop, met gebogen hoofd, liefst in restaurants en op luchthavens
- 'Gewoon negeren', als het gaat om mondhygiëne
- Enorme donaties aan goede doelen (van het geld dat je bespaart door niet naar de tandarts te gaan)
- Etentjes waarbij iedereen iets meeneemt (A-J regelen een hoofdgerecht, K-Z de taarten)
- Degelijke vesten die tot bovenaan worden dichtgeknoopt, zodat ze de synthetische shirts met korte mouwen eronder mooi bedekken
- Pluma Moos, een warme vruchtensoep waarin onze vriend de pruim een hoofdrol vervult
- Mag ik nog even zeggen dat er in Pluma Moos ook rozijnen zitten?
- Bumperstickers met christelijke vissen, of met een tekeningetje van een jongen en een meisje die elkaar kussen in naam van Jahweh
- De gewetensvolle consumptie – uit principe – van elk schimmelig restantje in de koelkast. Om met de woorden van Euell

Gibbons, een naturalist uit de jaren zeventig die in mijn ogen een eremennoniet is, te spreken: 'Veel delen zijn eetbaar!'

Oké, volgens mij zit mijn taak erop. Bovenstaande opsomming van de mennonietencultuur is waarschijnlijk veel accurater dan wat je ook op Wikipedia zult vinden. Als je op de voorgaande bladzijden goed hebt opgelet, ben je klaar om de mennonieten in het echt te ontmoeten. Als dat gebeurt, spreek dan langzaam en glimlach. Als je het goed speelt, weet ik zeker dat ze je wat kool aanbieden.

Meer over Rhoda Janzen en haar boek

Rhoda Janzen heeft haar doctorsgraad behaald aan de Universiteit van Californië in Los Angeles, waar ze in 1994 en 1997 *Poet Laureate* was. Ze is de schrijfster van *Babel's Stair*, een gedichtenbundel, en haar gedichten zijn ook verschenen in *Poetry, The Yale Review, The Gettysburg Review* en *The Southern Review*. Ze doceert Engels en creatief schrijven aan Hope College in Holland (Michigan).

Over het schrijven van *Lieve hemel*

Rhoda Janzen vertelt:
Ik was net teruggekeerd naar een conservatieve mennonietenge-meenschap, na een afwezigheid van ruim twee decennia. Kort daar-

voor had mijn man me na vijftien jaar huwelijk aan de kant gezet voor een kerel die Bob heette en die hij had ontmoet op gay.com. In diezelfde week raakte ik betrokken bij een ernstig auto-ongeluk. Mijn hart was gebroken, mijn benen waren beschadigd en ik had even geen zin om me met mijn onderzoekswerk bezig te houden. Dus tijdens mijn onbetaalde verlofperiode ging ik terug naar de mennonieten. Het werkte therapeutisch, bijna kalmerend, om terug te zijn in mijn oudere territorium en met mijn moeder van zeventig op een antiekmarkt rond te struinen.

Bij een stalletje zag ze een aardewerken haan en vroeg me: 'Ken je Norma Franz? De vrouw van Conrad Franz?'

'Jazeker,' zei ik.

'Norma Franz heeft iets met hanen,' zei ze nadenkend. En volgens een logica die ik niet helemaal kon volgen, voegde ze eraan toe: 'Haar man Conrad is een billenman. Je weet toch dat sommige mannen op één lichaamsdeel gericht zijn? Nou, Conrad Franz heeft iets met billen. Hij heeft een keer een foto gemaakt van Norma's billen. Ze droeg een beige broek en bukte, kijk, zó.' Mijn moeder boog zich midden op de antiekmarkt voorover.

'Heeft Norma je dat verteld?' vroeg ik.

Mijn moeder knikte.

'Was Norma aan het poseren? Of ging Conrad gewoon stiekem achter haar staan?'

'Er zat iets aan haar schoen,' antwoordde mijn moeder. 'En toen wilde Conrad die foto inlijsten en in de woonkamer hangen! Dat geloof je toch niet!'

'Liet Norma dat toe?'

'Ja! Ze heeft me de foto laten zien.'

'Hoe zag die eruit?' vroeg ik.

'Als een achterwerk in een beige broek. Dat is niet mijn soort kunst.'

'Mam,' vroeg ik, 'wat heb je liever in je woonkamer: een ingelijste foto van Norma Franz' achterwerk in een beige broek, of deze aardewerken haan?'

Ze snoof. 'O, dat is niet zo moeilijk! De haan! Maar hij zou niet mooi staan op de piano.'

'Waarom moet je hem op de piano zetten? Je kunt hem ook op de koffietafel zetten.'

'Nee, de kleinkinderen zijn veel te wild. Die zouden hem omgooien.'

'In dat geval,' adviseerde ik, 'kun je misschien beter nog eens naar die foto van Norma's billen kijken. Die kun je boven de bank hangen.'

'Nee,' zei mijn moeder resoluut. 'Een foto van Norma's achterwerk zou een probleem vormen voor Heinrich Groebel. Die logeert bij ons als hij in de stad is voor een vergadering. Die Zuid-Amerikaanse mennonieten zijn altijd zo preuts.'

Mijn moeder en ik bedachten samen hoe geschokt en vol walging eerwaarde Heinrich Groebel zou reageren als hij geconfronteerd werd met een in gabardine gehulde bips boven de bank. We pauzeerden een ogenblik in respectvolle stilte voordat we naar het volgende kraampje liepen.

Een van de dagen daarna beschreef ik onder andere dit incident via e-mail aan mijn vriendinnen. Ze drongen aan op meer e-mailverslagen over de mennonieten. Ze wilden alles weten over de kerk van mijn ouders, over hun buren en hun normen. Mijn vriendinnen waren gefascineerd door de omvang van mijn familie, die grotendeels bestond uit mensen met lange zwarte kousen, korte broeken, sandalen en degelijke vesten. Zoals heel Los Angeles stilstaat als er een snelle achtervolging op tv is, waren mijn vriendinnen betoverd door de soberheid en strenge eenvoud van mijn ouders. Blijkbaar bestaat er een universele behoefte om te onderzoeken waarom sommige mensen, onder wie mijn vader, ervoor kiezen hun tandenstokers te hergebruiken. En ik heb foto's waarop duidelijk te zien is hoe een ouderlijk theezakje drie verschillende theekopjes van smaak voorzag. Mijn vriendin Carla was uiteindelijk degene die me vertelde dat ik mijn e-mails moest bewaren. Ze zei dat ze verdacht veel op memoires begonnen te lijken.

Toen ik over mijn turbulente terugkeer naar deze gemeenschap nadacht, zag ik goede mogelijkheden in de mennonietenwereld om me heen. Ik bracht er een huwelijksdrama en een vreselijke mislukking, die uit een stads intellectueel landschap geplukt waren en midden in een mennonitisch niemandsland gezet waren, waar mensen barmhartig waren voor aardewerken hanen die ze niet mooi vonden, of voor billen in een beige broek. Ik besloot dat genezing niet alleen mogelijk was, maar zelfs waarschijnlijk. En ik begon te schrijven.

Een gesprek met Rhoda Janzen

***Je vorige boek is een gedichtenbundel, Babel's Stair,
en gedichten van jou zijn gepubliceerd in tijdschriften
en bloemlezingen. Was het moeilijk om de overstap
van poëzie naar proza te maken?***

Rhoda Janzen: 'Dwazen storten zich gewoon ergens in. Mijn hele
volwassen leven heb ik de kunst van het poëzieschrijven bestudeerd,
en doordat ik daar zo toegewijd aan ben, heeft het een serieuze kant
die ik gelukkig niet voel tijdens het schrijven van non-fictie. Vanwege mijn opleiding hoor ik te weten wat ik doe als ik me met poëzie
bezighoud. Maar ik heb nooit officieel non-fictie gestudeerd, dus
kan ik mezelf makkelijk toestaan daar mijn eigen gang in te gaan.
Dat is het mooie van onwetendheid.'

***Wat is het toch met die hoofdbedekking die veel men-
nonietenvrouwen dragen?***

Rhoda Janzen: 'Dat vraag ik me nou ook af! De mennonieten zouden
zeggen dat ze die dragen als publiekelijk teken van bescheidenheid.
Mennonietenvrouwen willen namelijk van oudsher mannen niet
verleiden met hun wereldlijke schoonheid.'

***Op welk punt van je spirituele reis ben je momenteel
aanbeland?***

Rhoda Janzen: 'We beschouwen het geloof vaak als steun in tijden
van nood; we wenden ons er alleen toe als de bodem onder onze

voeten wordt weggeslagen, zoals bij mij het geval was toen mijn man me verliet. Gek genoeg wordt het geloof steeds belangrijker voor me, niet minder belangrijk. Ik ben nog steeds spirituele en theologische zaken aan het verkennen en ga zelfs regelmatig naar de kerk. En dat terwijl niemand me ertoe dwingt! Ik sta er vaak versteld van dat ik als hoogleraar Engels non-fictie verkies boven nieuwe fictie... Met een knipoog naar Viktor Frankl: de boeken op mijn nachtkastje gaan allemaal over de menselijke zoektocht naar de zin van het bestaan.'

Je verwijst in je memoires kort naar je keuze om geen kinderen te krijgen. Was dat een moeilijke beslissing?

Rhoda Janzen: 'Nick heeft in de eerste maand van ons huwelijk een vasectomie ondergaan. Dat was een gezamenlijke beslissing. Gezien zijn misère vonden we het onverantwoord om het risico te nemen dat hij zijn bipolaire stoornis door zou geven aan zijn kinderen. Ik hou van kinderen en heb me vaak afgevraagd wat voor moeder ik geweest zou zijn. Maar voor ons was de beslissing om geen kinderen te adoptéren moeilijker. We hebben ervoor gekozen om dat niet te doen omdat we geen stabiele ouderbasis konden bieden.

Maar ik mag mijn beslissing niet uitsluitend op Nicks toestand afwentelen. Weet je wat mij stoort? Dat we ons zouden moeten voortplanten omdat we dat nu eenmaal kunnen. Volgens mij zouden we een aantal proactieve, weloverwogen redenen moeten geven om een kind op de wereld te zetten. Als vrouwen het over hun biologische klok hebben, vraag ik me af wie dat bedacht heeft. Moeten mensen hun biologische behoeften niet beóórdelen in plaats van er alleen maar aan toegeven? Stel dat we alleen een baby willen om ons minder eenzaam te voelen en het idee te krijgen dat we nodig zijn? In dat geval gebruiken we iemand om een beter gevoel over onszelf te krijgen. Dat is tamelijk griezelig.'

Je moeder is geweldig opgewekt en niet te stuiten.
Heeft haar zonnige instelling ervoor gezorgd dat jij
zo'n fantastisch gevoel voor humor hebt?

Rhoda Janzen: 'Absoluut. Ze maakt me vreselijk aan het lachen. Ze bekijkt de wereld met een verbijsterend ouderlijke blik. Pasgeleden reed ik met haar naar een familiereünie en toen nam ze een foto van me mee waar ik op stond alsof ik een liefdesbaby van Menno Simons en Spiro Agnew was – zonder commentaar, gewoon: *Hier, ik dacht dat je deze afgrijselijke foto van jezelf wel leuk zou vinden!* Daarna volgde een foto van mijn zus met een gezicht als een appeltaart en een enorme onderkin, als een uitlaat onder een bumper. Wat is dat toch met moeders? Hebben ze geen verstand? Als wraak maak ik foto's van haar als ze een hoed op heeft. Ze heeft een bol hoofd en geen nek, en toch gaat ze rustig staan en mag ik haar fotograferen met elke willekeurige hoed op, zelfs met een schoudervulling uit de jaren tachtig op haar hoofd, die ik uit haar jas haalde.'

Welke (auto)biografieën vond jij zelf ontroerend of inspirerend? Hebben ze invloed gehad op de manier waarop je die van jou hebt geschreven?

Rhoda Janzen: 'Een van de memoires die ik tot diep in de nacht heb gelezen was *The Latehomecomer* van Kao Kalia Yang, over de emigratie van de Hmong vanuit Laos naar de Verenigde Staten. Maar ik heb biografieën nooit echt als genre gelezen tot ik er zelf een geschreven had. Ik hield me altijd veel te druk bezig met poëzie. Nu vind ik het echter heerlijk om af en toe lekker met een biografie op de bank te kruipen. Wie houdt er nou niet van de droge humor van David Sedaris, het onderdrukte zelfmedelijden van Jeannette Walls en de breedsprakige zoektochten van Elizabeth Gilbert? Goed spul.'

Recepten voor
Eten om je voor te Schamen

De waarheid is vreemder dan fictie, mensen. Laat me je vertellen dat ik van lezers uit heel Amerika reacties heb gehad over het onderwerp Eten om je voor te Schamen. Sommigen van hen hebben me uitgebreid geschreven over hun eigen tradities: 'In mijn familie dienen we de bietensoep koud op, met mierikswortel!' Anderen stelden mijn mennonitische etiketjes ter discussie: 'Ik wil je laten weten dat de mennonieten die broodjes kool van de Polen hebben gepikt!' Sommige lezers wilden zelfs weten hoe ze aan de vochtige persimmonkoekjes uit hoofdstuk zes konden komen.

Niemand zal me ooit kunnen beschuldigen van recepten verzamelen. En dat geldt ook voor mijn moeder, die vrolijk recepten begon te schrijven toen ik haar van de week belde. Het enige recept dat ze moest opzoeken was dat van persimmonkoekjes. Die had ze nooit meer gemaakt sinds onze jeugd. 'Hannah en jij vonden rozijnen nooit lekker,' zei mama. 'Maar daar zijn jullie inmiddels vast wel overheen gegroeid.'

Gisteravond heb ik die vochtige persimmonkoekjes gemaakt, en ik hield mijn hart vast. Maar weet je? Ze zijn best lekker.

Warmer Kartoffelsalat
Persimmonkoekjes
Platz
Cotletten
Uien-roomsaus voor Cotletten
Borsjtsj

Warmer Kartoffelsalat
zoals verteld door Rhoda's moeder

Nodig:
Gekookte aardappelen, in stukken gesneden (maar ik vind het
niet lekker als ze niet geschild zijn)
worst of saucijs, gekookt en in stukken gesneden
8 eetlepels fijngehakte selderij
1 middelgrote ui, gesnipperd
zout
peper
1,5 dl water, op kamertemperatuur
1 eetlepel bloem
2 eetlepels spekvet
65 gram suiker
0,8 dl azijn

Bak de ui in het hete vet, maar laat hem niet te bruin worden. Voeg
de bloem toe en roer die erdoor. Voeg suiker, zout, azijn en water
toe en breng het mengsel voortdurend roerend aan de kook. Giet
over de warme aardappelen en worst. Bestrooi met peper en serveer
warm.

Persimmonkoekjes
zoals verteld door Rhoda's moeder

Nodig:
110 gram ongezouten boter, gesmolten
1 groot ei
200 gram kristalsuiker
3 rijpe persimmons (dadelpruim)
1 theelepel zuiveringszout
270 gram bloem
1/2 eetlepel zout

1/2 eetlepel kaneel
1/2 eetlepel versgemalen nootmuskaat
1/2 eetlepel kruidnagel
16 eetlepels gehakte pecannoten, 7 minuten geroosterd op 190
graden
16 eetlepels rozijnen

Verwarm de oven voor op 180 graden.
Snijd het bovenste deel van de persimmons af alsof het tomaten zijn.
Lepel het vruchtvlees eruit en gooi de lege schil weg. Meng het thee-
lepeltje zuiveringszout door het persimmonvruchtvlees en zet het
weg.

Roer de boter en de suiker door elkaar. Voeg de eieren toe en meng
ze erdoorheen. Giet nu het persimmonvruchtvlees erbij. Voeg alle
droge ingrediënten toe aan het persimmonmengsel.

Vergeet de rozijnen niet! Die smaken lekker in dit recept. Laat ze
dertig seconden wellen in de magnetron en voeg ze dan samen met
de geroosterde noten toe aan het mengsel. Bak de koekjes ongeveer
tien minuten.

Platz
zoals verteld door Rhoda's moeder

Nodig:
ietwat zoet gistdeeg
kerspruimen of andere vruchten

Voor het *Streusel*-laagje:
135 gram bloem
200 gram suiker
55 gram boter

Rol het gistdeeg uit tot het zo groot is als je pan en laat het iets rijzen zodat het omhoog gaat staan. Snijd het fruit. Als je kerspruimen gebruikt, verwijder dan alle pitten. Leg de kerspruimen op het deeg.

Meng de bloem, de suiker en de boter voor de *Streusel* en verdeel het mengsel gelijkmatig over het fruit. Bak ongeveer 20 minuten op 180 graden, tot de korst mooi goudbruin is.

Cotletten
zoals verteld door Rhoda's moeder

Nodig:
1 kilo gehakt
2 eieren
1 pakje creamcrackers
2 eetlepels zout
peper
bakpoeder
1 kleine ui, gesnipperd
gecondenseerde melk
baconvet om in te bakken

Doe de crackers in een plastic zak en verkruimel ze met behulp van een deegroller. Breek 2 eieren in een grote kom. Voeg met de hand zout toe; voeg peper toe zodat het er smakelijk uitziet. Voeg bakpoeder toe opdat de Cotletten uitzetten. Roer er een flinke *schulps* gecondenseerde melk doorheen. Voeg de crackerkruimels toe. Meng het gehakt erdoor, maar maak eerst je handen nat. Braad de Cotletten in het hete vet bruin. Draai ze om en bak de andere kant bruin. Serveer met uien-roomsaus.

Uien-roomsaus voor Cotletten

Nodig:
kleine ui, gesnipperd
flinke eetlepel bloem
heet aardappelkookvocht
gecondenseerde melk

Snipper de ui en bak die in 1 eetlepel van het overgebleven vet. Roer de bloem erdoor en voeg wat heet aardappelkookvocht toe. Als het begint in te dikken, voeg dan wat gecondenseerde melk toe.

Borsjtsj
zoals verteld door Rhoda's moeder

Nodig:
1 klein varkensbraadstuk
1 laurierblad
1 middelgrote ui, gesnipperd
zout en peper
aardappelen, in stukken gesneden
wortelen, in plakjes
1 kleine kool of 1/2 grote, gehakt en het hart verwijderd
peterselie
1 blik tomatensoep

Laat het braadstuk lange tijd sudderen, maar voeg al vrij snel de laurier, de ui, het zout en de peper toe. Als het vlees mals is, voeg dan wat gesneden aardappelen en minimaal vier wortelen toe.
Voeg de peterselie en de kool toe. Als de aardappelen bijna gaar zijn, giet ik er een blik tomatensoep bij. Ik weet dat de dames van de oude stempel de voorkeur geven aan bieten, maar de tomatensmaak is net zo lekker en veel eenvoudiger. Je kunt ook echte tomaten gebruiken.

Serveer uiteraard met Zwiebachs en zure room. Papa heeft er ook graag wat azijn in.

Discussievragen bij dit boek

1. Rhoda's ouders zijn zeer religieus. Op welke manieren manifesteert hun geloof zich het opvallendst? Welke eigenschappen bewonder je in hen? Was je verrast door iets wat je over de mennonietengemeenschap geleerd hebt?

2. Kijk eens naar Rhoda's familiebijeenkomsten op kerstavond en eerste kerstdag. Hoe gaat de familie met elkaar om? Rhoda en haar broers en zus zijn heel verschillend. Gaan ze beter met elkaar om dan je zou verwachten, of niet?

3. Rhoda vertelt al vrij snel in het boek dat haar man haar heeft verlaten voor een man die hij op gay.com heeft ontmoet. Naarmate het verhaal vordert, wordt echter langzaamaan duidelijk dat haar huwelijk al een tijdje niet goed liep en dat ze al wist dat Nick biseksueel was voordat ze met hem trouwde. Is de manier waarop je tegen hun relatie aankijkt daardoor veranderd? Denk je dat de manier waarop Rhoda deze informatie mondjesmaat onthult in zekere zin een nabootsing is van de manier waarop ze het einde van haar huwelijk verwerkt? Waarom denk je dat het boek zo is opgebouwd?

4. In welke mate gaat deze autobiografie over volwassen worden? Rhoda vertelt vol humor over het 'Eten om je voor te Schamen' dat ze als kind mee naar school kreeg, maar geeft toe dat ze het, nu ze volwassen is, wel lekker vindt. Zo kijkt ze ook met plezier terug op andere gebeurtenissen die destijds niet zo leuk waren – zoals het leegspuiten van een busje insectenverdelger in een bestelbus waar ze tijdens een kampeertocht in sliep. Kun je nog meer voorbeelden

bedenken? Vind je dit soort nostalgie – het willen waarderen van slechte herinneringen en daar grapjes over maken – kenmerkend voor rijpheid en volwassen zijn?

5. De mennonieten keuren dansen en het drinken van alcohol af. Rhoda zegt dat de radio, cassettebandjes, televisie, Barbies en dat soort dingen allemaal verboden waren. Haalt haar familie iets positiefs uit het beperken van 'wereldlijke' invloeden? Hebben Rhoda en haar broers en zus iets gemist door zo beschermd op te groeien?

6. Sommige mennonieten keuren hoger onderwijs af. Vind je dat een academische carrière iemand automatisch van het geloof af brengt? Hoe verenigt Rhoda die twee werelden?

7. Rhoda's moeder is, zoals Rhoda het formuleert, 'zo vrolijk als een leeuwerik op een zomerochtend'. Rhoda beweert dat ze lang niet zo opgewekt als haar moeder is, maar denk je dat ze dat in zekere zin misschien toch is? Was je verbaasd door de humor in dit boek, gezien de ernst van een aantal zaken die aan de orde komen?

8. Rhoda bespreekt haar huwelijksproblemen open en eerlijk en vertelt ook hoe slecht haar man haar soms behandeld heeft. Achteraf denkt ze echter dat ze desondanks toch met hem getrouwd zou zijn als ze het mocht overdoen. Ze vraagt zich af: 'Hoe kan het ooit tijdverspilling zijn om echt en oprecht van iemand te houden, met alles wat je in je hebt?' Hoe denk jij daarover?

9. Rhoda en Hannah maken een lijst van mannen met wie ze nooit iets zouden willen hebben. Dat zijn onder andere mannen die Dwayne of Bruce heten, mannen die gek hoog lachen of de clown uithangen, en mannen die notitiekaartjes meenemen waarop ze openingszinnen schrijven voor een eerste afspraakje. Wat voor eigenschappen zou jij zelf absoluut vermijden bij een romantische partner?

10. Rhoda's moeder zegt tegen haar: 'Als je jong bent, is het geloof vaak een kwestie van regels. Wat je wel en niet hoort te doen, dat soort dingen. Maar als je ouder wordt, realiseer je je dat het geloof eigenlijk een kwestie van relaties is – met God, met de mensen om je heen en met de leden van je gemeenschap.' Is Rhoda's eigen relatie met het geloof daar een voorbeeld van?

11. Tegen het eind van het boek merkt Rhoda op dat ze 'plotseling het gevoel had dat het lot een machtige, verbijsterende kracht is, een onverbiddelijke stroming die ons naar nieuwe kanalen stuurt'. Geloof jij in het lot? Kun je ooit werkelijk ontsnappen aan je wortels, of je geloofsovertuigingen veranderen?

Woord van dank

Bijzondere dank gaat uit naar mijn redacteur, Helen Atsma, en mijn agent, Michael Bourret, voor hun bijdrage aan het bijschaven van deze memoires. Ik had er nooit aan gedacht dit verhaal op te schrijven als mijn slanke, roodharige vriendin Carla Vissers me er niet op had gewezen dat mijn e-mails uit Californië heel erg als non-fictie klonken. Ik denk erover om Carla een drankje aan te bieden of zoiets. Ik was nooit verder gekomen zonder de actieve aanmoediging van Anna-Lisa Cox. Ik ben Beth Trembley, Julie Kipp, Laura Roberts, James Persoon en Jill Janzen dankbaar voor hun inzichten, en Joanne Jenkins voor het lezen van een aantal hoofdstukken uit de eerste kladversie. De pittige negenjarige Emma Jenkins had het lef om een Ierse jig te dansen in de lobby van een symfoniezaal en werd daardoor mijn inspiratiebron.

Mijn ouders hebben de grootste rol gespeeld in het steunen van dit project. Ze nodigden me uit zolang bij hen te blijven als ik wilde, en waren geweldig goedhartig toen ik ze opdringerige vragen stelden over hun mennonietenjeugd. En toen ik in hun tuinhuisje zat te schrijven, en in de hitte van de vallei zat te zweten onder een trage ventilator, verscheen mijn vader soms in zijn lange korte broek en nette kousen en scharrelde wat rond in de achtertuin. Dan kwam hij ten slotte naar het tuinhuisje, legde een handvol rijpe kersen neer en verdween weer. Lief, hè? En mijn moeder! Voor haar zou ik scrofuleuze karnemelk drinken – hoewel ze die naar alle waarschijnlijkheid zelf al had opgedronken als hij scrofuleus was. Op het gebied van karnemelk is ze mijn held – net als in het leven.